Avril est le mois le plus cruel, il engendre
Des lilas qui jaillissent de la terre morte, il mêle

Souvenance et désir…

T. S. Eliot, *La terre vaine*

LE MOIS LE PLUS CRUEL

www.quebecloisirs.com

UNE ÉDITION DU CLUB QUÉBEC LOISIRS INC
Avec l'autorisation des Éditions Flammarion Ltée

Titre original: The Cruellest Month
Éditeur original: Headline Publishing Group, 2007

Oeuvres citées:
Extraits de *Sarah Binks*, de Paul Hiebert © 1947 Oxford University Press Canada, utilisés avec l'autorisation de l'éditeur.
Extraits de «Mary, la demi-pendue», poème de Margaret Atwood publié dans *Matin dans la maison incendiée*, 2004, traduction de Marie Évangéline Arsenault. Reproduits avec l'autorisation des Écrits des Forges.
Extrait d'«Epilogue», utilisé avec l'autorisation de The Society of Authors, représentant de la succession de John Masefield.
Extrait de «The Second Coming», de W. B. Yeats, utilisé avec l'autorisation de AP Watt Ltd au nom de Michael B. Yeats. Traduction d'Yves Bonnefoy, dans *Anthologie bilingue de la poésie anglaise*, La Pléiade, 2005.

Dépôt Légal --- Bibliothèque et Archives nationales du Québec, 2012

ISBN Q.L. 978-2-89666-160-2
Publié précédemment sous ISBN 978-2-89077-391-2

Imprimé au Canada

Louise Penny

LE MOIS LE PLUS CRUEL

Traduit de l'anglais (Canada)
par Michel Saint-Germain
avec la collaboration de Louise Chabalier

À mon frère Rob et à sa merveilleuse famille :
Audi, Kim, Adam et Sarah, avec amour.

1

Agenouillée dans l'herbe humide et odorante du parc, Clara Morrow dissimula soigneusement l'œuf de Pâques en se disant qu'il était temps de réveiller les morts, ce qu'elle comptait faire en soirée. En écartant une mèche de son visage, elle enduisit sa tignasse d'herbe, de boue et d'une autre substance brune qui n'était probablement pas de la boue. Tout autour, des villageois se promenaient avec leurs paniers d'œufs colorés, à la recherche de la cachette parfaite. Assise sur un banc au milieu du parc, Ruth Zardo lançait des œufs à l'aveuglette, mais visait parfois pour atteindre quelqu'un à la nuque ou au postérieur. « Elle vise incroyablement juste pour une vieille aussi folle », se dit Clara.

– Tu y vas, ce soir ? demanda-t-elle à la poète âgée en essayant de la distraire pour l'empêcher d'atteindre M. Béliveau.

– Tu veux rire ? Les vivants sont bien assez emmerdants ; pourquoi réveiller un mort ?

Sur ce, Ruth toucha M. Béliveau à la nuque. Heureusement, l'épicier du village portait une casquette d'ouvrier. Heureusement, aussi, il éprouvait beaucoup d'affection pour la grande perche aux cheveux blancs. Ruth choisissait ses victimes avec soin : c'étaient presque toujours des gens qui l'aimaient.

En temps normal, un bombardement d'œufs de Pâques aurait été anodin, mais, ce jour-là, ils n'étaient pas en chocolat. Cette erreur, on ne l'avait commise qu'une fois.

Quelques années plus tôt, le village de Three Pines avait décidé d'organiser une chasse aux œufs un dimanche de Pâques, au grand bonheur de tous. Les villageois s'étaient réunis au Bistro d'Olivier et, en prenant un verre avec du fromage, s'étaient réparti des sacs d'œufs en chocolat pour les cacher le lendemain. Des « Oh ! » et des « Ah ! » teintés d'envie remplissaient l'air. Ils auraient tant voulu redevenir des enfants. Ils allaient sûrement se réjouir en voyant la mine des gamins du village. D'ailleurs, ces mioches ne trouveraient peut-être pas tous les œufs, surtout ceux cachés derrière le comptoir d'Olivier.

– Ils sont très beaux.

Gabri prit une oie en massepain, minuscule et délicatement sculptée, puis lui arracha la tête d'un coup de dent.

– Gabri ! C'est pour les enfants, lui dit Olivier, son compagnon, en lui enlevant le reste de l'oie de sa grosse main.

– Tu veux la garder pour toi, c'est tout.

Gabri se tourna vers Myrna et lui murmura, assez fort pour que les autres l'entendent :

– Bonne idée ! Des gais qui offrent du chocolat à des enfants. Alertons les autorités !

Blond et timide, Olivier devint écarlate.

Myrna sourit. Enveloppée dans un cafetan rouge et prune éclatant, elle était noire et ovale ; on aurait dit un gros œuf de Pâques. La plupart des habitants du minuscule village étaient réunis au bistro, certains serrés le long du comptoir en bois poli, d'autres affalés dans les vieux fauteuils confortables éparpillés çà et là, qui étaient tous à vendre, car Olivier était aussi antiquaire. De discrètes étiquettes étaient accrochées partout, y compris sur Gabri lorsqu'il était en mal d'attention et de compliments.

On était début avril et les flammes crépitaient joyeusement dans l'âtre en jetant une lueur chaude sur les parquets de pin. Le temps et le soleil avaient ambré les larges planches. Se faufilant avec aisance dans la salle aux poutres apparentes, des serveurs proposaient des boissons et du brie crémeux et coulant de la ferme de M. Pagé. Installé près du parc, le bistro était au cœur du vieux village québécois. De part et d'autre du café, des boutiques contiguës étreignaient l'endroit comme des bras de brique ancienne : le magasin général de M. Béliveau, la boulangerie de Sarah, le bistro et, finalement, juste à côté, la librairie de Myrna avec ses « Livres neufs et usagés ». Depuis toujours, trois pins aux troncs rugueux se dressaient en face, comme des sages ayant trouvé ce qu'ils cherchaient. Des chemins de terre partant du village rayonnaient vers les montagnes et les forêts.

Mais Three Pines était un lieu oublié. Le temps qui tournoyait autour s'y arrêtait parfois, mais sans s'éterniser ni laisser d'impression durable. Niché depuis des siècles dans un encaissement des Appalaches, l'endroit était protégé et caché, et s'il arrivait qu'on le découvre, c'était par hasard. Parfois, un voyageur fatigué franchissait la crête de la colline et, baissant les yeux, voyait, tel un Shangri-La, le cercle accueillant des vieilles maisons. Certaines, en pierres patinées, avaient été construites par des colons qui s'étaient éreintés à déterrer roches et arbres. D'autres, en briques rouges, avaient été bâties par des loyalistes de l'Empire-Uni cherchant désespérément un asile. Certaines avaient le toit de métal pentu des demeures québécoises, avec leurs pignons intimes et leurs larges galeries. En face, au Bistro d'Olivier, il y avait du café au lait et des croissants frais, des conversations, de la compagnie et de la gentillesse. Après avoir découvert Three Pines, on ne l'oubliait jamais. Mais, pour trouver ce village, il fallait s'être perdu.

Myrna tourna la tête vers son amie Clara Morrow, qui lui tira la langue. Myrna fit de même. Clara roula les yeux. Myrna l'imita en prenant place à côté d'elle sur le sofa moelleux installé devant la cheminée.

– Tu as encore fumé de la paille pendant que j'étais à Montréal, hein ?

– Pas cette fois-ci, dit Clara en riant. Tu as quelque chose sur le nez.

Myrna se tâta, trouva quelque chose et l'examina.

– Mmm, ou bien c'est du chocolat, ou bien c'est de la peau. Il n'y a qu'une façon de le savoir.

Elle se le mit dans la bouche.

– Mon Dieu, dit Clara en faisant la grimace. Et tu te demandes pourquoi tu vis seule !

– Je ne me pose pas la question, répondit Myrna en souriant. Je n'ai pas besoin d'un homme pour me sentir entière.

– Ah, vraiment ? Et Raoul alors ?

– Ah, Raoul, fit Myrna d'un ton rêveur. Il était gentil.

– C'était un ourson en gélatine, acquiesça Clara.

– Il me complétait. Et même plus.

Elle tapota son ventre, gros et généreux comme elle. Une voix tranchante coupa la conversation :

– Regardez ça.

Debout au centre du bistro, Ruth Zardo brandissait comme une grenade un lapin en chocolat noir. Il avait de longues oreilles guillerettes et un visage si réaliste que Clara s'attendait presque à le voir remuer ses délicates moustaches en bonbon filé. Il tenait à la patte un panier tressé en chocolat blanc et au lait, qui contenait une douzaine d'œufs de confiserie, magnifiquement décorés. Ce lapin était adorable et Clara pria pour que Ruth n'aille pas le lancer sur quelqu'un.

– C'est un lapin, dit d'un ton hargneux la vieille poète.

– J'en ai un aussi, dit Gabri à Myrna. C'est mon lapin perlimpinpin.

Myrna se mit à rire et le regretta aussitôt. Ruth lui jeta un regard furieux.

– Ruth, dit Clara en se levant et en s'approchant d'elle avec précaution, tenant le verre de scotch de son mari, Peter, pour attirer son attention. Lâche ce lapin.

C'était une phrase qu'elle n'avait jamais dite.

– C'est un lapin, répéta Ruth comme si elle s'adressait à des enfants un peu lents. Alors, pourquoi il a ça ?

Elle désignait les œufs.

– Depuis quand les lapins ont-ils des œufs ? poursuivit Ruth en regardant les villageois abasourdis. Vous n'y avez jamais pensé, hein ? Il les a trouvés où ? Ils proviennent vraisemblablement de poules en chocolat. Le lapin a dû voler les œufs à des poules de confiserie qui, folles d'inquiétude, cherchent leurs bébés.

C'était bizarre : pendant que la vieille poète parlait, Clara imaginait réellement des poules en chocolat courant désespérément en tous sens pour retrouver leurs œufs – volés par le lapin de Pâques.

Sur ce, Ruth laissa tomber le lapin en chocolat sur le plancher, où il se fracassa.

– Mon Dieu ! s'exclama Gabri en se précipitant pour ramasser les morceaux. C'était pour Olivier.

– Vraiment ? dit Olivier, oubliant qu'il l'avait lui-même acheté.

– C'est une fête étrange, dit Ruth d'un ton sinistre. Je ne l'ai jamais aimée.

– Et maintenant, c'est réciproque, répondit Gabri en tenant le lapin cassé comme un enfant chéri qu'on aurait blessé.

« Il est tellement tendre », se dit Clara, mais ce n'était pas la première fois.

Gabri était si costaud, si imposant, qu'il était facile d'oublier sa sensibilité. Jusqu'à un moment pareil, alors qu'il tenait délicatement un lapin en chocolat à l'agonie.

– Comment fête-t-on Pâques ? demanda la vieille poète en arrachant le scotch de Peter de la main de Clara pour en prendre une bonne lampée. On fait une chasse aux œufs et on mange des brioches du Vendredi saint.

– On va aussi à l'église Saint-Thomas, ajouta M. Béliveau.

– Il y a plus de gens à la boulangerie de Sarah, dit sèchement Ruth. Ils achètent des pâtisseries décorées d'un instrument de torture. Tu me crois folle, je sais, mais je suis peut-être la seule à avoir toute sa tête, ici.

Sur cette note déconcertante, elle se dirigea en boitillant vers la porte, puis se retourna.

– Ne laissez pas les œufs dehors pour les enfants. Ce serait très mauvais.

Et comme Jérémie, le prophète qui pleure, elle avait raison. Quelque chose de terrible se produisit.

Le lendemain matin, les œufs avaient disparu. On n'en retrouva que les emballages. D'abord, les villageois soupçonnèrent que de grands enfants, ou peut-être même Ruth, avaient saboté l'événement.

– Regardez, dit Peter en tenant les restes déchiquetés de la boîte d'un lapin en chocolat. Des marques de dents. Et de griffes.

– C'était donc Ruth! dit Gabri en la prenant pour l'examiner.

– Regardez ici!

Clara se mit à courir dans le parc du village pour attraper un papier de bonbon poussé par le vent.

– Regardez, lui aussi est tout déchiré.

Après avoir passé la matinée à chercher les emballages d'œufs de Pâques et à nettoyer les dégâts, la plupart des villageois retournèrent d'un pas traînant chez Olivier pour se réchauffer au coin du feu.

– Non mais, vraiment, dit Ruth à Clara et à Peter au cours du lunch au bistro, vous n'aviez pas prévu ça?

– J'avoue que ça paraît évident, reconnut Peter en riant et en attaquant son croque-monsieur doré, dont le camembert fondu liait à peine le jambon fumé à l'érable au croissant feuilleté.

Autour de lui, des parents anxieux s'efforçaient d'apaiser leurs enfants pleurnichards.

– Tous les animaux sauvages des environs ont dû venir au village hier soir, poursuivit Ruth en remuant lentement les cubes de glace de son scotch. Pour manger des œufs de Pâques. Des renards, des ratons laveurs, des écureuils.

– Des ours, ajouta Myrna en se joignant à eux. Seigneur, c'est effrayant! Tous ces ours affamés qui sortent de leur tanière avec un appétit féroce après avoir hiberné tout l'hiver!

– Imagine leur surprise quand ils trouvent des œufs et des lapins en chocolat, dit Clara entre deux cuillerées d'une soupe crémeuse garnie de morceaux de saumon, de pétoncles et de crevettes.

Elle prit une baguette croustillante et en arracha un quignon, qu'elle tartina du beurre doux d'Olivier.

– Les ours ont dû se demander quel miracle s'était produit pendant leur hibernation.

– Toute résurrection n'est pas nécessairement miraculeuse, dit Ruth, levant les yeux du liquide ambré qui lui tenait lieu de lunch pour regarder par les fenêtres à meneaux. Tout n'est pas censé revenir à la vie. C'est une étrange période de l'année. Un jour de la pluie, le lendemain de la neige. Rien n'est certain. Tout est imprévisible.

– Chaque saison est imprévisible, dit Peter. Des ouragans en automne, des tempêtes de neige en hiver.

– Tu viens de me donner raison, répondit Ruth. Dans les autres saisons, le danger est identifiable, on sait tous à quoi s'attendre. Mais pas au printemps. Les pires inondations ont lieu au printemps. Des incendies de forêt, des gels meurtriers, des blizzards et des glissements de terrain. La nature est chamboulée. Tout peut arriver.

– Des journées belles à pleurer, il en vient aussi au printemps, dit Clara.

– C'est vrai, le miracle de la résurrection. Des religions entières sont fondées sur cette idée. Mais il vaut mieux que certaines choses restent enfouies.

La vieille poète se leva et descendit d'un trait le fond de son scotch.

– Ce n'est pas fini. Les ours reviendront.

– J'en ferais autant, dit Myrna, si je trouvais tout à coup un village en chocolat.

Clara sourit, mais ses yeux étaient posés sur Ruth qui, pour une fois, ne manifestait ni colère ni agacement. Clara perçut plutôt quelque chose de beaucoup plus déconcertant.

De la peur.

2

Ruth avait raison. Les ours revinrent chaque dimanche de Pâques, à la recherche d'œufs en chocolat. Sans en trouver, bien sûr, et, après quelques années, ils se contentèrent de rester dans les bois entourant Three Pines. Les villageois apprirent rapidement à ne pas s'y promener à Pâques, et à ne jamais s'interposer entre un ourson et sa mère.

« Tout cela est naturel », se dit Clara. Mais elle gardait une légère inquiétude. C'étaient eux, en quelque sorte, qui avaient engendré ce comportement.

Une fois de plus, Clara se retrouva à quatre pattes, cette fois avec les beaux œufs en bois qu'ils avaient substitués aux vrais. L'idée était venue de Hanna et Roar Parra. Originaires de la République tchèque, ils avaient un formidable talent pour peindre les œufs.

Au cours de l'hiver, Roar les taillait dans du bois et Hanna les offrait à tous ceux qui voulaient bien les peindre. Bientôt, des gens de partout dans les Cantons-de-l'Est en réclamèrent. Des écoliers en décoraient dans le cadre du cours d'arts plastiques, des parents se découvraient des talents cachés, des grands-parents peignaient des scènes de leur enfance. Pendant le long hiver québécois, ils coloriaient des œufs et, le Vendredi saint, commençaient à les cacher. Lorsqu'ils les avaient trouvés, les enfants échangeaient leur butin en bois contre de vrais œufs. Du moins, de vrais œufs en chocolat.

– Eh, venez voir, s'écria Clara, au bord de l'étang du parc.

M. Béliveau et Madeleine Favreau allèrent la rejoindre. M. Béliveau se pencha, son long corps mince presque plié en deux. Les herbes hautes recelaient un nid plein d'œufs.

– Des vrais, dit-il en riant, écartant l'herbe pour les montrer à Madeleine.

– Comme ils sont beaux, fit Mado en tendant la main.

– Ne fais pas ça. Si tu les touches, leur mère va les abandonner.

Mado retira prestement sa main et regarda Clara avec un grand sourire. Clara avait toujours aimé Madeleine, même si elles ne se connaissaient pas bien. Mado n'habitait dans la région que depuis quelques années. Un peu plus jeune que Clara, elle était pleine de vie. Elle était dotée d'une beauté naturelle, avec des cheveux courts et foncés et des yeux bruns et intelligents. Elle paraissait tout le temps s'amuser. « Pourquoi pas, se disait Clara. Après ce qu'elle a traversé. »

– Ce sont des œufs de quoi ? demanda Clara.

Madeleine grimaça en écartant les mains.

– Aucune idée.

De nouveau, M. Béliveau se plia en un mouvement gracieux.

– Ce ne sont pas des œufs de poule. Ils sont trop gros. Peut-être de canard ou d'oie.

– Ce serait drôle, dit Madeleine. Une petite famille dans le parc.

Elle se tourna vers Clara.

– À quelle heure a lieu la séance de spiritisme ?

– Tu viens ? dit Clara, à la fois surprise et ravie. Hazel aussi ?

– Non, elle a refusé. Comme Sophie arrive demain matin, Hazel veut cuisiner et faire le ménage. Mais tu veux que je te dise franchement ?

Madeleine se pencha et murmura, sur un ton de conspiration :

– Je pense qu'elle a peur des fantômes. M. Béliveau a accepté de venir.

– Il faut remercier Hazel d'avoir préféré cuisiner, dit M. Béliveau. Elle nous a préparé un superbe ragoût !

« C'est bien Hazel, se dit Clara. Toujours en train de penser aux autres ! » Clara avait un peu peur que les gens abusent de la générosité de Hazel, surtout sa fille, mais se disait aussi que cela ne la regardait pas.

– Nous avons du pain sur la planche avant le souper, mon ami.

Madeleine fit un sourire radieux à M. Béliveau et lui toucha légèrement l'épaule. L'homme, un peu plus âgé qu'elle, lui sourit en retour. Il ne l'avait pas fait souvent depuis la mort de sa femme, et Clara avait une raison de plus d'aimer Madeleine. Elle les regarda marcher avec leurs paniers dans la lumière jeune et tendre de la fin avril, qui illuminait une relation jeune et tendre. M. Béliveau, grand, mince et légèrement voûté, avait du ressort dans sa démarche.

Clara se leva, étira son corps de quarante-huit ans, puis regarda autour d'elle. Elle ne voyait que des derrières. Chaque villageois était penché pour cacher des œufs. Clara aurait voulu avoir un bloc à dessin.

Three Pines n'avait certainement rien de chic ni d'avant-gardiste, rien qui eût compté pour Clara à sa sortie de l'école d'art, vingt-cinq ans plus tôt. Ici, rien n'était planifié. À l'instar des trois pins du parc, le village semblait plutôt avoir émergé de terre au fil du temps.

Clara respira à fond le parfum printanier et tourna la tête vers la maison qu'elle partageait avec Peter. Elle était en brique, avec une galerie en bois et un mur en pierres des champs, face au parc. De la barrière d'entrée, un sentier louvoyait entre des pommiers sur le point de fleurir. De là, le regard de Clara erra en direction des maisons entourant le parc. Comme leurs habitants, les maisons de Three Pines étaient solides et façonnées par leur environnement. Elles avaient résisté aux tempêtes et aux guerres, aux pertes et aux chagrins, desquels avait émergé une communauté caractérisée par la gentillesse et la compassion.

Clara adorait. Les maisons, les boutiques, le parc du village, les jardins de vivaces et même les chemins cahoteux. Elle aimait bien que Montréal se trouve à moins d'une heure et demie de route, et que la frontière américaine ne soit qu'à un pas. Mais, par-dessus tout, elle aimait ces gens qui passaient le Vendredi saint à cacher des œufs en bois pour les enfants.

Cette année, Pâques était tardif, vers la fin avril. Ils n'avaient pas toujours autant de chance avec les éléments. Au moins une fois, le village s'était réveillé le dimanche de Pâques sous une fraîche bordée d'une lourde neige de printemps, qui avait enseveli les tendres bourgeons et les œufs peints. Le froid était souvent mordant et obligeait les villageois à se réfugier de temps à autre au Bistro d'Olivier, pour prendre un cidre ou un chocolat chaud et serrer de leurs doigts tremblant de froid les tasses réconfortantes.

Mais pas aujourd'hui. Cette journée d'avril était splendide. C'était un Vendredi saint parfait, chaud et ensoleillé. La neige avait fondu, même dans les coins d'ombre où elle avait tendance à persister. Entourés d'herbe fraîche, les arbres dessinaient des halos vert tendre. On aurait dit que l'aura de Three Pines se révélait, toute dorée et bordée d'un vert chatoyant.

Les bulbes de tulipes commençaient à fendiller la terre et le parc du village allait bientôt regorger de fleurs printanières, de jacinthes, de campanules et de jonquilles dodelinant joyeusement au vent, de perce-neiges et de muguet odorant qui embaumeraient le village de délices parfumés.

Ce Vendredi saint, Three Pines sentait la terre fraîche et la promesse du printemps. Peut-être aussi les vers de terre.

– Dis ce que tu veux, je n'irai pas.

Clara entendit le chuchotement insistant et cassant. Elle s'était de nouveau accroupie près des herbes hautes de l'étang. Elle ne voyait pas qui parlait, mais la personne devait se trouver de l'autre côté des herbes. La voix était celle d'une femme qui s'exprimait en français, mais sur un ton si tendu et si enragé qu'elle ne pouvait l'identifier.

– C'est seulement une séance de spiritisme, dit une voix d'homme. C'est pour s'amuser.

– C'est un sacrilège, pour l'amour du ciel. Une séance de spiritisme un Vendredi saint!

Il y eut une pause. Clara se sentait mal. Pas d'épier, mais parce qu'elle avait des crampes dans les jambes.

– Voyons, Odile. Tu n'es même pas pratiquante. Qu'est-ce qui peut arriver?

« Odile? songea Clara. La seule Odile que je connaisse est Odile Montmagny. Elle est... »

La femme persifla de nouveau:

La gelée de l'hiver et la limace
Qui vient au printemps laisseront leurs traces,
Tout comme le chagrin reste sur la face
Du poupon, du bambin et du père Ignace.

Un silence abasourdi s'abattit.

« ... vraiment nulle en poésie », se dit Clara pour compléter sa pensée.

Odile avait déclamé ces vers comme si les mots renvoyaient à autre chose qu'à son talent poétique.

– Je vais te protéger, dit l'homme.

Clara savait maintenant qui c'était: le copain d'Odile, Gilles Saindon.

– Vraiment, pourquoi veux-tu y aller, Gilles?

– Pour le plaisir.

– Est-ce que c'est parce qu'elle sera là?

Tout était silencieux, sauf les jambes de Clara, qui hurlaient de douleur.

– Il sera là aussi, tu sais, dit Odile d'un ton insistant.

– Qui?

– Tu sais qui. M. Béliveau. Ça ne m'inspire rien de bon, Gilles.

Il y eut une autre pause, puis Saindon parla, d'une voix grave et monocorde, comme s'il faisait un immense effort pour étouffer toute émotion.

– Ne t'en fais pas. Je ne vais pas le tuer.

Clara en oublia ses jambes. « Tuer M. Béliveau ? Qui songerait même à un tel geste ? Le vieil épicier n'a jamais roulé qui que ce soit. Qu'est-ce que Gilles Saindon peut bien avoir contre lui ? »

Elle les entendit s'éloigner et se redressa douloureusement. Clara les observa longuement, Odile avec son corps aux larges hanches qui se dandinait légèrement et Gilles en gros nounours, sa barbe rousse visible même de dos.

Clara baissa les yeux vers ses mains en sueur qui serraient les œufs de Pâques en bois. Les couleurs vives avaient déteint sur ses paumes.

Soudainement, la séance de spiritisme, qui avait paru une idée amusante quelques jours plus tôt, lorsque Gabri avait placardé dans le bistro l'affiche annonçant la venue de Mme Isadora Blavatsky, célèbre médium, prenait maintenant une allure différente. Chez Clara, l'attente joyeuse avait fait place à la terreur.

3

Ce soir-là, Mme Isadora Blavatsky n'était pas dans son assiette. En fait, elle n'était pas du tout Mme Isadora Blavatsky.

– S'il vous plaît, appelez-moi Jeanne.

Debout au milieu de l'arrière-salle du bistro, la femme effacée tendait la main.

– Jeanne Chauvet.

– Bonjour, madame Chauvet, dit Clara avec un sourire, tout en serrant la main molle. Je n'ai pas bien saisi votre prénom.

– Jeanne, lui redit la femme, d'une voix à peine audible.

Clara s'avança vers Gabri qui tendait une assiette de saumon fumé à ses invités. Peu à peu, la pièce commençait à se remplir.

– Du saumon ? dit-il en poussant l'assiette vers Clara.

– C'est qui, elle ? demanda Clara.

– C'est Mme Blavatsky, la célèbre médium hongroise. Tu ne sens pas son énergie ?

Madeleine et M. Béliveau firent un signe de la main à Clara, qui fit de même, puis regarda Jeanne : on aurait dit que celle-ci allait s'évanouir si on lui faisait « hou ! ».

– Si je ressens quelque chose, jeune homme, c'est surtout de l'agacement.

Gabri Dubeau hésitait entre se réjouir de se faire appeler « jeune homme » ou se tenir sur la défensive.

– Ce n'est pas Mme Blavatsky. Elle ne fait même pas semblant d'être cette personne. Elle s'appelle Jeanne quelque chose, ajouta Clara en prenant distraitement un morceau de saumon et en le pliant sur une tranche de pumpernickel. Tu nous as promis Mme Blavatsky.

– Tu ne sais même pas qui est Mme Blavatsky.

– Eh bien, je sais qui elle n'est pas.

Clara hocha la tête et sourit à la petite femme d'âge moyen qui paraissait légèrement déroutée, debout au milieu de la pièce.

– Mais serais-tu venue si tu avais su que c'était elle, la médium ? demanda Gabri en désignant Jeanne avec l'assiette, ce qui fit rouler une câpre sur le beau tapis oriental.

« J'aurais dû m'en douter, se dit Clara en soupirant. Chaque fois que Gabri a un client, il organise un événement extravagant, comme dans le cas de ce champion de poker venu séjourner ici et qui a raflé tout notre argent, ou de cette soi-disant chanteuse dont la voix aurait pu faire passer même Ruth pour Maria Callas. » Pourtant, même si ces affreuses rencontres qu'organisait Gabri s'avéraient éprouvantes pour les villageois, elles devaient être pires pour ces clients sans méfiance enrôlés pour divertir Three Pines, alors qu'ils ne cherchaient après tout qu'à passer un moment tranquille à la campagne.

Jeanne Chauvet regardait autour d'elle, se frottait les mains sur son pantalon de polyester et souriait au portrait accroché au-dessus de la cheminée ronflante. Clara eut l'impression de la voir disparaître sous ses yeux. C'était tout un tour de magie, sauf qu'il ne mettait pas en valeur ses capacités de médium. Clara la plaignit. « Vraiment, à quoi pensait Gabri ? »

– Mais qu'est-ce qui t'a pris ?

– Quoi ? C'est une médium. Elle me l'a dit à l'accueil. Bon, elle n'est pas Mme Blavatsky. Ni hongroise. Mais elle donne des séances.

– Un instant !

Clara devenait suspicieuse.

– Est-ce qu'elle est au courant de la soirée que tu lui as préparée ?

– Euh, en tout cas, je suis sûr qu'elle l'a pressentie.

– Quand les gens ont commencé à arriver, peut-être. Gabri, comment as-tu osé lui faire ça ? Et nous faire ça à nous aussi ?

– Elle va s'en remettre. Regarde-la. Elle se détend déjà.

Myrna lui avait apporté un verre de vin blanc et Jeanne Chauvet buvait comme si c'était de l'eau avant le miracle. Myrna tourna la tête en direction de Clara et leva les sourcils. Un peu plus et ce serait Myrna qui devrait mener la séance de spiritisme.

– Une séance? demanda Jeanne, une minute plus tard, lorsque Myrna lui eut précisé à quoi ils s'attendaient tous. Qui organise une séance?

Tous les regards convergèrent vers Gabri, qui posa très délicatement l'assiette sur une table et se rapprocha de Jeanne. La forme massive et l'exubérance naturelle de Gabri semblaient ratatiner encore davantage cette petite femme quelconque, et même la faire ressembler à un costume accroché sur un cintre. À vue de nez, Clara lui donnait une quarantaine d'années. Ses cheveux d'un brun terne, on aurait dit qu'elle se les était coupés elle-même. Ses yeux étaient d'un bleu décoloré et elle portait des vêtements bon marché, probablement achetés en solde. Clara, qui, en tant qu'artiste, avait passé la majeure partie de sa vie dans la pauvreté, en reconnut les signes. Elle se demanda pourquoi Jeanne était venue à Three Pines et pour quelle raison elle se payait un séjour au gîte touristique de Gabri, qui, sans être ruineux, n'était pas donné.

Jeanne ne semblait plus avoir peur, mais demeurait perplexe. Clara voulait aller serrer la petite femme dans ses bras pour la protéger de ce qui se tramait. Elle avait envie de lui offrir un bon souper, un bain chaud et de la gentillesse. Ainsi, peut-être pourrait-elle se matérialiser davantage.

Clara aussi se mit à regarder autour d'elle. Peter avait catégoriquement refusé de venir assister à ces inepties. Alors qu'elle quittait la maison, cependant, il lui avait tenu la main un moment et lui avait conseillé la prudence, et Clara avait souri sous les étoiles en contournant le parc du village pour se rendre au chaleureux bistro. Peter avait reçu une éducation anglicane stricte. Ce genre d'événement lui répugnait. Et le terrifiait.

Au repas, ils avaient eu une petite discussion et, de façon assez prévisible, Peter avait qualifié l'idée de folle.

– Est-ce que tu me traites de folle ? avait demandé Clara.

Elle savait que non, mais elle adorait le voir gêné. Il avait levé sa tête couverte de boucles grises et lui avait lancé un regard furieux. Grand et svelte, avec un nez aquilin et des yeux intelligents, il avait l'air d'un président de banque plutôt que d'un artiste. C'était pourtant ce qu'il était. Un artiste, mais qui semblait débranché de son cœur. Il vivait dans un monde profondément rationnel, où l'inexplicable était automatiquement « idiot », « ridicule » ou « insensé ». Même les émotions étaient insensées. Sauf son amour pour Clara, qui était ardent et entier.

– Non, c'est cette médium que je trouve cinglée. C'est un charlatan. Contacter les morts, prédire l'avenir. De la foutaise. C'est le plus vieux stratagème du monde.

– Est-ce qu'il n'en est pas question dans la Bible ?

– Ne commence pas, Clara, avait dit Peter d'un ton menaçant.

– Non, vraiment. Quel livre ancien parle de transformations ? D'eau en vin. De pain en chair. Ou de magie, comme de marcher sur l'eau. De séparer les eaux et de permettre aux aveugles de voir et aux paralytiques de se lever.

– Ce sont des miracles, pas de la magie.

– Aahh.

Clara avait hoché la tête, souri et recommencé à manger.

Alors, Clara avait demandé à Myrna de l'accompagner. Madeleine et M. Béliveau étaient là aussi. Ils ne se tenaient pas par la main, mais c'était tout comme. Le long bras de M. Béliveau, dans sa manche de pull, effleurait celui de Madeleine, et celle-ci ne semblait pas s'en offusquer. Une fois de plus, Clara fut saisie par sa beauté. C'était le genre de personne que les femmes veulent avoir pour amie et les hommes pour épouse.

Clara sourit à M. Béliveau et rougit. Peut-être parce qu'elle les avait surpris dans un moment intime et avait perçu des sentiments qu'il valait mieux garder secrets. Elle y songea un instant, mais s'aperçut que sa rougeur la concernait, elle, plus que lui. Depuis qu'elle avait entendu parler Gilles, dans l'après-midi, sa façon de voir M. Béliveau avait changé. Le gentil épicier n'était plus seulement un personnage affable dans leur vie, mais une personne cachant un mystère. Clara n'aimait pas cette transformation. De plus, elle s'en voulait de se laisser aussi facilement influencer par les commérages.

Debout devant la cheminée, Gilles Saindon frottait vigoureusement l'arrière de son immense jean pour y faire pénétrer la chaleur. D'une large carrure, il masquait presque entièrement l'âtre. Odile Montmagny lui apporta un verre de vin qu'il prit d'un air distrait, préférant plutôt se concentrer sur M. Béliveau, qui ne semblait pas en avoir conscience.

Clara avait toujours aimé Odile. Elles étaient à peu près du même âge et toutes deux artistes. Clara était peintre et Odile poète. Odile prétendait travailler à un poème épique, une ode aux Anglos du Québec, entreprise louche puisqu'elle était francophone. Clara n'oublierait jamais la lecture à laquelle elle avait assisté à la Légion royale canadienne à Saint-Rémy. On avait invité toutes sortes d'auteurs locaux, dont Ruth et Odile. Ruth avait d'abord lu, tiré de son œuvre saisissante, *À l'assemblée des fidèles*.

J'envie votre éclat perpétuel
qui se nourrit de votre ferveur mutuelle.
J'envie, ce me semble,
que vous puissiez être vous, ensemble,
et je sais bien : vous ne voyez pas
que je dois, seule, être moi.

Puis, cela avait été au tour d'Odile, qui avait bondi et, sans marquer un temps d'arrêt, s'était lancée dans son poème.

Le printemps s'en vient avec son adiposité
Et le souffle pétulant d'une chaleur parfumée.
Et le boldu, le goglu et le bourelouté
Banniront de l'hiver le froid et la pauvreté
Et une joie somptueuse remplira l'immensité.

– Quel merveilleux poème, l'avait faussement complimentée Clara lorsque tout le monde eut terminé et qu'ils étaient agglutinés au bar, soudain pressés de prendre un verre. Cependant, je suis un peu curieuse. Je n'ai jamais entendu parler du bourelouté.

– J'ai inventé le mot, dit Odile avec une grande joie. J'avais besoin d'une rime en *é*.

– Comme « hilarité » ? suggéra Ruth.

Clara la mit en garde du regard, tandis qu'Odile semblait analyser la suggestion.

– Ce n'est pas assez fort, j'en ai bien peur.

– Pas autant que ce mastodonte, le bourelouté, dit Ruth à Clara avant de se tourner de nouveau vers Odile. Eh bien, je me sens certainement enrichie, sinon fertilisée. Selon moi, le seul poète qui vous soit comparable, c'est la grande Sarah Binks.

Odile n'avait jamais entendu parler de Sarah Binks, car sa formation culturelle était limitée au génie de la langue française. Sarah Binks était assurément une très grande poète anglophone. Ce compliment venant de Ruth Zardo avait stimulé la créativité d'Odile Montmagny qui, entre deux clients à La Maison biologique, sa boutique de Saint-Rémy, rédigeait d'autres poèmes dans son cahier d'écolier usé, parfois sans même faire de pause pour trouver l'inspiration.

En tant qu'artiste tirant le diable par la queue, Clara s'identifiait à Odile et l'encourageait. Bien sûr, aux yeux de Peter, Odile était folle. Clara n'était pas de son avis. Elle savait que, souvent, ce qui caractérise les grands artistes n'est pas le génie, mais la persévérance. Odile en avait.

En ce Vendredi saint, huit personnes étaient rassemblées pour réveiller les morts dans la confortable arrière-salle du bistro, mais se demandaient qui allait procéder.

– Pas moi, dit Jeanne. Je croyais que l'un d'entre vous était le médium.

– Gabri ? fit Gilles Saindon en se tournant vers leur hôte.

– Vous m'avez pourtant affirmé que vous faisiez des lectures, dit Gabri à Jeanne d'un ton implorant.

– J'en fais. Je lis le tarot, les runes, ce genre de choses. Je ne contacte pas les morts. Pas souvent, en tout cas.

« C'est drôle, se dit Clara. Si on attend et qu'on écoute assez longtemps, les gens disent des choses fort étranges. »

– Pas souvent ? demanda-t-elle à Jeanne.

– Ça peut arriver, admit Jeanne en reculant d'un petit pas, comme si elle réagissait à une agression.

Clara esquissa un sourire en essayant de paraître moins sûre d'elle, moins intimidante, mais même un lapin en chocolat aurait sûrement paru plein d'assurance à cette femme.

– Pourriez-vous le faire ce soir ? S'il vous plaît ? demanda Gabri.

Il voyait sa fête battre de l'aile.

Jeanne, minuscule et chétive, était au centre de leur cercle. Clara vit alors passer quelque chose sur le visage de cette femme grise. Un sourire. Non, un rictus.

4

Hazel Smyth s'affairait dans sa maison douillette et exiguë, essayant de se tenir occupée. Elle avait un million de choses à préparer avant le retour de sa fille, Sophie, de l'Université Queen's. Elle avait déjà fait les lits avec des draps pur fil, propres et frais. Les fèves au lard cuisaient lentement, le pain levait et le frigo était rempli des victuailles préférées de Sophie. Hazel s'effondra sur le canapé inconfortable en crin de cheval de la salle de séjour et sentit ses quarante-deux années, et peut-être quelques-unes de plus. Il semblait émerger de ce vieux canapé de minuscules aspérités qui piquaient tous ceux qui s'y assoyaient, comme pour en repousser le poids. Toutefois, Hazel aimait ce meuble, peut-être parce que personne d'autre ne l'aimait. Elle savait qu'il était rempli à parts égales de crin de cheval et de souvenirs, parfois tout aussi irritants.

– Ne me dis pas que tu l'as gardé, Hazel! s'était esclaffée Madeleine, quelques années plus tôt, en entrant dans la petite pièce.

Madeleine avait couru vers le vieux sofa et s'était tout de suite agenouillée dessus en s'appuyant contre le dossier, comme si elle avait oublié comment on s'assoit, son petit derrière se trémoussant sous les yeux d'une Hazel abasourdie.

– C'est tordant, avait dit la voix de Mado qu'atténuait l'espace entre le mur et le meuble. Te rappelles-tu quand on épiait tes parents, cachées ici derrière?

Hazel avait oublié. Un autre souvenir à ajouter au canapé déjà bien rembourré. Madeleine éclata de rire et, telle la petite écolière de jadis, se retourna d'un bond pour s'asseoir face à son amie. Elle tendit la main vers Hazel, qui s'avança et vit quelque chose entre ses doigts délicats. Quelque chose de blanc et d'immaculé. On aurait dit un petit os blanchi. Hazel s'arrêta un moment, craignant un peu cette créature sortie du ventre du canapé.

– C'est pour toi.

Madeleine déposa délicatement l'offrande dans la paume de la main de Hazel. Madeleine était radieuse, il n'y avait pas d'autre mot. Un foulard couvrait sa tête chauve. Ses sourcils maladroitement dessinés au crayon lui donnaient un air étonné. Une légère teinte bleuâtre sous ses yeux laissait deviner une fatigue qui allait au-delà des nuits sans sommeil. Malgré tout cela, Mado était radieuse. Son bonheur extraordinaire remplissait la pièce terne.

À l'époque, elles ne s'étaient pas vues depuis vingt ans, et, même si Hazel se rappelait chaque instant de leur amitié de jeunesse, elle avait oublié, en quelque sorte, à quel point elle se sentait vivante en la présence de Madeleine. Elle regarda dans la paume de Mado. L'objet n'était pas un os, mais une note enroulée.

– Elle était encore dans le sofa, dit Madeleine. Imagine! Après toutes ces années. Elle nous attendait, je suppose. Elle attendait ce moment.

Madeleine semblait porter la magie en elle, se rappela Hazel. Et attirer les miracles.

– Où as-tu trouvé ça?

– Là, derrière.

Mado fit un signe de la main vers l'arrière du sofa.

– Un jour, alors que tu étais dans la salle de bains, je l'ai glissée dans un petit trou.

– Un petit trou?

– Un petit trou creusé par un petit stylo.

Madeleine, les yeux brillants, fit mine d'enfoncer et de tourner un objet dans le canapé, et Hazel se mit à rire. Elle imaginait sans peine la jeune fille percer le précieux meuble de ses parents. Madeleine n'avait peur de rien. À l'école, Hazel se portait volontaire pour maintenir l'ordre dans les corridors, alors que Madeleine arrivait en catimini en classe après s'être éclipsée pour fumer dans les bois.

Hazel baissa les yeux vers le minuscule cylindre blanc qu'elle tenait et qui était resté à l'abri de la lumière du soleil et de la vie, avalé par le canapé qui le recrachait des décennies plus tard.

Puis, elle l'ouvrit. Elle sut alors qu'elle avait eu raison de craindre la chose. Car ce qu'elle contenait changea sa vie, immédiatement et à jamais. D'une écriture ronde, à l'encre violette et exubérante, était tracée une phrase simple: « Je t'aime. »

Hazel ne put supporter le regard de Madeleine. Elle leva plutôt les yeux et remarqua que sa salle de séjour, si terne ce matin-là, était maintenant chaleureuse et confortable, et que ses couleurs délavées étaient devenues vives. Lorsqu'elle regarda de nouveau Madeleine, le miracle s'était produit. Elle n'était plus seule.

Madeleine retourna à Montréal pour terminer ses traitements, mais dès qu'elle le put elle revint à la petite maison à la campagne, entourée de collines onduleuses, de forêts et de champs de fleurs printanières. Madeleine avait trouvé un chez-soi, Hazel aussi.

Hazel prit des chaussettes à repriser sur le vieux canapé en crin de cheval. Elle était inquiète. Inquiète de ce qui était en train de se passer au bistro.

Ils avaient sorti les runes, ces anciens symboles divinatoires nordiques. Selon le signe gravé sur les pierres, Clara était un bœuf, Myrna une torche en pin, et Gabri le taureau – mais Clara lui dit qu'il avait tiré « la vache ».

– Ah, mais c'est exactement ça, dit Gabri, impressionné. Je te fais un effet bœuf!

M. Béliveau plongea la main dans le petit panier d'osier et en sortit une pierre peinte d'un losange.

– Le mariage, suggéra M. Béliveau.

Madeleine sourit, mais ne dit rien.

– Non, dit Jeanne en l'examinant. C'est le dieu Ing.

– Bon, laissez-moi essayer, dit Gilles Saindon.

Il plongea sa grosse main calleuse dans le panier délicat et la retira en refermant le poing sur la pierre. Lorsqu'il l'ouvrit, ils virent la lettre *R*. La pierre rappelait à Clara les œufs en bois qu'ils avaient cachés pour les enfants. Ils avaient été peints de symboles, eux aussi. Cependant, si les œufs symbolisaient la vie, les pierres symbolisaient la mort.

– Qu'est-ce que ça veut dire ? demanda Gilles.

– Ça signifie « chevaucher ». L'aventure, un voyage, dit Jeanne en le regardant. Souvent accompagnée d'un labeur. De tâches ardues.

– Rien de nouveau.

Odile se mit à rire, ainsi que Clara. Gilles était un bourreau de travail et son corps de quarante-cinq ans portait les traces de toutes ces années où il avait été bûcheron : solide, robuste et presque toujours endolori.

– Mais, dit Jeanne en tendant le bras et en plaçant sa main par-dessus la pierre qui reposait encore dans le centre moelleux de la paume de Gilles, entourée de callosités saillantes, vous l'avez tirée à l'envers. Le *R* est inversé.

Il y eut un silence. Gabri avait découvert, en lisant la petite brochure sur les runes, que sa pierre voulait plutôt dire « le taureau » et avait enguirlandé Clara en menaçant de la priver de pâté et de vin rouge. Tous deux revinrent alors vers les autres et se penchèrent au-dessus de la pierre, le cercle devenant serré et tendu.

– Qu'est-ce que ça veut dire ? demanda Odile.

– Un chemin difficile. Il faut être prudent.

– Et la sienne ? dit Gilles en désignant M. Béliveau.

– Le dieu Ing ? Il symbolise la fertilité, la masculinité.

Jeanne sourit à l'épicier tranquille et affable.

– C'est aussi un rappel important au respect de tout ce qui est naturel.

Gilles se mit à ricaner, d'un rire mesquin et suffisant.

– À Madeleine maintenant, suggéra Myrna en essayant de rompre la tension.

Mado avança la main et choisit une pierre.

– Je suis sûre que la mienne dira que je suis égoïste et sans cœur. Un *P*.

Elle sourit en regardant le symbole.

– C'est étonnant, car j'ai justement rêvé à mon pépé.

– Le *P* veut dire la joie, dit Jeanne. Cependant, il y a autre chose. Avez-vous remarqué ?

Madeleine hésita. Sous les yeux de Clara, la magnifique énergie qui semblait envelopper la femme parut se dissiper, diminuer. Pendant un instant, on aurait dit qu'elle s'étiolait.

– Il est inversé, lui aussi, dit Madeleine.

Les mains de Hazel reprisaient les chaussettes usées, mais son esprit était ailleurs. Elle jeta un coup d'œil à l'horloge. Vingt-deux heures trente. « Encore tôt », se dit-elle.

Elle se demanda ce qui se passait au bistro de Three Pines. Madeleine avait suggéré qu'elles y aillent ensemble, mais Hazel avait refusé.

– Ne me dis pas que tu as peur, l'avait taquinée Madeleine.

– Bien sûr que non. C'est absurde, c'est une perte de temps.

– Tu n'as pas peur des fantômes ? Alors, est-ce que tu habiterais à côté d'un cimetière ?

Hazel réfléchit.

– Probablement pas, mais seulement à cause de la valeur de revente.

– Toujours le sens pratique, dit Madeleine en riant.

– Crois-tu vraiment que cette femme peut contacter les morts ?

– Je ne sais pas, avoua Mado. Franchement, je n'y ai pas pensé. Ça paraît amusant, c'est tout.

– Des tas de gens croient aux fantômes, aux maisons hantées, dit Hazel. L'autre jour, j'ai lu quelque chose là-dessus. Il y en a une à Philadelphie. Un moine apparaît à tout bout de champ et les visiteurs perçoivent des ombres humaines sur les marches, et il y avait autre chose – qu'est-ce que c'était ? Ça m'a donné la frousse. Ah oui. Un endroit où la température est basse. Juste à côté d'une grosse bergère. D'après ce qu'on dit, tous ceux qui s'y assoient meurent après avoir vu le spectre d'une vieille femme.

– Je pensais que tu ne croyais pas aux fantômes.

– Pas moi, mais des tas de gens y croient.

– Des tas de cultures parlent des esprits, reconnut Madeleine.

– Mais on ne parle pas d'eux, n'est-ce pas? Je pense qu'il y a une différence. Un fantôme est malveillant, méchant. Il y a un désir de vengeance et de la colère chez un fantôme. Je ne suis pas certaine qu'il soit raisonnable de jouer avec ça. L'édifice où se trouve le bistro est là depuis des centaines d'années. Dieu sait combien de gens y sont morts. Non, je vais rester à la maison, regarder un peu la télé, apporter à manger à la pauvre Mme Bellows, à côté. Et éviter les fantômes.

Hazel s'assit dans le halo de lumière tamisée que diffusait la seule lampe du séjour. Elle frissonna au souvenir de cette conversation, comme si un esprit s'était juché sur le bras du canapé et avait fait baisser la température en ce point précis. Elle se leva et alluma toutes les lumières. La pièce demeura morne, cependant. Sans Madeleine, elle semblait se ratatiner.

L'inconvénient, c'était que, après avoir allumé partout, elle ne voyait plus par la fenêtre. Elle n'apercevait que son propre reflet. Du moins, elle espérait qu'il s'agissait de son propre reflet. Il y avait là une femme d'âge moyen assise sur un canapé, vêtue d'une confortable jupe de tweed et d'un ensemble pull-cardigan couleur olive. Elle avait au cou un modeste rang de perles. On aurait dit sa mère. C'était peut-être elle.

Peter Morrow se tenait debout sur le seuil de l'atelier de Clara et fixait l'obscurité. Il avait fait la vaisselle, lu devant la cheminée de la salle de séjour, puis, par ennui, avait décidé d'aller consacrer une heure à son dernier tableau. En traversant la cuisine, il s'était rendu dans l'autre partie de leur petite maison avec l'intention d'ouvrir la porte de son atelier et d'y entrer.

Alors, que faisait-il devant l'atelier de Clara?

L'endroit était sombre et silencieux. Il sentit battre son cœur dans sa poitrine. Ses mains étaient froides et il s'aperçut qu'il retenait son souffle.

Pourtant, ce qu'il faisait était simple, banal même.

Il tendit le bras pour allumer les plafonniers. Puis, il entra.

Ils étaient assis en cercle sur des chaises de bois. Jeanne les compta et parut troublée.

– Le huit est un mauvais chiffre. On ne devrait pas aller plus loin.

– Qu'est-ce que vous voulez dire par « mauvais » ? demanda Madeleine, qui sentit son cœur battre plus fort.

– Il suit immédiatement le sept, dit Jeanne comme si ceci expliquait cela. Le huit forme le signe de l'infini.

Le doigt tendu, elle traça un huit dans l'air.

– L'énergie tourne en rond. Sans issue. Elle est en colère et frustrée, et devient très puissante.

Elle soupira.

– Ça n'augure rien de bien.

Les lumières étaient éteintes et seul le feu qui crépitait jetait sur eux une faible lueur. Certains se trouvaient dans l'obscurité, le dos aux flammes. Les autres formaient une suite de visages inquiets et désincarnés.

– Je veux que vous fassiez tous le vide dans votre esprit.

La voix de Jeanne était profonde et vibrante. Ils ne voyaient pas ses traits. Elle avait le dos tourné au foyer. Clara se dit qu'elle l'avait fait exprès, mais peut-être pas.

– Respirez à fond et laissez sortir de vous l'anxiété et l'inquiétude. Les esprits sentent l'énergie. Si elle est négative, elle ne peut qu'attirer des esprits mal intentionnés. Nous voulons remplir le bistro d'une énergie positive et affectueuse pour attirer les bons esprits.

– Merde, murmura Gabri. Cette séance était une mauvaise idée.

– La ferme, siffla Myrna à côté de lui. Crée de bonnes pensées, connard, et vite.

– J'ai peur, souffla-t-il.

– Arrête. Va dans ton lieu de bonheur, Gabri, dit Myrna d'une voix râpeuse.

– Mais c'est ici, mon lieu de bonheur, rétorqua Gabri. Esprits, s'il vous plaît, emmenez-la en premier. Elle est grosse et juteuse. S'il vous plaît, pas moi.

– T'es vraiment une vache, dit Myrna.

– Silence, je vous prie, dit Jeanne avec une autorité qui étonna Clara. S'il y a soudainement un bruit fort, je veux que vous vous preniez par la main, compris ?

– Pourquoi ? chuchota Gabri à Odile de l'autre côté. Est-ce qu'elle s'attend à quelque chose de mauvais ?

– Chut, dit Jeanne calmement.

Il n'y eut plus un murmure. Tous cessèrent de respirer.

– Ils arrivent.

Tous les cœurs s'arrêtèrent de battre.

Peter entra dans l'atelier de Clara. Il s'y était trouvé des centaines de fois et savait qu'elle avait une bonne raison de garder la porte ouverte : elle n'avait rien à cacher. Tout de même, il se sentait coupable.

Après avoir jeté un bref regard autour de lui, il se dirigea tout droit vers le grand chevalet situé au milieu. L'atelier sentait l'huile, le vernis, le bois et le café fort. Des années de création et de café avaient imprégné cette pièce de sensations réconfortantes. Alors pourquoi Peter était-il terrifié ?

Arrivé au chevalet, il s'arrêta. Clara l'avait recouvert d'un drap. Il resta là, le regard fixe, s'enjoignant de partir, se suppliant de ne pas faire ça. Sans y croire tout à fait, il vit sa main droite se tendre vers le drap. Comme s'il avait quitté son corps, il se savait incapable d'empêcher ce qui était sur le point de se produire. Cela semblait prédestiné.

Sa main empoigna le vieux drap taché et le tira d'un coup.

La pièce était silencieuse. Clara voulait désespérément prendre la main de Myrna, mais elle n'osait pas bouger. Au cas où. Au cas où ce qui s'en venait la choisirait pour cible.

Puis, elle entendit. Les autres aussi.

Des pas.

Le grincement d'une poignée de porte.

Quelqu'un poussa des geignements de chiot effrayé.

Soudain, un horrible martèlement fendit le silence. Un homme hurla et Clara sentit de part et d'autre des mains essayant d'empoigner les siennes. Elle les prit et les serra bien fort en répétant sans cesse : « Bénissez-nous, Seigneur, bénissez ce repas et ceux qui l'ont préparé, et procurez du pain à ceux qui n'en ont pas. Amen. »

– Laissez-moi entrer, gémit une voix d'outre-monde.

– Oh, mon Dieu, c'est un esprit courroucé, dit Myrna. C'est ta faute, dit-elle à Gabri, terrifié, qui avait les yeux écarquillés.

– Connards ! dit la voix désincarnée. Connaaaards !

Un carreau cliqueta et un visage horrible apparut à la vitre. Le cercle haletant eut un mouvement de recul.

– Pour l'amour du ciel, Dorothy, je sais que tu es là ! hurla la voix. Je suis la Méchante Sorcière de l'Ouest !

Clara n'avait pas du tout imaginé que ce seraient les derniers mots qu'elle entendrait de son vivant. Elle avait toujours cru que ce serait : « Où avais-tu la tête ? »

Gabri se leva, tremblant.

– Mon Dieu, s'écria-t-il en faisant le signe de croix. On va mourir.

À la fenêtre à meneaux, Ruth Zardo cligna des yeux et, avec le médius, lui fit la moitié d'un signe de croix.

Peter regarda longuement la toile posée sur le chevalet. Sa mâchoire se serra et son regard se durcit. C'était pire que ce qu'il avait prévu, pire que ce qu'il avait craint, et les craintes de Peter étaient immenses. Devant lui se trouvait la dernière œuvre de Clara, celle qu'elle allait bientôt montrer à Denis Fortin, l'influent galeriste de Montréal. Jusqu'à maintenant, Clara s'était démenée dans l'anonymat pour créer ses pièces presque inintelligibles – du moins pour Peter.

Puis, venu de nulle part, Denis Fortin avait frappé à leur porte. Peter était certain que le distingué marchand, branché sur le monde de l'art, s'était déplacé pour lui. Après tout, il était connu. Ses peintures atrocement détaillées, qui se vendaient des milliers de dollars, étaient accrochées sur les murs les plus prestigieux du Canada. Tout naturellement, Peter avait fait entrer Fortin dans son atelier, mais l'homme lui avait dit, poliment, que ses œuvres étaient belles, mais qu'il voulait en fait voir Clara Morrow.

Si le commerçant avait dit qu'il allait se changer en petit bonhomme vert et s'envoler vers la Lune, Peter n'aurait pas été plus estomaqué. « Voir les œuvres de Clara ? Quoi ? » Saisi, il avait dévisagé Fortin.

– Pourquoi ? bafouilla-t-il.

Fortin l'avait dévisagé à son tour.

– C'est bien ici qu'habite Clara Morrow, l'artiste ? Un ami m'a montré son portfolio. C'est ça ?

Fortin avait sorti de sa mallette un portfolio et Peter avait reconnu l'arbre pleureur de Clara. Pleurant des mots. « Vraiment, un arbre qui pleure des mots ? » s'était-il demandé la première fois que Clara lui avait montré son œuvre. Et maintenant, Denis Fortin, le galeriste le plus important du Québec, était impressionné.

– C'est ma toile, avait dit Clara en venant s'interposer entre eux.

Émerveillée, comme en rêve, elle avait fait visiter son atelier à Fortin. Elle lui avait décrit sa dernière œuvre, cachée sous une bâche. Fortin avait regardé fixement la bâche, sans tendre les bras, sans même demander qu'on l'enlève.

– Quand sera-t-elle terminée ?

– Dans quelques jours, dit Clara, surprise de la question.

– Dirions-nous la première semaine de mai ?

Il avait souri et lui avait serré la main très chaleureusement.

– Je vais amener mes conservateurs pour que nous puissions décider ensemble.

Décider ?

Le grand Denis Fortin allait revenir dans une dizaine de jours pour voir la dernière œuvre de Clara. S'il l'aimait, ce serait un tournant important dans sa carrière.

À présent, Peter regardait fixement le tableau.

Soudain, il sentit quelque chose l'empoigner. Par-derrière. Ce quelque chose avança vers lui, pénétra en lui et l'envahit. Peter haleta de douleur, une douleur fulgurante, cuisante. Il eut les larmes aux yeux de se sentir vaincu par ce spectre qui l'avait menacé toute sa vie. Ce fantôme dont il s'était caché, enfant, qu'il avait fui, enterré, renié. Après l'avoir traqué sans relâche, il avait fini par le trouver. Ici, dans l'atelier de sa bien-aimée. Alors qu'il était debout devant cette création, le terrible monstre l'avait trouvé.

Et dévoré.

5

– Alors, qu'est-ce qu'elle voulait, Ruth ? demanda Olivier en plaçant des scotchs pur malt devant Myrna et Gabri.

Odile et Gilles étaient rentrés chez eux, mais tous les autres se trouvaient encore au bistro. Clara salua de la main Peter qui était en train de retirer son manteau et de l'accrocher près de la porte. Elle l'avait appelé dès la fin de la séance pour l'inviter à se joindre à eux pour le bilan de la soirée.

– On a d'abord pensé qu'elle criait « connards », dit Myrna, puis on s'est rendu compte que c'était « canards ».

– « Canards », vraiment ? dit Olivier en sirotant un cognac, assis sur le bras de la bergère de Gabri. « Canards » ? D'après toi, c'est ce qu'elle a toujours dit ?

– Et on aurait mal compris ? demanda Myrna. « Pauvres canards ! » Est-ce que c'est ce qu'elle m'a dit l'autre jour ?

– « Canards de merde » ? dit Clara. C'est possible. Elle est souvent d'humeur volatile.

M. Béliveau se mit à rire et regarda Madeleine, pâle et silencieuse à côté de lui.

La belle journée d'avril avait fait place à une soirée froide et humide. Il était près de minuit et ils étaient les derniers dans le bistro.

– Qu'est-ce qu'elle voulait ? demanda Peter.

– Des conseils sur les œufs de canard. Te rappelles-tu ceux qu'on a trouvés près de l'étang, cet après-midi ? dit Clara en se tournant vers Mado. Ça va ?

– Ça va, dit Madeleine en souriant. Je suis seulement un peu énervée.

– J'en suis désolée, dit Jeanne.

Elle était assise sur une chaise droite, un peu à l'écart de leur cercle. Elle était redevenue effacée. Tous les signes de force et de calme de la médium avaient disparu dès qu'on avait rallumé.

– Oh non, je suis certaine que ça n'a rien à voir avec la séance, l'assura Madeleine. On a pris un café après souper. La caféine me fait cet effet-là.

– Ce n'est pas possible, dit M. Béliveau. Je suis sûr que c'était du déca.

Néanmoins, lui-même se sentait un peu à cran.

– Qu'est-ce que c'est que cette histoire d'œufs ? demanda Olivier en lissant le faux pli de son pantalon de velours côtelé.

– Après notre départ, Ruth serait allée à l'étang et les aurait pris dans ses mains, expliqua Clara.

– Oh non, dit Mado.

– Puis, les canards sont revenus et n'ont pas voulu s'asseoir sur leur nid, dit Clara. Comme tu l'avais prédit. Alors, Ruth a apporté les œufs chez elle.

– Pour les manger ?

– Pour les couver, dit Gabri, qui, avec Clara, s'était rendu à la minuscule maison de Ruth pour voir si elle avait besoin d'aide.

– Elle ne s'est pas assise dessus, quand même ? demanda Myrna, ne sachant pas si l'image l'amusait ou lui répugnait.

– Non, en fait, quand on est arrivés, les œufs reposaient dans un panier, sur une couverture de flanelle douce. Elle les avait tous mis au four, à basse température.

– Bonne idée, dit Peter.

Comme les autres, il se serait attendu à ce que Ruth les dévore au lieu de les sauver.

– Je ne pense pas qu'elle ait allumé ce four depuis des années. Elle n'arrête pas de dire qu'il consomme trop d'énergie, dit Myrna.

– Eh bien, il est allumé, maintenant, dit Clara. Elle essaie de faire éclore les œufs. Pauvres parents canards !

Elle prit son scotch et jeta un coup d'œil, par la fenêtre, à l'obscurité du parc, en imaginant les parents canards près de l'étang, à l'endroit où leur progéniture s'était trouvée, les bébés lovés dans leurs petites coquilles, sûrs d'être au chaud et en sécurité auprès de maman et papa. Les canards s'accouplent pour la vie, Clara le savait. C'est pourquoi la saison de chasse était particulièrement cruelle. De temps à autre, à l'automne, on voyait un canard solitaire qui cancanait. Qui appelait. Qui attendait son compagnon ou sa compagne. Il attendrait toute sa vie.

Les parents canards étaient-ils en train d'attendre le retour de leurs bébés ? Les canards croient-ils aux miracles ?

– Tout de même, vous avez dû tous avoir une peur bleue, dit Olivier, hilare, en imaginant Ruth à la fenêtre.

– Heureusement, Clara a pris les choses en main en récitant une bénédiction ancienne, dit Gabri.

– Est-ce que quelqu'un voudrait un autre verre ? demanda Clara.

– « Bénissez-nous, Seigneur, entonna Gabri suivi par les autres, bénissez ce repas et ceux qui l'ont préparé. »

Peter bafouilla de rire et sentit dégouliner son scotch sur son menton.

– « Et procurez du pain à ceux qui n'en ont pas. »

Peter regarda droit dans les yeux bleus amusés de Clara.

– « Amen », dirent-ils tous à l'unisson, y compris Clara, qui riait elle aussi.

– Tu as récité le bénédicité ? demanda Peter.

– Eh bien, je croyais que j'allais revoir mon souper.

Tout le monde rigola, et même M. Béliveau, d'ordinaire si sérieux et poli, laissa échapper un gros éclat de rire tout en s'essuyant les yeux.

– L'apparition de Ruth a certainement mis fin à la séance, dit Clara après avoir retrouvé sa contenance.

– Je ne pense pas que nous aurions réussi, de toute façon, dit Jeanne.

– Pourquoi pas ? demanda Peter, curieux d'entendre son excuse.

– J'ai bien peur que cet endroit soit trop heureux, dit Jeanne à Olivier. C'est ce que je soupçonnais dès mon arrivée.

– Merde, dit Olivier. On ne peut pas tolérer ça.

– Pourquoi avez-vous fait cette séance, alors ? reprit Peter, certain de l'avoir démasquée.

– Eh bien, ce n'était pas mon idée. J'avais l'intention de passer la soirée ici avec des *linguine primavera* et de vieux numéros de *Country Life*. Les mauvais esprits n'habitent pas ici.

Jeanne regarda Peter dans les yeux et son sourire s'effaça.

– Sauf un, dit M. Béliveau.

Le regard de Peter passa de Jeanne à M. Béliveau. Il s'attendait à voir le gentil épicier pointer vers lui un doigt crochu et accusateur, mais M. Béliveau avait les yeux rivés sur la fenêtre.

– Qu'est-ce que vous voulez dire ? demanda Jeanne.

Elle avait suivi son regard, mais ne percevait que les lueurs réconfortantes des maisons du village à travers les rideaux de dentelle et la vitre ancienne au plomb.

– Là-bas, dit M. Béliveau en secouant la tête. Au-delà du village. On ne le voit pas, à moins de savoir quoi chercher.

Clara ne regardait pas. Elle savait de quoi il parlait et le suppliait en silence de ne pas aller plus loin.

– Mais il est là, poursuivit-il. Si vous regardez là-haut, sur la colline qui domine le village, il y a un point plus obscur que le reste.

– Qu'est-ce que c'est ? demanda Jeanne.

– Le mal, dit le vieil épicier.

La pièce devint silencieuse. Même le feu sembla cesser de crépiter.

Jeanne se rendit à la fenêtre et fit ce qu'il avait dit. Elle leva les yeux au-dessus du sympathique village. Il lui fallut un moment, mais elle finit par le voir surplomber les lumières de Three Pines : un point plus noir que la nuit.

– La vieille maison des Hadley, murmura Madeleine.

Jeanne se tourna de nouveau vers les autres qui, au lieu de se prélasser confortablement, étaient maintenant sur le qui-vive. Myrna prit son scotch et en but une lampée.

– Pourquoi dites-vous que c'est le mal ? demanda Jeanne à M. Béliveau. C'est toute une accusation à porter contre une personne ou un endroit !

– Il se passe de mauvaises choses là-bas, dit-il simplement en se tournant vers les autres pour solliciter leur appui.

– Il a raison, dit Gabri en prenant la main d'Olivier, mais en se tournant vers Clara et Peter. Que dire de plus ?

Clara regarda Peter, qui haussa les épaules. La vieille maison des Hadley était maintenant à l'abandon. Elle était vide depuis des mois, mais Peter savait que ce n'était pas vrai. Entre autres parce qu'il y avait laissé une partie de lui-même. Non pas une main, le nez ou un pied, Dieu merci, mais des choses qui n'avaient aucune substance, mais un poids considérable. Il y avait laissé son espoir et sa confiance. Il y avait abandonné sa foi aussi. Son peu de foi, il l'avait perdu. Là.

Peter Morrow savait que la vieille maison des Hadley était méchante. Elle volait. Des vies. Des amis. Des âmes, la foi. Elle lui avait volé son meilleur copain, Ben Hadley. Et, en retour, la monstruosité qui dominait la colline ne donnait que du chagrin.

Jeanne Chauvet se glissa jusqu'au foyer et tira sa chaise plus près d'eux, pour faire enfin partie de leur cercle. Elle posa les coudes sur ses maigres genoux et se pencha en avant, les yeux plus brillants que Clara ne les avait vus de toute la soirée.

Lentement, tous les amis se tournèrent vers Clara, qui respira à fond. Cette maison la hantait depuis son arrivée à Three Pines, alors qu'elle venait d'épouser Peter, plus de vingt ans auparavant. Elle l'avait hantée et presque tuée.

– Il y a eu un meurtre, là-bas, et un enlèvement. Et une tentative de meurtre. Des meurtriers ont vécu dans cette maison.

Clara fut étonnée de constater à quel point tout cela lui paraissait lointain.

Jeanne hocha la tête, tournant son visage vers les braises qui mouraient lentement dans l'âtre.

– Un équilibre, finit-elle par dire. C'est logique.

Elle se redressa, comme si elle passait à un autre mode.

– Dès mon arrivée à Three Pines, je l'ai senti. Je le sens ce soir, ici et maintenant.

M. Béliveau prit la main de Madeleine. Peter et Clara se rapprochèrent. Olivier, Gabri et Myrna aussi. Clara ferma les yeux et essaya de ressentir le mal que Jeanne percevait. Cependant, elle ne percevait que…

– La paix.

Jeanne sourit un peu.

– Aussitôt arrivée, j'ai senti ici une grande gentillesse. Avant même de réserver au gîte, je suis allée à la petite église, celle de Saint-Thomas, je crois, et je me suis assise en silence. L'ambiance était paisible, sereine. C'est un vieux village, il a une vieille âme. J'ai lu les plaques fixées aux murs de l'église et regardé le vitrail. Ce village a connu des pertes, des morts prématurées, des accidents, la guerre, la maladie. Three Pines n'est à l'abri de rien de tout cela. Vous semblez toutefois l'accepter en vous disant que c'est la vie, plutôt que de vous accrocher à l'amertume. Connaissiez-vous les victimes de ces meurtres dont vous parlez ?

Tout le monde hocha la tête affirmativement.

– Et pourtant, vous ne semblez ni amers ni prisonniers de cette horrible expérience. Bien au contraire. Vous paraissez heureux et apaisés. Savez-vous pourquoi ?

Ils fixaient le feu, leurs verres, le plancher. Comment expliquer le bonheur ? Le contentement ?

– On élimine, finit par dire Myrna.

– Oui, dit Jeanne avec un signe de tête. Sauf que…

Elle s'immobilisa net et regarda Myrna droit dans les yeux. Sans la défier. Plutôt en l'implorant, en la suppliant presque de comprendre ce qui allait suivre.

– Ce que vous éliminez, ça s'en va où ?

– Quoi donc ? demanda Gabri après une minute de silence.

Myrna murmura :

– Notre chagrin. Il doit bien aller quelque part.

– C'est vrai, dit Jeanne en souriant comme si elle avait affaire à une élève particulièrement douée. Nous sommes de l'énergie. Le cerveau et le cœur sont guidés par des impulsions. Nos corps sont alimentés par de la nourriture convertie en énergie. Ce sont des calories. Ceci – Jeanne leva les mains et tapota son corps mince – est une usine incroyable, qui produit de l'énergie. Nous sommes également des êtres émotionnels et spirituels. Et ça aussi, c'est de l'énergie. Les auras, les vibrations, appelez cela comme vous voudrez. Quand vous êtes en colère, dit-elle à Peter, est-ce que vous ne tremblez pas ?

– Je ne me mets jamais en colère, dit-il en lui renvoyant un regard froid.

Il en avait assez de ces fadaises.

– Vous êtes en colère maintenant, je le sens. Nous le sentons tous.

Elle se tourna vers les autres, qui ne firent aucun commentaire, par loyauté envers leur ami. Ils savaient cependant qu'elle avait raison. Ils sentaient la rage qui émanait de lui.

Peter se sentit piégé par cette chamane et trahi par son propre corps.

– C'est naturel, dit Jeanne. Votre corps ressent une forte émotion et envoie des signaux.

– C'est vrai, dit Gabri en se tournant vers Peter d'un air contrit. Je sens ta colère, et notre malaise. Plus tôt, il y avait du bonheur dans l'air. Tout le monde était détendu. Il était inutile de me le dire. Quand tu entres dans une pièce remplie de gens, est-ce que tu ne le vois pas immédiatement si les gens sont heureux ou tendus ?

Gabri regarda autour de lui et tous approuvèrent d'un signe de tête, même M. Béliveau.

– À mon épicerie, on apprend vite à lire les gens. On voit si quelqu'un est de mauvaise humeur ou en colère, ou pourrait être menaçant.

– Menaçant ? À Three Pines ? demanda Madeleine.

– D'accord, avoua l'épicier, ce n'est jamais arrivé, mais je reste vigilant, au cas où. Je le sais dès que les gens entrent.

– Mais c'est du langage corporel et une attitude familière. Ce n'est pas… de l'énergie, dit Peter en faisant trembler ses mains devant lui et en baissant la voix d'un ton moqueur.

M. Béliveau fut réduit au silence.

– Vous n'avez pas à y croire, dit Jeanne. La plupart des gens sont sceptiques.

Elle fit à Peter un sourire qu'il prit pour de la condescendance.

– On récolte ce qu'on sème, dit-elle à brûle-pourpoint. Si on dégage une énergie de colère, c'est ce qu'on reçoit en retour. C'est assez simple.

Peter regarda le reste du groupe. Tout le monde écoutait attentivement cette Jeanne, comme s'ils croyaient à toutes ces idioties.

– Vous avez parlé d'équilibre, dit Myrna.

– C'est juste. La nature est un équilibre. L'action et la réaction. La vie et la mort. Tout est en équilibre. Il est normal que la vieille maison des Hadley soit proche de Three Pines. Les deux se font mutuellement contrepoids.

– Qu'est-ce que vous voulez dire ? demanda Madeleine.

– Que la vieille maison des Hadley est l'ombre de notre lumière, dit Myrna.

– Si Three Pines est un lieu de bonheur, c'est parce que vous éliminez votre chagrin. Il ne va pas loin, cependant. Juste en haut de la colline, dit Jeanne. À la vieille maison des Hadley.

Peter le sentit, maintenant, et il en eut la chair de poule. Tout ce qu'il éliminait portait des marques de griffes et atterrissait directement dans la vieille maison des Hadley. Cette maison était remplie de leur peur, de leur peine, de leur rage.

– Pourquoi ne pas organiser une séance là-bas ? demanda M. Béliveau.

Tous se tournèrent lentement vers lui et le regardèrent, abasourdis, comme si la cheminée avait parlé et dit une phrase tout à fait improbable.

– Je ne sais pas.

Mal à l'aise, Gabri se tortilla sur sa chaise.

Instinctivement, ils se tournèrent vers Clara. Sans le vouloir, elle était devenue le cœur de leur communauté. Petite, d'âge moyen et en train de s'arrondir un peu, Clara était un mélange rare de bon sens et de sensibilité. Elle se leva, prit une poignée de noix de cajou et le reste de son scotch et se dirigea vers la fenêtre. Autour du parc du village, la plupart des lumières étaient éteintes. Three Pines était au repos. Après qu'elle eut passé un moment à apprécier la paix, son regard monta vers ce trou noir. Elle resta là quelques minutes, à siroter, à croquer et à contempler.

Était-il possible que la vieille maison des Hadley soit remplie de leur colère et de leur peine ? Était-ce pour cela qu'elle attirait les meurtriers ? Et les fantômes ?

– Je pense qu'il faut le faire, finit-elle par dire.

– Ah, pour l'amour du ciel ! s'exclama Peter.

Clara jeta de nouveau un bref coup d'œil par la fenêtre.

Il était temps d'enterrer la méchanceté.

6

M. Béliveau ouvrit la portière de l'auto pour Madeleine.

– Tu es sûre ? Tu ne veux pas que je te raccompagne ?

– Oh non, ça va. Mes nerfs se calment, dit-elle faussement.

Son cœur battait encore la chamade et elle était épuisée.

– Tu m'as ramenée saine et sauve à mon auto et il n'y a pas d'ours.

Il lui prit la main. La sienne donnait l'impression d'être en papier de riz, sec et fragile, et pourtant sa poigne était ferme.

– Ils ne vont pas t'attaquer. C'est seulement quand on s'interpose entre la mère et l'ourson qu'ils sont dangereux. Ne fais jamais ça.

– Je note. « Ne pas mettre les ours en colère. » Tu es sûr, vraiment ?

M. Béliveau se mit à rire. Madeleine aimait l'entendre rire. Elle aimait cet homme. Elle se demanda si elle devait lui dire son secret. Elle en serait soulagée. Elle ouvrit la bouche, mais la referma. Il avait encore une telle tristesse. Une si grande gentillesse. Elle ne pouvait la lui enlever. Pas maintenant.

– Voudrais-tu entrer pour prendre un café ? Je vais m'assurer qu'il est déca.

Elle dégagea sa main de sa poigne légère.

– Je dois y aller, mais j'ai passé une très agréable journée, dit-elle en se penchant pour l'embrasser sur la joue.

– Sauf qu'il n'y avait pas de fantômes, dit-il comme s'il le regrettait – et c'était le cas.

Il regarda les feux arrière remonter la rue du Moulin, dépasser la vieille maison des Hadley et disparaître, puis il se retourna et marcha jusqu'à sa porte. Il y avait un léger ressort, presque imperceptible, dans sa démarche. Une chose infime s'était ravivée en lui, qu'il était certain d'avoir enterrée en même temps que sa femme.

Myrna fourra quelques bûches dans son poêle à bois et ferma la porte de fonte. Puis, elle traversa le loft avec lassitude en traînant ses pantoufles sur le vieux plancher de bois, glissant d'instinct d'une carpette à une autre comme un nageur entre des îles, et éteignant les lumières au passage. Le loft aux poutres apparentes et aux murs de vieilles briques s'évanouit dans l'obscurité, à l'exception de la lampe de chevet près du grand lit accueillant. Myrna posa sa tasse de chocolat chaud et son assiette de biscuits aux brisures de chocolat sur la vieille table en pin et prit son livre. Ngaio Marsh. Myrna relisait les classiques. Heureusement, sa librairie d'occasion n'en manquait jamais. Elle-même était sa meilleure cliente. Avec Clara, en fait, qui achetait la plupart des vieux polars. La bouillotte sur les pieds, elle tira l'édredon et se mit à lire. Sirotant et grignotant, elle s'aperçut qu'elle était à la même page depuis dix minutes.

Elle avait l'esprit ailleurs, coincé dans l'obscurité entre les lumières de Three Pines et les étoiles.

Odile inséra le CD dans le lecteur et mit les écouteurs. Elle attendait ce moment depuis six jours. Elle en rêvait, et sa hâte s'était intensifiée à mesure que la semaine passait. Non pas parce qu'elle n'appréciait pas son quotidien. En fait, elle mesurait sa chance et n'en revenait pas. Elle s'étonnait encore du fait que Gilles se soit tourné vers elle alors que son mariage à lui battait de l'aile. Elle avait eu un béguin pour cet homme pendant tout le secondaire. Elle avait fini par trouver le courage de l'appeler pour la soirée dansante à laquelle les filles pouvaient inviter les garçons, et il avait dit non. Il n'avait pas été cruel, cependant. Certains garçons étaient cruels, surtout envers des filles comme Odile.

Pas Gilles. Il avait toujours été gentil. Il lui avait toujours souri en la saluant dans les couloirs, même devant ses amis.

Odile l'avait adoré alors, tout comme maintenant.

Pourtant, chaque semaine, elle attendait ce moment. Chaque vendredi soir, Gilles se couchait tôt et elle se rendait dans le séjour de leur modeste demeure, à Saint-Rémy.

Dès les premières notes de la première chanson, elle sentit ses épaules tendues retomber et sa vigilance se relâcher, son besoin de surveiller chaque mot et chaque geste. Elle ferma les yeux et prit une longue gorgée de vin rouge, comme un homme en train de se noyer prendrait une grande bouffée d'air. La bouteille était déjà à moitié vide et Odile craignit d'en manquer avant l'arrivée de la magie. De la transformation.

Quelques minutes plus tard, Odile marchait, les yeux clos, sur une scène décorée de fleurs. À Oslo. C'était à Oslo, non ? Peu importe.

Le public distingué – cravate, queue-de-pie et robe de soirée – était debout. En train de l'ovationner. Non. De pleurer.

Odile s'arrêta à mi-chemin pour saluer et remercier le public. Elle posa une main sur sa poitrine et fit une légère révérence empreinte de modestie et de dignité.

Puis, le roi lui présenta l'écharpe de soie. Lui aussi avait les larmes aux yeux.

– C'est avec grand plaisir, madame Montmagny, que je vous décerne le prix Nobel de poésie.

Mais, ce soir, les applaudissements nourris ne la touchaient pas, ne la berçaient pas, ne la protégeaient pas non plus de ce qu'elle soupçonnait : on avait découvert sa nullité. Elle tentait de s'adapter à un monde dont tous connaissaient les codes, sauf elle.

Mais Odile savait une chose que personne d'autre ne savait. C'était son petit secret. Tous ces gens à la séance avaient craint des esprits maléfiques, mais elle savait que le monstre était non pas de l'autre monde, mais de celui-ci. Odile Montmagny savait qui c'était.

*

Hazel semblait distraite au retour de Madeleine.

– Je n'ai pas pu dormir, dit Hazel en versant du thé dans deux tasses. J'imagine que c'est l'arrivée de Sophie qui me tient éveillée.

Madeleine remua son thé et hocha la tête. Hazel était toujours un peu nerveuse quand Sophie revenait à la maison. Cette venue perturbait la quiétude de leur vie. Non pas que Sophie fût une fêtarde, elle n'était même pas bruyante. Non, c'était autre chose. De la tension apparaissait soudain dans leur confortable foyer.

– J'ai apporté à manger à la pauvre Mme Bellows.

– Comment va-t-elle ? demanda Mado.

– Mieux, mais elle a encore mal au dos.

– Tu sais, son mari et ses enfants devraient s'en charger pour elle.

– Mais ils ne le font pas, dit Hazel.

Elle était parfois étonnée par la présence d'un côté dur chez Madeleine. On aurait dit qu'elle se fichait des gens.

– Tu es une bonne âme, Hazel. J'espère qu'elle t'a remerciée.

– J'aurai ma récompense au ciel, dit Hazel en portant le bras à son front, d'une manière théâtrale.

Madeleine rit, de même que Hazel. C'était l'une des nombreuses choses que Mado adorait chez elle : son refus de se prendre trop au sérieux, en plus de sa gentillesse.

– On va avoir une autre séance.

Mado plongea son biscuit dans le thé et le mit juste à temps dans sa bouche, mou et trempé.

– Dimanche soir.

– Trop de fantômes d'une seule traite ? Ils ont dû former des équipes ?

– Trop peu. La médium dit que le bistro est un endroit trop heureux.

– Es-tu sûre qu'elle n'a pas dit trop « gai » ?

– C'est possible.

Mado sourit. Elle savait que Hazel et Gabri étaient de bons amis qui avaient travaillé ensemble avec les femmes de l'église anglicane pendant des années.

– Quoi qu'il en soit, pas de fantômes. Alors, on va à la vieille maison des Hadley.

Par-dessus sa tasse de thé, elle observa Hazel. Celle-ci écarquilla les yeux. Puis, au bout d'un moment, Hazel dit :

– Es-tu certaine que c'est sage ?

– Es-tu entré ici ? s'écria Clara de son atelier.

Peter se figea alors qu'il s'apprêtait à donner à Lucy son biscuit du soir. La queue de Lucy cingla l'air avec une énergie croissante, sa tête penchée sur le côté, les yeux rivés sur le biscuit magique comme si le désir à lui seul pouvait faire bouger les objets. Si c'était le cas, la porte du frigo serait ouverte en permanence.

Clara sortit la tête de son atelier et regarda Peter. Même s'il ne constatait chez elle qu'une simple curiosité, il se sentit accusé. Son esprit s'emballa, mais il savait qu'il ne pouvait lui mentir. Pas là-dessus, en tout cas.

– Je suis entré pendant que tu étais à la séance. Est-ce que ça te dérange ?

– Si ça me dérange ? J'en suis ravie. Est-ce qu'il te manque quelque chose ?

Devait-il dire qu'il avait besoin de jaune de cadmium ? D'un pinceau numéro 4 ? D'une règle ?

– Oui.

Il s'approcha d'elle et, de son long bras, lui entoura la taille.

– J'avais besoin de voir ton tableau. Je suis désolé. J'aurais dû attendre que tu sois ici pour te le demander.

Il attendit de voir sa réaction. Son cœur se serra. Les yeux levés vers lui, elle souriait.

– Tu voulais vraiment le voir ? Peter, c'est merveilleux.

Il avait surtout envie de rentrer sous terre.

– Viens.

Elle le prit par la main et l'amena à cette chose posée au centre de la pièce.

– Dis-moi ce que tu en penses.

D'un geste rapide, elle dévoila le chevalet et il revit le tableau.

C'était le plus beau qu'il avait vu de toute sa vie.

D'une telle beauté que cela lui faisait mal. Oui. C'était bien ça. La douleur qu'il ressentait venait de l'extérieur de lui-même. Pas de l'intérieur. Non.

– C'est renversant, Clara.

Il lui prit la main et regarda dans ses yeux bleu clair.

– C'est ta meilleure œuvre. Je suis tellement fier de toi.

Clara ouvrit la bouche, mais aucune parole n'en sortit. Elle attendait depuis des années que Peter comprenne, « pige » l'une de ses œuvres. Qu'il voie plus que de la peinture sur une toile. Qu'il la sente vraiment. Elle savait qu'elle ne devait pas s'en faire autant, que c'était un point faible. Que ses amis artistes, y compris Peter, disaient qu'il faut créer pour soi et ne pas se soucier de ce que pensent les autres.

De fait, tous les autres lui importaient peu, elle n'en avait que pour lui. Elle voulait qu'il partage sa vision, en plus de son âme. Au moins une fois. Juste une. Et voilà que ça se produisait. Par surcroît, il s'agissait de l'œuvre qui comptait le plus pour elle. Celle qu'elle allait montrer, dans quelques jours, au galeriste numéro un du Québec. Celle dans laquelle elle avait tout investi.

– Mais est-ce que les couleurs sont tout à fait au point ?

Peter se pencha vers le chevalet, puis recula, sans la regarder.

– Eh bien, je suis sûr que oui. Tu sais ce que tu fais.

Il l'embrassa et lui murmura « Félicitations » à l'oreille. Puis il partit.

Clara recula d'un pas et contempla la toile. Peter était l'un des artistes canadiens les plus respectés et les plus accomplis. Il avait peut-être raison. La peinture lui semblait très bien, à elle, et pourtant…

– Qu'est-ce que tu fais ? demanda Olivier à Gabri.

Au beau milieu de la nuit, en tendant un bras, Olivier avait senti que le côté du lit de Gabri était froid. Ils se trouvaient maintenant tous les deux dans la salle de séjour du gîte. Olivier resserra la ceinture de sa robe de chambre en soie et lança un regard trouble à son partenaire.

Gabri, en bas de pyjama froissé et en pantoufles, tenait un croissant et semblait le promener dans la pièce.

– Je suis en train de me débarrasser de tous les esprits maléfiques qui auraient pu me suivre ici après la séance.

– Avec des pâtisseries ?

– En fait, comme on n'avait aucune brioche du Vendredi saint, c'était ce qui s'en rapprochait le plus. Le croissant, c'est bien le symbole de l'islam ?

Olivier était constamment ébahi par Gabri. Il le trouvait follement profond et profondément débile. Olivier secoua la tête et retourna au lit, confiant qu'au matin tous les mauvais esprits et tous les croissants auraient disparu.

7

Le dimanche de Pâques commença par une aube grise, mais on espérait qu'il ne pleuvrait qu'après la chasse aux œufs. Tout au long du service religieux, certains parents ignorèrent le prêtre en tendant plutôt l'oreille pour percevoir un tambourinement sur le toit de l'église Saint-Thomas.

L'église sentait le muguet. Ces clochettes blanches aux feuilles d'un vert vif décoraient chaque banc. C'était joli. Jusqu'à ce que la petite Paulette Legault en lance un bouquet à Timmy Benson. S'ensuivit une pagaille monstre. Bien entendu, le prêtre fit comme si de rien n'était.

Des jeunes se mirent à courir le long de la courte allée, tandis que les parents tentaient de les en empêcher ou les ignoraient. D'une façon ou d'une autre, le résultat fut le même. Le prêtre lut un passage du rite de l'exorcisme. L'assemblée dit amen, puis tout le monde se précipita hors de la chapelle.

Un dîner était organisé par les femmes de l'église anglicane sous la direction de Gabri, au sous-sol, et des tables à pique-nique avec des nappes à carreaux rouges avaient été installées dans tout le parc.

« Bonne chasse », cria le prêtre en faisant des signes de la main pendant que sa voiture remontait la rue du Moulin, en direction de sa prochaine paroisse. Il était à peu près certain que son petit office n'avait sauvé personne. De toute façon, comme personne n'avait été perdu, c'était suffisant.

Debout sur la dernière marche de l'église, Ruth tenait en équilibre sur une assiette d'épais sandwichs au jambon à l'érable sur du pain encore fumant de la boulangerie de Sarah, une salade de pommes de terre maison avec des œufs et de la mayonnaise, et une immense pointe de tarte au sucre. Myrna arriva à côté d'elle avec, sur la tête, une planche sur laquelle étaient étalés des livres, des fleurs et du chocolat. Des villageois erraient en tous sens dans le parc ou s'assoyaient aux tables, les femmes coiffées de chapeaux de Pâques énormes et exubérants, et les hommes préférant détourner les yeux.

Myrna, dont l'assiette croulait sous une montagne de nourriture, regardait la chasse avec Ruth. Des enfants couraient partout en hurlant de plaisir lorsqu'ils découvraient les œufs en bois. La petite Rose Tremblay fut poussée dans l'étang par un de ses frères et Timmy Benson s'arrêta pour l'aider à en sortir. Alors que Mme Tremblay criait quelque chose à son fils, Paulette Legault frappa Timmy. « Un signe d'amour, aucun doute là-dessus », se dit Myrna, reconnaissante de ne plus avoir dix ans.

– Ça te chante qu'on s'assoie ensemble ? demanda Myrna.

– Non, ça ne me « chante » pas, dit Ruth. Je dois rentrer.

– Comment vont les poussins ?

Myrna ne s'offusquait pas du ton de Ruth. Le faire, c'eût été vivre offensé en permanence.

– Ce ne sont pas des poussins, mais des canards. Des canetons, je suppose.

– Où sont les vrais œufs ? demanda Rose Tremblay, dressée devant Ruth comme une brave enfant devant le croquemitaine, trois beaux œufs en bois dans ses paumes roses et grassouillettes.

Pour une raison quelconque, les enfants de Three Pines allaient toujours trouver Ruth, comme des lemmings.

– Qu'est-ce que j'en sais ?

– C'est toi la dame aux œufs, dit Rose, enveloppée d'une couverture trempée.

« Cette petite fille, on dirait l'un des précieux œufs de cane de Ruth, enrobé dans de la flanelle », se dit Myrna.

– Écoute, mes œufs sont à la maison, bien au chaud, et tu devrais l'être aussi. Si tu tiens à faire l'idiote, c'est à elle que tu devrais demander les œufs en chocolat.

Ruth pointa sa canne, telle une baguette magique tordue, vers Clara qui tentait de se frayer un chemin jusqu'à une table.

– Clara n'est pas chargée de donner aux enfants leurs œufs en chocolat, dit Myrna alors que la petite Rose détalait en appelant les autres enfants, qui fondirent comme une tornade sur Clara.

– Je sais, dit Ruth en ricanant.

Elle descendit les marches en boitillant. Arrivée au bas, elle se retourna et leva les yeux vers la grosse Noire qui enfournait son sandwich.

– Tu y vas, ce soir ?

– Chez Clara et Peter pour le repas ? On y va tous, non ?

– Ce n'est pas ce que je veux dire et tu le sais.

Myrna pigeait, sans que la vieille poète ait à se tourner vers la maison des Hadley.

– N'y va pas.

– Pourquoi pas ? Je fais souvent des rituels. Tu te rappelles après la mort de Jane ? Toutes les femmes, même toi, sont venues faire un rituel de nettoyage énergétique.

Myrna n'oublierait jamais la fois où elle avait fait le tour du parc avec les femmes et le bâton de sauge fumante pour débarrasser le village de la peur et des soupçons qui l'avaient assailli.

– Cette fois, c'est différent, Myrna Landers.

Myrna ne savait pas que Ruth connaissait son nom de famille, ni même son prénom. En général, Ruth se contentait d'agiter la main en donnant des ordres.

– Ce n'est pas un rituel. C'est chercher délibérément à provoquer le mal. Ça ne concerne ni Dieu, ni la Déesse, ni les esprits, ni la spiritualité. C'est une question de vengeance.

On m'a pendue pour avoir vécu seule,
parce que j'avais des yeux bleus et une peau brûlée par le soleil,
des jupes en loques, peu de boutons,
une ferme à mon nom envahie par les herbes
et un remède infaillible pour les verrues.

Ah oui, et des seins,
et une poire sucrée cachée dans mon corps.
C'est pratique,
quand il est question de démons.

– N'y va pas, Myrna Landers. Tu connais la différence entre rituel et vengeance. Autant que ce qu'il y a dans cette maison.

– Tu crois que c'est une histoire de vengeance? demanda Myrna, abasourdie.

– Bien sûr. Peu importe ce qu'il y a là-bas, il ne faut pas le déranger, il faut que ça reste dans cette maison, dit-elle en désignant cette dernière d'un coup sec de la canne.

Si ç'avait été une baguette magique, Myrna était certaine qu'un éclair en aurait jailli et aurait détruit la menaçante demeure qui dominait la colline. Puis, Ruth retourna chez elle en boitillant. Vers ses œufs. Vers sa vie. Myrna demeura avec le souvenir des yeux bleus pénétrants de Ruth, de sa peau bronzée en permanence, de sa jupe en lambeaux avec ses boutons manquants. Elle regarda la vieille femme marcher jusqu'à sa maison, avec son foisonnement de mots et d'herbes folles.

La pluie ne vint pas et le dimanche de Pâques fila comme un lapin. Timmy Benson ayant découvert le plus grand nombre d'œufs, il reçut, en récompense, un lapin géant en chocolat, rempli de jouets. Paulette Legault le lui vola, mais M. Béliveau l'obligea à le rendre et à s'excuser. Timmy, qui voyait l'avenir, ouvrit la boîte, cassa les oreilles en chocolat et donna le reste à Paulette, qui lui balança un coup de poing.

Ce soir-là, Peter et Clara tinrent leur souper annuel du dimanche de Pâques. Gilles et Odile arrivèrent avec des baguettes et du fromage. Myrna apporta un bouquet extravagant qu'elle plaça au centre de la table en pin dans la cuisine. Jeanne Chauvet, la médium, apporta quelques fleurs sauvages cueillies dans les prés autour de Three Pines.

Sophie Smyth était là avec sa mère, Hazel, et Madeleine. Elle était arrivée la veille dans sa petite voiture bleue remplie de linge sale. À présent, elle bavardait avec les autres invités, tandis que Hazel et Madeleine proposaient à tous des crevettes en circulant avec une assiette.

– Alors, c'est vous la médium, dit Sophie, qui prit quelques crevettes dans l'assiette de sa mère et les trempa dans la sauce.

– Je m'appelle Jeanne.

– Comme Jeanne d'Arc, dit Sophie avec un rire pas tout à fait agréable. Faites attention. Vous savez ce qui lui est arrivé.

Grande et mince, Sophie avait un beau port de tête, malgré son dos un peu voûté. Ses cheveux d'un blond cendré descendaient aux épaules. En fait, elle était plutôt jolie. Cependant, il y avait quelque chose chez elle. Quelque chose qui fit légèrement reculer Jeanne.

C'est alors que M. Béliveau arriva avec des tartelettes aux bleuets de la boulangerie de Sarah.

On alluma des bougies un peu partout dans la cuisine de campagne et on ouvrit des bouteilles de vin.

La maison sentait le rôti d'agneau à l'ail et au romarin, les pommes de terre nouvelles, la purée de poireaux et autre chose.

– Pour l'amour du ciel, des pois en conserve ? s'exclama Clara en regardant dans la casserole que Gabri et Olivier avaient apportée.

– On les a sortis de la boîte, dit Olivier. T'as un problème ?

– Regardez-moi ça. C'est dégoûtant.

– Si j'étais vous, je prendrais ça pour une insulte personnelle, dit Gabri à M. Béliveau, qui s'était approché avec un verre de vin et un morceau de brie crémeux sur une baguette. On les a achetés à son épicerie.

– Madame, dit l'épicier d'un ton grave, ce sont les meilleurs pois en conserve vendus sur le marché. Ce sont des Le Sieur. En fait, je crois bien qu'ils poussent dans la boîte. C'est le complexe militaro-industriel qui a développé cet hybride ridicule, le pois en cosse. Comme si quelqu'un pouvait y croire. C'est dégoûtant.

M. Béliveau semblait si sincère que Clara l'aurait presque pris au sérieux, n'eût été l'étincelle dans ses yeux.

Bientôt s'amoncelèrent dans leurs assiettes de l'agneau rôti, de la sauce à la menthe et des légumes. À côté du beurre et des fromages, de petits pains fraîchement sortis du four fumaient dans des paniers éparpillés sur la table, qui ployait sous ce joyeux poids, tout comme les invités. L'énorme bouquet de Myrna trônait au centre, et ses branches couvertes de bourgeons semblaient se tendre comme des bras vers le plafond. Il y avait, plantés dans du terreau, des rameaux de pommier et de saule, des forsythias jaune pâle, des tulipes pivoines d'un rose vif.

– Et voilà ! dit Myrna en secouant sa serviette de table à la manière d'un prestidigitateur.

Elle tendit le bras à l'intérieur du bouquet et en sortit un œuf en chocolat.

– Il y en a pour tout le monde.

– C'est la résurrection, dit Clara.

– Mais il faut d'abord une mort, dit Sophie en regardant autour d'elle avec une innocence feinte. N'est-ce pas ?

Elle était assise entre Madeleine et M. Béliveau, ayant pris la place au moment même où l'épicier allait s'y installer. Sophie prit l'œuf en chocolat et le posa devant elle.

– Naissance, mort, renaissance, dit-elle avec sagesse, comme si elle leur avait apporté une pensée nouvelle, directement de l'Université Queen's.

Il y avait quelque chose de fascinant chez Sophie Smyth, se dit Clara. Depuis toujours. Quand Sophie revenait de l'université, elle avait les cheveux parfois blonds, parfois d'un roux criard, elle était parfois dodue, parfois mince, elle portait parfois un piercing, parfois aucun ornement. On ne savait jamais à quoi s'attendre. « Une seule chose semble constante, se dit-elle en regardant la fille avec l'œuf devant elle. Elle obtient toujours ce qu'elle veut. Mais qu'est-ce qu'elle veut ? Probablement plus qu'un œuf de Pâques. »

Une heure plus tard, Peter, Ruth et Olivier regardaient leurs amis et amoureux s'éloigner d'un pas lourd dans la nuit, invisibles mais repérables à leurs lampes de poche. Ils étaient groupés au départ, mais Peter vit les petits ronds de lumière se séparer, s'espacer, chaque personne avançant seule vers la maison sombre qui semblait les attendre sur la colline.

« Ne sois pas une mauviette, se dit-il. Ce n'est rien qu'une maison. Qu'est-ce qui pourrait bien arriver ? Il n'y a rien à craindre. »

Mais Peter Morrow savait qu'il ne fallait pas parler trop vite.

Clara ne s'était pas sentie ainsi depuis son enfance, alors qu'elle se fichait la trouille en regardant *L'Exorciste* ou en faisant un tour dans les gigantesques montagnes russes de La Ronde, où elle bavait et hurlait et, une fois, avait même fait pipi dans sa culotte.

C'était à la fois exaltant, terrifiant et déconcertant. À mesure qu'ils avançaient, Clara avait l'étrange impression que c'était la maison qui s'approchait d'eux, plutôt que l'inverse. Elle ne savait plus tout à fait ce qu'ils faisaient là.

Elle entendit des pas et des voix derrière elle. Heureusement, elle se rappela que Madeleine et Odile, les traînardes, la suivaient. Clara fut aussi très contente de se souvenir que, dans les films d'horreur, les derniers sont toujours les premiers à y goûter. Par contre, si elles se faisaient attaquer, ce serait alors elle la dernière. Elle accéléra le pas, puis ralentit, partagée entre le désir de survivre et celui d'entendre ce que disaient les deux femmes. Après la conversation qu'elle avait surprise en cachant les œufs de Pâques, elle avait présumé qu'Odile n'aimait pas Mado. Alors de quoi pouvaient-elles bien parler ?

– Ce n'est pas juste, dit Odile.

Clara ne comprit pas la réplique de Madeleine, mais, si elle ralentissait davantage, celle-ci lui planterait sa lampe de poche à l'endroit le plus sombre de son anatomie.

– Il m'a fallu beaucoup de courage pour faire ça, dit Odile d'une voix plus forte.

– Pour l'amour du ciel, Odile, ne sois pas ridicule, dit Madeleine, clairement et pas très gentiment.

C'était un aspect de Madeleine que Clara n'avait jamais perçu auparavant.

Clara était tellement occupée à épier qu'elle buta contre une silhouette sombre immobilisée devant elle. Gilles. Puis elle leva les yeux.

Ils étaient arrivés.

8

Ils se blottirent dans le froid et l'obscurité. Les rayons de leurs lampes de poche dansaient comme des pantins sur la maison décrépite. Le panneau «À vendre», décroché, reposait comme une pierre tombale, le nez dans la terre meuble. En déplaçant çà et là le faisceau de sa lampe, Clara vit d'autres signes de dégradation. La maison était abandonnée, elle le savait, mais elle ne l'avait pas imaginée tomber en ruine aussi rapidement. Quelques volets presque arrachés battaient doucement contre la brique. Certaines des fenêtres étaient cassées et leurs vitres aux bords déchiquetés ressemblaient à des dents acérées. Clara aperçut quelque chose de blanc, lové près des fondations de la maison, et son cœur se serra. Quelque chose de mort, qui avait été écorché.

À contrecœur, elle avança le long de l'allée, dont les pavés inégaux formaient des vagues. Après s'être rapprochée de la maison, elle s'arrêta et regarda derrière elle. Les autres étaient encore agglutinés au bord du chemin.

– Venez, siffla-t-elle.

– Nous? demanda Myrna, figée.

Elle aussi fixait la tache blanche enroulée contre la maison.

– Il n'y a personne, ici, à part notre bande de poules mouillées, dit Gabri.

– Qu'est-ce que c'est?

Myrna s'avança très lentement jusqu'à son amie. Quand elle désigna la chose, elle vit trembler son doigt. Son corps lui envoyait-il un signal? En morse? Dans ce cas, Myrna savait ce qu'il disait: «Sauve-toi!»

Clara se retourna du côté de la maison, inspira profondément, récita le bénédicité, puis s'éloigna de l'allée. La terre spongieuse semblait chuinter sous chacun de ses pas. Myrna n'en croyait pas ses yeux et aurait voulu courir vers son amie pour la ramener, la tenir dans ses bras et l'étreindre en lui disant de ne plus jamais recommencer. Elle se contenta plutôt de la regarder.

Clara s'approcha de la maison et se pencha. Puis, après s'être redressée, elle revint rapidement à la relative sécurité de l'allée et de Myrna.

– Incroyable ! C'est de la neige.

– C'est impossible. Toute la neige a fondu il y a longtemps.

– Pas ici.

Clara fouilla dans sa poche et en retira une énorme clé à l'ancienne, longue, massive, lourde.

– Et moi qui croyais que tu étais contente de me voir, dit Myrna.

– Ha, ha, ha, dit Clara en souriant.

Elle se sentit mieux et remercia mentalement Myrna d'être là avec son humour sur ce sentier obscur.

– L'agente immobilière était trop heureuse de me la remettre. À mon avis, il y a des mois qu'elle n'a pas fait visiter la maison.

– Qu'est-ce que tu lui as dit ? demanda Madeleine.

Puisque Clara et Myrna étaient encore en vie, les autres avaient décidé de les rejoindre.

– Qu'on allait invoquer tous les démons et exorciser la maison.

– Et elle t'a donné la clé ?

– Elle me l'a presque lancée.

Clara mit la clé dans la serrure, mais la porte s'ouvrit d'un coup. Elle lâcha prise et regarda la poignée disparaître dans la noirceur.

– Pourquoi on fait ça, encore ? murmura M. Béliveau.

– Pour s'amuser, dit Sophie.

– Pas tout le monde, dit Jeanne.

En les contournant, la petite femme grise entra tout droit dans la maison.

Un à un, ils entrèrent dans la vieille maison des Hadley. Il faisait plus froid à l'intérieur qu'à l'extérieur et une odeur de moisissure flottait dans l'air. L'électricité avait été coupée il y a longtemps et, maintenant, les faisceaux des lampes de poche dansaient sur le papier peint à motif floral, en partie décollé, et sur des taches humides qui, espéraient-ils tous, n'étaient que de l'eau. Rassurés par la lumière, comme s'ils tenaient des épées, ils s'engagèrent dans la maison. Les planchers gémissaient sous leur poids et on entendait un volettement au loin.

– Un oiseau, pauvre petit, dit Gabri. Pris au piège quelque part.

– Il faut qu'on le trouve, dit Madeleine.

– T'es folle ? murmura Odile.

– Elle a raison, dit Jeanne. C'est peut-être une âme prisonnière. Nous ne pouvons pas l'ignorer.

– Et si ce n'est pas un oiseau ? chuchota Gabri à Hazel, qui n'arrivait pas encore à croire où elle était.

Le groupe se souda, tel un insecte géant rampant. Le mille-pattes aux mille peurs s'avança dans la maison froide et humide, en faisant une pause ici et là pour se repérer.

– Il est en haut, dit Jeanne à voix basse.

– Évidemment, dit Gilles. Ils ne sont jamais près de la porte. Jamais dans les rosiers en été, ni dans la camionnette du vendeur de crème glacée.

– Ça ressemble à un jeu auquel je joue parfois avec Peter, dit Clara à Myrna, que cela n'intéressait pas.

Myrna se demandait si elle serait la dernière à sortir de là. « Peut-être bien que Hazel sera plus lente, se dit-elle, rassurée par cette pensée, et que les démons vont l'attraper, elle. Par contre, elle va probablement piquer un sprint, ne serait-ce que pour sauver sa fille. » En tant que psychologue, Myrna savait que les mères se découvrent des ressources étonnantes lorsqu'il s'agit de leurs enfants.

« Maudit instinct maternel, se dit-elle, ça me complique encore la vie. » Elle s'engagea dans l'escalier au tapis usé et mangé par les mites et, à mesure qu'elle montait, très lentement, une marche à la fois, le furieux battement d'ailes s'intensifiait.

– Chaque fois qu'on regarde un film d'épouvante et qu'on voit des gens entrer dans une maison hantée…

Clara parlait encore. « C'est bien, songea Myrna. Les démons se dirigeront droit sur elle. »

– … on joue à « Quand te sauverais-tu ? » Malgré les têtes qui flottent sans corps, les cris de douleur, leurs amis éviscérés, les gens restent là.

– As-tu fini ?

– Oui, j'ai fini.

Clara, qui avait réussi à se faire un peu plus peur, se demanda : « Si c'était un film, Peter serait-il en train de hurler à l'écran pour me dire de partir ? »

– C'est là.

– Évidemment, marmonna Gilles.

Jeanne était debout devant une porte fermée. La seule porte fermée de tout l'étage. À présent, il y eut un silence.

Soudain, ils entendirent des ailes battre furieusement contre la porte, comme si la chose s'était jetée contre elle.

Jeanne tendit le bras, mais M. Béliveau posa sa longue main fine sur son poignet et le souleva. Il passa ensuite devant elle et saisit la poignée.

Puis il ouvrit la porte.

Ils ne voyaient rien. Malgré tous leurs efforts, leurs yeux ne s'adaptaient pas à l'obscurité. Cependant, quelque chose les trouva. Non pas l'oiseau, qui se tut un moment, mais autre chose. La pièce produisait des ondes de froid qui propageaient le plus léger soupçon de parfum.

Cela sentait les fleurs. Les fleurs printanières.

À la porte, Clara fut submergée par la mélancolie, une tristesse qui sourdait du tréfonds de son être. Elle percevait le chagrin de la pièce, sa détresse.

Clara respira en haletant et s'aperçut qu'elle avait retenu son souffle.

– Allons, murmura Jeanne d'une voix qui semblait venir de l'intérieur de la tête de Clara, faisons ce que nous sommes venus faire.

Le groupe regarda Jeanne puis Clara entrer dans l'obscurité. Les autres suivirent et leurs lampes de poche éclairèrent bientôt la pièce de flaques de lumière. D'épais rideaux de velours étaient accrochés de travers aux fenêtres. Contre un mur était appuyé un lit à colonnes, encore garni d'une literie crème ornée de dentelle. L'oreiller était enfoncé comme si une tête s'y reposait tant bien que mal.

– Je connais cette pièce, dit Myrna. Vous aussi, dit-elle à Clara et à Gabri.

– C'est la chambre à coucher de la vieille Timmer Hadley, dit Clara, étonnée de ne pas l'avoir reconnue.

Tel était le pouvoir de la peur. Clara s'était souvent trouvée dans cette pièce à l'époque où elle s'occupait de la mourante.

Elle avait détesté Timmer Hadley. Détesté la maison. Détesté les serpents qu'elle avait entendus ramper dans la cave. De plus, quelques années plus tôt, cette demeure avait failli la tuer.

Clara ressentit une poussée de révulsion. Un désir d'incendier ce lieu maudit. Cet endroit avait accueilli tout leur chagrin, toute leur colère et toute leur peur, mais pas d'une façon désintéressée. Non. La vieille maison des Hadley commençait par engendrer ces choses, envoyait le chagrin et la terreur dans le monde, et sa progéniture revenait à la maison, tout simplement, comme des fils et des filles à Pâques.

– Allons-nous-en, dit Clara en se tournant vers la porte.

– On ne peut pas, dit Jeanne.

– Pourquoi pas ? demanda M. Béliveau. Je suis du même avis que Clara. Ça ne me dit rien qui vaille.

– Attendez, dit Gilles.

Le gaillard se trouvait au centre de la pièce, les yeux fermés, la tête penchée vers l'arrière, et semblait désigner le mur de sa barbe rousse et broussailleuse.

– C'est seulement une maison, dit-il enfin d'une voix à la fois calme et insistante. Elle a besoin d'aide.

– Ça n'a aucun sens, dit Hazel en essayant de prendre la main de Sophie, qui ne cessait pourtant de la repousser. Est-ce seulement une maison ou faut-il l'aider ? C'est l'un ou l'autre, mais pas les deux. Ma maison ne me demande jamais de l'aider.

– C'est peut-être parce que tu ne l'écoutes pas, suggéra Gilles.

– Je veux rester, dit Sophie. Et toi, Madeleine ?

– Est-ce qu'on peut s'asseoir ?

– Vous pouvez vous étendre, si vous voulez, dit Gabri en agitant le faisceau de sa lampe de poche au-dessus du lit.

– Non, merci, mon beau Gabri. Pas tout de suite.

Madeleine sourit et la tension fut rompue. Sans discuter davantage, le groupe se mit à l'œuvre. On apporta des chaises dans la chambre à coucher et on les disposa en cercle.

Jeanne posa son sac sur l'une d'elles et commença à en sortir le contenu, tandis que Clara et Myrna exploraient les lieux. Elles regardèrent la cheminée, dont la tablette d'acajou sombre était surmontée d'un portrait victorien sévère. La bibliothèque était remplie de volumes à reliure de cuir, d'une époque où les gens en lisaient vraiment au lieu d'en acheter au mètre chez des décorateurs.

– Je me demande où se trouve l'oiseau, dit Clara en tendant la main vers les objets sur la commode.

– Il se cache, le pauvre petit. Il est probablement terrifié, dit Myrna en pointant sa lampe de poche vers un coin obscur.

Pas d'oiseau.

– On dirait un musée, dit Gabri qui se joignit à elles et prit un miroir d'argent.

– On dirait un mausolée, dit Hazel.

Lorsqu'ils se retournèrent, toute la pièce était éclairée par des bougies, à leur grande surprise. Il devait y en avoir une vingtaine éparpillées dans la chambre. Pourtant, malgré la clarté ainsi répandue, la lumière, si chaude et invitante chez Clara et Peter, semblait se moquer d'elle-même dans cette pièce.

L'obscurité paraissait plus sombre et les flammes vacillantes jetaient des ombres grotesques sur le somptueux papier peint. Clara eut envie d'éteindre chacune des bougies pour vaincre les démons créés par les ombres. Même la sienne, si familière, était hideuse et déformée.

Après s'être assise dans le cercle, le dos tourné à la porte ouverte, Clara remarqua que quatre bougies n'étaient pas allumées. Lorsque chaque personne eut choisi une chaise, Jeanne plongea la main dans un petit sac. Puis elle fit le tour de leur cercle en répandant quelque chose.

– Ceci est maintenant un cercle sacré, psalmodia-t-elle, le visage tour à tour plongé dans l'ombre et la lumière, les yeux enfoncés dans la tête, ce qui leur donnait l'allure de trous noirs et vides. Ce sel le bénira et protégera tous ceux qui en font partie.

Clara sentit Myrna lui prendre la main. On n'entendait que la douce pluie du sel que Jeanne répandait autour d'eux. Attentive à tous les sons, Clara avait des picotements dans la tête. Elle était terrifiée à l'idée qu'un oiseau plonge de l'obscurité, bec et serres ouverts, en poussant des cris perçants. Ses cheveux se hérissèrent sur sa nuque.

Jeanne craqua une allumette et Clara faillit bondir au plafond.

– La sagesse des quatre coins de la terre est invitée dans notre cercle sacré pour nous protéger, nous guider et veiller ce soir sur notre travail, pendant que nous nettoierons cette maison des esprits qui l'étouffent. Du mal qui s'est établi ici. De toute la méchanceté, la peur, la terreur, la haine qui s'attachent à cette maison, à cette pièce même.

– Qu'est-ce qu'on s'amuse ! murmura Gabri.

Jeanne alluma posément les quatre autres bougies, puis retourna à son siège, calme. Elle était la seule. Clara sentait son cœur battre la chamade et son souffle monter par saccades dans sa gorge nouée. À côté d'elle, Myrna se tortillait, comme si elle était envahie par des fourmis. Tout le monde dans le cercle avait le teint pâle et le regard fixe. « Ce cercle a beau être sacré, se dit Clara, il craint nettement d'être *massacré.* » Elle regarda autour d'elle. Si c'était un film et qu'elle était blottie contre Peter sur leur canapé, qui, du groupe, serait le premier à y goûter ?

M. Béliveau, peureux, les traits tirés, en deuil ?

Gilles Saindon, fort et bien bâti, plus à l'aise dans les bois que dans un manoir victorien ?

Hazel, si serviable et généreuse ? Ou était-elle faible, plutôt ? Ou sa fille, l'insatiable Sophie ?

Non. Le regard de Clara se posa sur Odile. Ce serait elle, la première victime. Pauvre Odile, si gentille. Fichue à l'avance, vraiment. Celle qui avait le plus grand besoin d'attention et qu'on regretterait le moins. Elle était génétiquement programmée pour se faire dévorer la première. Clara eut honte de la brutalité de ses pensées. Elle en jeta le blâme sur la maison. Cette maison qui repoussait le bien et récompensait le reste.

– Et maintenant, appelons les morts, dit Jeanne.

Elle n'aurait pas cru cela possible, mais Clara angoissa encore davantage.

– Nous savons que vous êtes là, dit Jeanne d'une voix de plus en plus forte et étrange.

Ils s'en viennent. Ils arrivent de la cave et du grenier. Ils sont tout autour de nous. Ils arrivent dans le couloir.

Clara était certaine d'entendre des pas. Des bruits de pas traînants et claudicants sur le tapis, à l'extérieur de la chambre. Elle voyait la Momie, les bras tendus, les bandelettes sales et pourrissantes, s'avancer lentement le long du corridor sombre. Pourquoi avaient-ils laissé la porte ouverte ?

– Venez, grogna Jeanne. Maintenant !

Elle claqua des mains.

On entendit un cri perçant dans la pièce, dans le cercle sacré. Puis un autre.

Et un bruit sourd.

Les morts étaient arrivés.

9

L'inspecteur-chef Armand Gamache regarda par-dessus son journal et jeta un coup d'œil à sa petite-fille. Assise dans la boue au bord du lac des Castors, elle fourrait son gros orteil sale dans sa bouche. Son visage était couvert de boue ou de chocolat, ou de quelque chose de complètement différent auquel il préférait ne pas penser.

C'était le lundi de Pâques et tous les Montréalais semblaient avoir eu la même idée : une promenade matinale sur le mont Royal, jusqu'au lac des Castors au sommet. Gamache et Reine-Marie prenaient le soleil sur l'un des bancs, tout en regardant leur fils et sa famille profiter d'une dernière journée à Montréal avant leur vol de retour vers Paris.

Avec un grand éclat de rire, la petite Florence bascula dans l'eau.

Gamache laissa tomber son journal et était déjà presque levé lorsqu'il sentit une main le retenir.

– Daniel est là, mon cher. C'est son rôle, maintenant.

Armand s'arrêta et regarda, encore prêt à agir. À côté de lui, Henri, son jeune berger allemand, se redressa, attentif au soudain changement d'ambiance. Mais, en effet, Daniel rit et souleva dans ses grands bras rassurants sa petite fille trempée, puis plongea son visage dans son ventre, ce qui la fit rire et enserrer de ses bras la tête de son papa. Gamache expira et, se tournant vers Reine-Marie, se pencha et l'embrassa sur le dessus de la tête, en murmurant « merci » dans ses cheveux gris. Il passa ensuite la main sur le flanc d'Henri, et l'embrassa lui aussi sur la tête.

– Bon chien.

Incapable de se contenir, Henri bondit, ses pattes atteignant presque la hauteur des épaules de Gamache.

– Non, commanda Gamache. Assis.

Henri se laissa choir immédiatement.

– Couché.

Henri s'étendit, contrit. Il n'y avait aucun doute sur qui était le mâle dominant.

– Bon chien, dit encore Gamache en donnant une friandise à Henri.

– Bon chien, dit Reine-Marie à Gamache.

– Où est ma friandise ?

– Dans un parc public, monsieur l'inspecteur ?

Elle regarda les autres familles qui se promenaient dans le si joli parc du mont Royal, au cœur de la ville.

– Mais ce ne serait probablement pas la première fois.

– Pour moi, si.

Gamache sourit et rougit un peu, content que Daniel et sa famille ne puissent entendre.

– Tu es tellement gentil, d'une manière un peu brutale.

Reine-Marie l'embrassa. Gamache entendit alors un bruissement et remarqua soudain que le cahier littéraire de son journal s'envolait, une feuille à la fois. Il se leva d'un bond et essaya, en tapant des pieds ici et là, d'empêcher les pages de voler au vent. Florence, à présent enveloppée dans une couverture, regardait la scène en pointant son doigt et en riant. Daniel la posa sur le sol, qu'elle commença à marteler des pieds elle aussi. Gamache se mit ensuite à exagérer ses enjambées et, bientôt, Daniel, sa femme, Roslyn, et la petite Florence l'imitèrent en levant bien haut les jambes et en pourchassant d'imaginaires journaux en fuite. Gamache, lui, courait après le vrai.

– Heureusement, l'amour est aveugle, dit Reine-Marie en riant après que Gamache fut revenu au banc.

– Et pas très intelligent, renchérit Gamache en lui serrant les mains. Tu n'as pas froid ? Aimerais-tu un café au lait ?

– Oui, volontiers.

Sa femme leva les yeux de son propre journal, *La Presse*.

– Laisse-moi t'aider, papa.

Daniel confia Florence à Roslyn et les deux hommes se dirigèrent à grands pas vers le pavillon dans la forêt, non loin du lac. Des joggeurs pataugeaient dans les sentiers et, de temps en temps, un cavalier apparaissait et disparaissait sur les pistes. C'était une belle et chaude journée printanière.

Reine-Marie les regarda s'éloigner : le père et le fils se ressemblaient comme deux gouttes d'eau. Grands, solides comme des chênes, les cheveux bruns de Daniel commençant à se clairsemer et ceux d'Armand presque disparus du sommet du crâne. Les tempes noires et bien taillées grisonnaient. À la micinquantaine, Armand Gamache se tenait bien droit, tout comme son fils qui, chose incroyable, avait maintenant trente ans.

– Est-ce qu'il te manque beaucoup ? demanda Roslyn en s'assoyant à côté de sa belle-mère et en scrutant son aimable visage ridé.

Elle adorait Reine-Marie, et ce, depuis le premier repas que celle-ci avait préparé pour elle. Daniel, qui la fréquentait depuis peu, l'avait présentée à sa famille. Elle était pétrifiée. Non seulement parce qu'elle se savait déjà amoureuse, mais à la pensée de rencontrer le célèbre inspecteur-chef Armand Gamache. Sa façon de traiter les cas d'homicide les plus complexes avait fait de lui une légende au Québec. Elle avait grandi avec son visage qui la regardait fixement de l'autre côté de la table, au petit-déjeuner, alors que son père lisait les exploits de Gamache dans le journal. Au fil des ans, ce dernier avait vieilli sur ces photos, le front de plus en plus dégarni, les cheveux grisonnants, le visage un peu plus large. Une fine moustache était apparue, de même que des rides qui n'avaient rien à voir avec les plis du papier.

Puis un jour, aussi incroyable que cela puisse paraître, était venu le temps de rencontrer l'homme en chair et en os.

– Bienvenue.

Il lui avait souri et fait une révérence en ouvrant la porte de leur appartement d'Outremont.

– Je suis le père de Daniel. Entrez.

Il portait un pantalon de flanelle grise, un confortable cardigan en cachemire, une chemise et une cravate pour le dîner du dimanche. Il sentait le bois de santal et sa poigne était chaude et solide : c'était comme se glisser dans un fauteuil familier. Elle connaissait cette main : c'était aussi celle de Daniel.

Cela remontait à cinq ans et, depuis, il s'était passé tant de choses. Ils s'étaient mariés et avaient eu Florence. Un jour, Daniel était rentré à la maison en sautillant de joie pour lui annoncer une grande nouvelle : une société de gestion lui avait offert un poste à Paris. Il s'agissait d'un contrat de deux ans seulement, mais qu'est-ce qu'elle en pensait ?

Elle n'avait pas eu à réfléchir. Deux ans à Paris ? Une année s'était déjà achevée et ils adoraient. Leur famille leur manquait, cependant, et ils savaient à quel point les deux couples de grands-parents avaient trouvé déchirante leur bise d'au revoir à la petite Florence à l'aéroport. Ils allaient rater ses premiers pas et ses premiers mots, ses premières dents et les changements dans son visage et ses humeurs. Roslyn s'attendait à ce que sa propre mère soit la plus durement affectée, mais elle pensait que c'était peut-être pire pour papi Armand. Dans le couloir vitré menant vers l'avion, elle avait eu le cœur brisé en le voyant les paumes appuyées contre le verre de la salle d'attente.

Mais il n'avait rien dit. Il leur avait dit qu'il était heureux pour eux et les avait laissés partir.

– Vous allez nous manquer, avait dit Reine-Marie en lui tenant la main et en souriant.

Maintenant, il y avait un autre enfant en route. Ils avaient provoqué une explosion de joie en l'annonçant aux deux couples de parents, au souper du Vendredi saint. Son père à elle avait apporté du champagne et Armand s'était précipité au magasin pour acheter du cidre non alcoolisé. Ils avaient porté un toast à leur bonne fortune.

Alors qu'ils attendaient leur commande, Armand prit son fils par le bras et l'amena au fond du pavillon, loin de témoins. Il mit la main à l'intérieur de sa veste Barbour et en ressortit une enveloppe qu'il tendit à Daniel.

– Papa, je n'ai pas besoin de ça, murmura Daniel.

– S'il te plaît, prends.

Daniel glissa l'enveloppe dans son propre manteau.

– Merci.

Lorsque le fils serra le père dans ses bras, on aurait dit des mégalithes de l'île de Pâques collés l'un sur l'autre.

Mais Gamache ne s'était pas suffisamment éloigné. Quelqu'un les observait.

Roslyn et Florence s'étaient jointes à une autre jeune famille. Daniel alla tranquillement les retrouver, tandis que Gamache se laissa retomber sur le banc, tendit le café à sa femme et prit son journal. Reine-Marie était plongée dans le premier cahier de *La Presse*. Elle n'avait pas coutume d'ignorer son mari, mais il savait qu'il leur arrivait à tous deux de s'absorber dans la lecture. Avec Henri endormi à ses pieds dans la lumière du soleil, il sirota son café en regardant les gens se promener nonchalamment.

C'était une journée exquise.

Après quelques minutes, Reine-Marie abaissa le journal. Elle avait le visage troublé, presque effrayé.

– Qu'est-ce qu'il y a ?

Gamache posa sa large main sur l'avant-bras de sa femme, en fouillant son regard.

– As-tu lu le journal ?

– Jusqu'ici, seulement le cahier littéraire. Pourquoi ?

– Est-il possible de mourir de peur ?

– Qu'est-ce que tu veux dire ?

– Apparemment, quelqu'un est mort de peur.

– Mais c'est horrible.

– À Three Pines.

Reine-Marie scruta son visage.

– Dans la vieille maison des Hadley.

Armand Gamache pâlit.

10

– Entre, Armand. Joyeuses Pâques.

Le directeur Brébeuf lui serra la main et ferma la porte.

– À toi aussi, mon ami, dit Gamache en souriant. Joyeuses Pâques.

La surprise de la nouvelle que lui avait rapportée Reine-Marie s'était émoussée. Au moment où il finissait de lire l'article, son téléphone avait sonné. C'était son ami et supérieur à la Sûreté du Québec, Michel Brébeuf.

– Une affaire s'est présentée, avait dit Brébeuf. Je sais que Daniel et sa famille sont chez toi, désolé. As-tu une minute ?

Si son patron lui posait la question, c'était par pure politesse, Gamache le savait. Il aurait pu lui donner un ordre, mais ces deux grands amis avaient grandi ensemble et étaient entrés en même temps à la Sûreté du Québec. Ils avaient même tous deux brigué le poste de directeur. Brébeuf l'avait décroché, mais cela n'avait pas affecté leur relation.

– Ils rentrent à Paris ce soir. Ne t'inquiète pas. C'était une excellente visite, bien que beaucoup trop courte. Je serai au bureau dans peu de temps.

Il avait dit au revoir à son fils, à sa belle-fille et à Florence.

– Je t'appellerai plus tard, avait-il murmuré à Reine-Marie en l'embrassant.

Après un signe de la main, elle l'avait regardé marcher résolument vers le parc de stationnement, caché par un bosquet de pins, puis disparaître. Mais elle avait continué de regarder.

– As-tu lu les journaux ? demanda Brébeuf en s'installant dans le fauteuil pivotant derrière son bureau.

– J'ai surtout couru après.

Il se rappelait sa grosse empreinte de botte sur le papier.

– Ce n'est pas de l'affaire de Three Pines que tu veux parler ?

– Alors, tu as lu les journaux.

– Reine-Marie m'a montré l'article. On y disait que c'était une mort naturelle. Morbide, mais naturelle. Est-ce que la victime est vraiment morte de peur ?

– C'est ce que disent les médecins de l'hôpital de Cowansville. Crise cardiaque. Mais...

– Continue.

– Tu devras vérifier toi-même, mais j'ai entendu dire qu'elle semblait... – Brébeuf fit une pause, presque gêné – ... avoir vu quelque chose.

– Dans le journal, il était question d'une séance de spiritisme à la vieille maison des Hadley.

– Une séance de spiritisme, dit Brébeuf en se raclant la gorge. Quelle connerie ! Que des jeunes s'y adonnent, je veux bien, mais des adultes ? Je ne comprends tout simplement pas pourquoi quelqu'un perdrait son temps avec ça.

Gamache se demanda pourquoi le directeur était entré au bureau un jour de congé. Il ne se rappelait pas avoir discuté avec Brébeuf d'une affaire avant même qu'elle ait commencé.

Alors, pourquoi celle-ci ?

– Le médecin a attendu jusqu'à ce matin pour commander des tests sanguins. Voici les résultats.

Brébeuf tendit une feuille de papier. Gamache mit ses verres demi-lune. Il avait lu des centaines de ces documents et savait exactement quoi chercher : le rapport de toxicologie.

Au bout d'une minute, il abaissa la feuille et regarda Brébeuf par-dessus ses verres.

– De l'éphédra.

– C'est ça.

– Mais est-ce nécessairement un meurtre ? demanda Gamache, presque à lui-même. Les gens ne peuvent-ils pas prendre eux-mêmes de l'éphédra ?

– C'est une substance interdite, dit Brébeuf.

– C'est vrai, c'est vrai, dit Gamache, distrait.

Il parcourait de nouveau le rapport. Après un moment, il reprit la parole.

– Tiens, c'est intéressant. Écoute ceci.

Il lut.

– « Le sujet mesure un mètre soixante-dix et pèse soixante kilos. » Pas du genre à avoir besoin d'une pilule amaigrissante.

Il enleva ses lunettes et les replia.

– La plupart des gens n'en ont pas besoin, dit Brébeuf. C'est dans leur tête.

– Je me demande quel était son poids il y a quelques mois, dit Gamache. C'est peut-être l'éphédra, ajouta-t-il en tapotant le rapport avec ses lunettes, qui lui a permis de descendre à soixante kilos.

– Peut-être, admit Brébeuf. Ton rôle est de le déterminer.

– Meurtre ou malchance ?

Gamache relut la feuille dans sa main, en se demandant ce qu'il pourrait y découvrir d'autre. L'inspecteur-chef savait toutefois que du papier fournissait rarement les réponses à ses questions. S'agissait-il d'un meurtre ? Qui était le tueur ? Pourquoi celui-ci détestait-il ou craignait-il cette femme au point de lui enlever la vie ? Pourquoi ? Pourquoi ? Toujours le pourquoi avant le qui.

Non, les réponses étaient inscrites dans la chair et le sang. Pas dans un livre ni dans un rapport. Souvent, pas même dans du concret, mais dans quelque chose d'intangible. Les réponses à ses questions se trouvaient dans un passé trouble et dans les émotions qui s'y cachaient.

Le rapport qu'il tenait révélait les faits, mais non la vérité. Pour cela, il devait aller à Three Pines. Et, une fois de plus, pénétrer dans la vieille maison des Hadley.

– Qui emmèneras-tu dans ton équipe ?

La question ramena Gamache au bureau de son ami. Brébeuf avait tenté de prendre un ton désinvolte, mais ne pouvait cacher l'étrangeté de sa demande. Jamais il n'avait interrogé son chef de l'escouade des homicides à propos d'une procédure et certainement pas sur quelque chose d'aussi terre à terre que les affectations de personnel.

– Pourquoi me demandes-tu ça ?

Brébeuf prit un stylo et tapota à petits coups rapides une pile de formulaires.

– Tu sais très bien pourquoi. C'est toi qui as attiré mon attention sur son comportement. Vas-tu affecter l'agente Yvette Nichol à cette enquête ?

Et voilà. C'était la question que Gamache n'avait cessé de se poser pendant le trajet du mont Royal jusqu'ici. Nichol devait-elle faire partie de l'équipe ? Le moment était-il propice ? Assis dans sa Volvo, dans le parc de stationnement presque vide du quartier général de la Sûreté, il avait essayé de prendre sa décision. Tout de même, il était étonné que son ami le lui demande.

– Quel est ton avis ?

– As-tu décidé ou est-ce que j'ai une chance de t'influencer ?

Gamache se mit à rire. Ils se connaissaient trop bien.

– Je te dirais, Michel, que c'est presque réglé. Cependant, tu sais à quel point j'apprécie ton opinion.

– Voyons, qu'est-ce que tu préférerais avoir maintenant ? Mon opinion ou une brioche ?

– Une brioche, avoua Gamache avec un sourire. Mais toi aussi.

– C'est vrai. Écoute.

Brébeuf se leva, contourna le bureau, s'y assit et se pencha pour fixer l'inspecteur-chef.

– La faire participer à l'enquête, eh bien, c'est fou. Je te connais : tu veux la sauver, la réhabiliter, faire d'elle une agente bonne et loyale. Est-ce que je me trompe ?

Michel Brébeuf ne souriait plus.

Gamache ouvrit la bouche pour parler, mais se ravisa. Il laissa plutôt son ami donner libre cours à ses sentiments. Ce qu'il fit.

– Un jour, ton ego te tuera. Ça revient à ça, tu sais. Tu fais comme si c'était désintéressé, comme si tu étais le grand maître, le sage et patient Armand Gamache, mais toi et moi, on sait bien que c'est de l'orgueil. Sois prudent, mon ami. Elle est dangereuse, tu l'as dit toi-même.

Gamache sentit monter la pression et dut respirer à fond à quelques reprises pour garder son calme. Pour ne pas répondre à la colère par la colère. Michel Brébeuf parlait ainsi parce qu'il était le directeur, mais aussi par amitié.

– Il est temps de mettre fin à l'affaire Arnot, dit Gamache d'une voix ferme.

Voilà. Il l'avait dit tout haut.

Ce maudit Arnot croupissait en prison, mais le hantait toujours.

– C'est bien ce que je croyais, dit Brébeuf en retournant à son fauteuil.

– Qu'est-ce que tu fais ici, Michel ?

– Dans mon bureau ?

Gamache resta silencieux, observant son ami. Brébeuf se pencha vers l'avant et posa ses coudes sur son large bureau, comme s'il s'apprêtait à y ramper pour prendre la tête de Gamache.

– Je sais ce qui t'est arrivé, un soir, dans la vieille maison des Hadley. Tu as failli te faire tuer…

– Ce n'était pas si grave que ça.

– Ne me raconte pas d'histoires, Armand, dit Brébeuf. Je voulais être le premier à te parler de cette affaire et à savoir comment tu te sens.

Gamache demeura silencieux, profondément touché.

– Cet endroit est particulier, avoua-t-il après un moment. Tu n'y es jamais allé, hein ?

Brébeuf secoua la tête.

– Il y a quelque chose, là-bas. C'est comme une faim, un besoin à combler. Tu dois me prendre pour un fou.

– Je pense qu'il y a en toi un besoin tout aussi destructeur, dit Brébeuf. Celui d'aider des gens. Comme l'agente Nichol.

– Je ne veux pas l'aider. Je veux la démasquer, elle et ses maîtres. Je suis persuadé qu'elle travaille pour la faction des partisans d'Arnot. Je t'en ai déjà parlé.

– Alors congédie-la, répliqua Brébeuf, exaspéré, d'un ton brusque. Si je ne l'ai pas fait moi-même, c'est uniquement à ta demande, pour t'accorder une faveur. Écoute, l'affaire Arnot ne sera jamais terminée. Elle a des racines trop profondes dans le système. Tous les officiers de la Sûreté sont impliqués d'une façon ou d'une autre. La plupart t'appuient, tu le sais. Mais les autres..., ajouta Brébeuf en levant les paumes en un geste de défaite éloquent, ils sont puissants et Nichol est leur indicatrice. Tant qu'elle sera près de toi, tu seras en danger. Ils vont te faire tomber.

– Ça fonctionne dans les deux sens, Michel, dit Gamache d'un ton las.

Parler de l'ex-directeur Arnot l'épuisait toujours. Il s'était dit que c'était une histoire ancienne, morte et enterrée. Mais elle était de retour, ressuscitée.

– Du moment qu'elle est près de moi, je peux l'observer, contrôler ce qu'elle voit et ce qu'elle fait.

– Tu es fou, répondit Brébeuf en secouant la tête.

– Orgueilleux, entêté, arrogant, renchérit Gamache en se dirigeant vers la porte.

– Tu peux l'avoir, ta Nichol, dit Brébeuf en tournant le dos pour regarder par la fenêtre.

– Merci.

Gamache ferma la porte et se rendit à son propre bureau pour faire quelques appels.

Seul à présent, Brébeuf souleva le combiné du téléphone.

– Ici le directeur Brébeuf. Vous recevrez bientôt un appel de l'inspecteur-chef Gamache. Non, il ne soupçonne rien. Il croit que le problème, c'est Nichol.

Brébeuf respira profondément à quelques reprises. Il était parvenu au stade où le simple fait de regarder Armand Gamache lui donnait envie de vomir.

*

Au volant de la Volvo, l'inspecteur Jean-Guy Beauvoir traversa le pont Champlain, qui enjambe le fleuve Saint-Laurent, pour prendre l'autoroute des Cantons-de-l'Est et se diriger vers le sud, vers la frontière américaine. Lorsque la dernière Volvo de Gamache avait fini par rendre l'âme, environ un an plus tôt, Beauvoir avait suggéré au patron d'acheter une MG, mais, pour une raison quelconque, le chef avait cru qu'il blaguait.

– Alors, l'affaire, c'est quoi ?

– Une femme est morte de peur hier soir, à Three Pines, dit Gamache en regardant défiler le paysage rural.

– Sacrifice ! Qu'est-ce qu'on cherche, alors ? Un fantôme ?

– Vous êtes plus proche de la vérité que vous ne le croyez. C'est arrivé pendant une séance de spiritisme, à la vieille maison des Hadley.

Gamache se tourna pour observer le visage mince et séduisant de son jeune inspecteur. Il le vit se crisper, les lèvres se contractant et blêmissant.

– Sale maison, finit par dire Beauvoir. Quelqu'un devrait la démolir.

– Vous croyez que c'est la faute de la maison ?

– Pas vous ?

C'était un aveu étrange de la part de Beauvoir. Normalement si rationnel et motivé par les faits, il n'accordait aucune crédibilité aux choses invisibles, comme les émotions. Il était le parfait complément de son patron, qui, selon Beauvoir, passait beaucoup trop de temps à s'insinuer dans la tête et le cœur des gens. Là-dedans, c'était le chaos, et Beauvoir n'en était pas très friand.

Pourtant, s'il y avait une preuve de l'existence du mal, c'était la vieille maison des Hadley. Il en avait fait l'expérience. Il changea de position sur le siège conducteur, soudainement devenu inconfortable, et tourna les yeux vers le patron. Gamache le considérait d'un air pensif. Leurs regards se croisèrent, celui de Gamache calme et d'un brun très foncé, et celui de Beauvoir presque gris.

– Qui est la victime ?

11

Gamache savait que le chemin menant à Three Pines à partir de l'autoroute était l'un des plus pittoresques, mais aussi des plus périlleux. La voiture trépidait et cahotait en filant d'un nid-de-poule à l'autre. Beauvoir et Gamache se sentaient comme des œufs brouillés.

– Attention !

Gamache indiqua un gigantesque trou dans la route de terre. Beauvoir donna un coup de volant qui les amena vers un plus grand encore, puis la Volvo presque neuve dérapa sur une série de vagues profondément creusées dans la boue.

– Avez-vous un autre conseil ? demanda Beauvoir d'un ton sarcastique, les yeux rivés sur la route.

– Je vais simplement crier « Attention ! » à tous moments, dit Gamache. Attention !

En effet, un cratère d'astéroïde s'ouvrit devant eux.

– Merde ! s'écria Beauvoir en braquant sur le côté, l'évitant de justesse. C'est comme si la maison voulait nous mettre des bâtons dans les roues.

– Et elle a ordonné aux chemins de se creuser ? dit Gamache qui, toujours heureux de considérer des idées existentielles, trouvait celle-ci étonnante. Ce ne serait pas le dégel du printemps, peut-être ?

– Eh bien, je suppose que c'est possible. Attention !

Ils heurtèrent un trou et furent projetés vers l'avant. Entre une embardée, un braquage et quelques jurons, les deux hommes poursuivirent leur lente avancée dans les profondeurs de la forêt. La route de terre serpentait à travers des forêts de pins et d'érables, le long de vallées et à flanc de collines. Elle longeait des cours d'eau gonflés par le ruissellement printanier et des lacs gris qui venaient tout juste de perdre leur glace hivernale.

Puis, ils arrivèrent.

Devant eux, Gamache vit les véhicules familiers et étrangement rassurants des spécialistes de scènes de crime garés en bordure de la route. Il n'apercevait pas encore la vieille maison des Hadley.

Beauvoir trouva une place près du moulin abandonné, en face de la maison. En ouvrant la portière, Gamache fut accueilli par un arôme si suave qu'il dut fermer les yeux et s'arrêter un moment.

Inspirant profondément, il sut immédiatement ce que c'était : l'odeur des pins. De jeunes bourgeons, au parfum puissant et neuf. Il enfila des bottes en caoutchouc, puis son parka Barbour par-dessus sa veste et sa cravate, et se couvrit d'une casquette de tweed.

Toujours sans regarder la vieille maison des Hadley, il se dirigea plutôt vers le sommet de la colline. Beauvoir passa sa veste de cuir italienne sur son col roulé en mérinos et, vérifiant le résultat dans le rétroviseur, remarqua qu'il était plus proche qu'il n'y paraissait. Après un moment de satisfaction devant son reflet, il rattrapa Gamache. Ils marchèrent jusqu'à ce qu'ils se trouvent, côte à côte, au-dessus de la vallée.

C'était le panorama préféré d'Armand Gamache. Devant eux, les montagnes s'entrecroisaient gracieusement, leurs pentes couvertes d'un duvet de bourgeons vert lime. En plus de l'odeur des pins, il sentait la terre, ainsi que d'autres arômes. Le riche parfum musqué des feuilles d'automne séchées, de la fumée de bois qui s'élevait des cheminées, et autre chose. Il leva la tête et inspira de nouveau, cette fois doucement. Là, sous les senteurs plus tenaces, il décelait une odeur plus subtile. Les premières fleurs du printemps. Les plus jeunes et les plus braves. Cela rappela à Gamache la chapelle simple et digne, avec son clocher en clin blanc. Elle était juste en bas, vers la droite. Il s'était trouvé assez souvent dans l'église Saint-Thomas et, en cette belle matinée, il savait que la lumière qui traversait le vitrail ancien se répandait sur les bancs luisants et le plancher de bois. L'image n'était pas celle du Christ, ni celle de la vie et de la mort glorieuse des saints, mais celle de trois jeunes hommes de la Grande Guerre. Deux, de profil, marchaient au pas. Mais l'autre regardait l'assemblée. Sans accusation, ni chagrin, ni peur, mais avec beaucoup d'amour, comme pour dire que c'était le cadeau qu'il lui offrait. Qu'il fallait en faire bon usage.

En dessous étaient inscrits les noms des disparus des guerres, ainsi qu'une autre ligne.

« They were our children. »

En contemplant, debout sur la crête de la colline, le village le plus adorable et le plus sympathique qu'il eût jamais vu, et en sentant l'odeur des jeunes fleurs hardies, Gamache se demanda si c'étaient toujours les jeunes qui étaient braves. Et si les vieux devenaient lâches et craintifs.

L'était-il, lui ? Il redoutait certainement d'entrer dans la monstruosité dont il sentait le souffle sur sa nuque. Ou peut-être était-ce celui de Beauvoir. Mais il craignait aussi autre chose, il le savait.

Arnot. Ce maudit Arnot. Et ce dont cet homme était capable, même du fond de la prison. Surtout du fond de la prison, où Gamache l'avait mis.

Cependant, même ces sombres pensées s'évaporèrent devant le panorama qu'il avait sous les yeux. Que pouvait-il craindre devant un tel spectacle ?

Three Pines était niché dans sa petite vallée. De la fumée sortait des cheminées de pierre. Des érables, des cerisiers et des pommiers bourgeonnaient. Ici et là, des gens travaillaient au jardin, étendaient du linge sur leurs cordes, balayaient les grandes et élégantes galeries. Le nettoyage du printemps. Des villageois traversaient le parc avec des sacs de toile remplis de baguettes de pain et d'autres produits que Gamache ne voyait pas, mais pouvait imaginer. Des fromages et des pâtés de fabrication artisanale, des œufs frais de la ferme et du bon café en grains des boutiques.

Il regarda sa montre. Presque midi.

Gamache était venu à Three Pines au cours d'enquêtes précédentes et, chaque fois, il s'y était senti à sa place. C'était un sentiment fort. Après tout, que désirait-on, sinon être à sa place ?

Il avait hâte de parcourir à grands pas l'accotement boueux, de traverser le parc du village et d'ouvrir la porte du Bistro d'Olivier. Là, il se réchaufferait les mains près du feu et commanderait des réglisses en forme de pipe et un Cinzano. Peut-être aussi une épaisse soupe aux pois. Il lirait de vieux numéros du *Times Literary Supplement* et parlerait du temps qu'il faisait avec Olivier et Gabri.

Pourquoi l'endroit qu'il aimait le plus au monde était-il si près de celui qu'il détestait le plus ?

– Qu'est-ce que c'est ? dit Jean-Guy Beauvoir en posant une main sur son bras. Entendez-vous ?

Gamache écouta. Il entendit des oiseaux. Il entendit les vieilles feuilles à ses pieds que faisait bruire une légère brise. Et il entendit autre chose.

Un grondement. Non, plus que ça. Un rugissement étouffé. La vieille maison des Hadley avait-elle pris vie derrière eux ? Était-elle en train de gronder et de grandir ?

Se détachant avec peine de la tranquillité du village, il déplaça lentement son regard jusqu'à ce qu'il s'arrête sur la maison.

Elle semblait le fixer d'un air froid et défiant.

– C'est la rivière, monsieur, dit Beauvoir avec un sourire penaud. La rivière Bella Bella. Le ruissellement du printemps. Rien d'autre.

Il regarda l'inspecteur-chef qui fixait la maison, puis Gamache cligna des yeux et se tourna vers lui en esquissant un petit sourire.

– Êtes-vous sûr que ce n'était pas la maison qui grognait ?

– À peu près sûr.

– Je vous crois, dit Gamache en riant.

Il posa sa grande main sur la veste de cuir souple du jeune homme, puis s'avança vers la vieille maison des Hadley.

Il fut surpris de voir la peinture qui s'écaillait et des carreaux brisés, aux éclats acérés. Le panneau « À vendre » était tombé et il manquait des tuiles au toit, et même quelques briques à la cheminée. On aurait dit que la maison rejetait des parties d'elle-même.

« Ça suffit », se dit-il.

– Qu'est-ce qui suffit ? demanda Beauvoir en courant presque pour rattraper le chef, les longues enjambées du patron accélérant à mesure qu'ils s'approchaient de la maison.

– J'ai dit ça tout haut ?

Gamache s'arrêta net.

– Jean-Guy…, commença-t-il.

Mais il ne savait pas ce qu'il voulait dire. Alors que Beauvoir attendait, son beau visage passant de l'attention respectueuse à la perplexité, Gamache réfléchissait.

« Qu'est-ce que je veux lui dire ? D'être prudent ? De savoir que les apparences sont trompeuses ? Dans la maison des Hadley, dans cette affaire, même dans notre équipe des homicides. »

Il voulait éloigner ce jeune homme de la maison. De l'enquête. De lui-même. Le plus loin possible de lui-même.

Les apparences étaient trompeuses. Le monde connu changeait, se reformait. Tout ce qu'il avait tenu pour acquis, pour un fait réel et indiscutable, s'était effondré. Mais pas question que lui-même s'effondre. Ou qu'il permette qu'on fasse tomber ceux qu'il aimait.

– La maison est en décrépitude, dit Gamache. Soyez prudent.

Beauvoir hocha la tête.

– Vous aussi.

Une fois à l'intérieur, Gamache fut étonné de constater à quel point l'endroit semblait banal. Pas du tout malveillant. Au contraire, il lui paraissait pitoyable.

– Par ici, chef, cria l'agente Isabelle Lacoste, dont la chevelure brune pendait alors qu'elle regardait par-dessus la balustrade de bois foncé. Elle est morte dans cette pièce, ajouta-t-elle en agitant la main derrière elle.

Puis elle disparut.

– Joyeuses Pâques, dit-elle un instant plus tard, lorsque Gamache eut monté l'escalier et fut entré dans la chambre.

Comme la plupart des Québécoises, Lacoste portait des vêtements élégants et confortables. Approchant de la trentaine, elle avait déjà eu deux enfants et ne s'était pas donné la peine de se débarrasser de ses kilos en trop. À la place, elle s'habillait bien et le résultat faisait son bonheur.

Gamache embrassa la scène d'un coup d'œil. Un somptueux lit à colonnes était collé contre un mur. En face se trouvait une cheminée munie d'un lourd manteau victorien. Sur le plancher de bois, il y avait un immense tapis indien tissé dans de riches tons de bleu et de bordeaux. Les murs étaient couverts d'un papier peint William Morris au graphisme élaboré et tous les abat-jour étaient ornés de glands. Sur une coiffeuse, une écharpe colorée drapait ingénieusement une lampe.

Il eut l'impression de revenir cent ans en arrière. Exception faite du cercle de chaises au milieu de la pièce. Il les compta. Dix. Trois avaient basculé.

– Attention, on n'a pas tout à fait fini, conseilla Lacoste lorsque Gamache fit un pas vers elles.

– Qu'est-ce que c'est, ça? demanda Beauvoir en pointant l'index vers le tapis et quelque chose qui ressemblait à des grains de grêle.

– Du sel, probablement. On a d'abord cru que c'était du crystal meth ou de la cocaïne, mais c'est tout simplement du sel gemme.

– Pourquoi répandre du sel sur un tapis? lui demanda Beauvoir, ne s'attendant pas à une réponse.

– Pour nettoyer les lieux, je pense, répliqua-t-elle cependant.

Lacoste ne semblait pas consciente de l'étrangeté de sa réponse.

– Je vous demande pardon? demanda Gamache.

– Il y a eu une séance de spiritisme, non?

– C'est ce que nous avons entendu dire, répondit Gamache.

– Je ne comprends pas, dit Beauvoir. Du sel ?

– Tout sera révélé, dit Lacoste en souriant. Il y a bien des façons de mener une séance, mais une seule exige qu'on répande du sel dans un cercle éclairé par quatre bougies.

Elle désigna celles posées sur le tapis à l'intérieur du cercle. Gamache ne les avait pas remarquées. L'une d'elles avait également basculé et, en se penchant, il crut voir de la cire fondue sur le tapis.

– Elles correspondent aux quatre points cardinaux, poursuivit Lacoste. Le nord, le sud, l'est et l'ouest.

– Je sais ce qu'est un point cardinal, dit Beauvoir.

Il n'aimait pas ça du tout.

– Vous avez dit qu'il n'y avait qu'une seule façon de mener une séance avec des bougies et du sel, dit Gamache, la voix calme et le regard perçant.

– C'est celle de la Wicca, dit Lacoste. De la sorcellerie.

12

Madeleine Favreau était morte de peur.

Tuée par la vieille maison des Hadley, Clara en était certaine. À présent, plantée devant elle, Clara Morrow l'accusait. Lucy, au bout de sa laisse, cinglait l'air de sa queue, impatiente de quitter cet endroit. Comme Clara, qui avait toutefois le sentiment de devoir cela à Madeleine : défier la maison du regard, lui faire savoir qu'elle savait.

La veille, quelque chose s'était réveillé. Quelque chose les avait trouvés regroupés dans leur petit cercle, des amis en train de faire quelque chose d'idiot, de ridicule, d'immature. Sans plus. Personne n'aurait dû mourir. Ce ne serait pas arrivé s'ils avaient tenu la séance ailleurs. Personne n'était mort au bistro.

Quelque chose avait pris vie dans cet endroit monstrueux et parcouru ce couloir pour entrer dans la vieille chambre à coucher tapissée de toiles d'araignées. Ce quelque chose avait enlevé la vie à Madeleine.

Clara s'en souviendrait toute sa vie. Les cris aigus avaient semblé venir de partout. Puis il y avait eu un bruit sourd. Une bougie avait crachoté et s'était éteinte. Des chaises avaient basculé alors que des gens bondissaient pour aider ou s'enfuir. Ensuite, les lampes de poche s'étaient allumées, avaient dansé comme des folles dans toute la pièce, puis s'étaient arrêtées. Sur une seule chose : ce visage. Même dans la lumière vive et chaude du jour, Clara sentit l'effroi se resserrer sur elle comme une cape dont elle ne parvenait pas à se débarrasser.

– Ne regarde pas ! avait crié Hazel, sans doute à Sophie.

– Non ! avait hurlé M. Béliveau.

Les yeux de Madeleine étaient grands ouverts, fixes, exorbités. Elle avait la bouche béante, les lèvres crispées, figées en un cri. Ses mains, lorsque Clara s'en était emparée pour offrir du réconfort – qui arrivait trop tard, elle le savait –, étaient crispées comme des serres. Clara avait levé les yeux et perçu un mouvement hors du cercle. Elle avait également entendu quelque chose.

Un battement d'ailes.

– Bonjour, lança Armand Gamache en sortant de la maison.

Clara sursauta et revint au présent. Elle reconnut la grande silhouette élégante qui marchait vers elle d'un pas résolu.

– Ça va ? demanda-t-il en la voyant bouleversée.

– Pas vraiment, dit-elle avec un demi-sourire. Je me sens mieux parce que je vous vois.

Toutefois, cela ne semblait pas être le cas. Des larmes coulaient sur son visage. « Sûrement pas les premières », soupçonna Gamache. Il resta en silence à côté d'elle, sans essayer d'intervenir, mais en la laissant plutôt vivre son chagrin.

– Vous étiez ici hier soir.

C'était une affirmation, et non une question. Il avait vu son nom dans le rapport. En fait, elle était la première sur sa liste de témoins à interroger. Il appréciait son opinion et son sens du détail, visible ou non. Il savait qu'il devrait la considérer comme un suspect, avec tous ceux qui s'étaient trouvés à la séance, mais, en vérité, il la considérait plutôt comme un témoin précieux.

Clara s'essuya le visage et le nez avec la manche de son manteau de toile. Voyant le résultat, Armand Gamache sortit de sa poche un mouchoir de coton et le lui tendit. Elle avait espéré que le gros des larmes était passé, mais non, c'étaient les grandes eaux. Un torrent en crue, comme la Bella Bella. Un débordement de peine.

La veille, Peter avait été merveilleux. Il s'était précipité à l'hôpital, sans lâcher un seul « je te l'avais bien dit », comme elle l'avait anticipé maintes fois en lui racontant tout, étouffée par les sanglots.

Puis il avait raccompagné Myrna et Gabri, en plus de Clara. Il avait offert le gîte et du réconfort à une Hazel affligée et abasourdie et à une Sophie étrangement détendue. Était-elle engourdie par le chagrin ? Ou était-ce, comme toujours, faire preuve d'indulgence envers Sophie ?

Elles avaient refusé sa proposition. Même à présent, Clara ne pouvait s'imaginer à quel point il avait dû être difficile pour Hazel de rentrer chez elle, seule. Avec Sophie, bien sûr, mais seule en réalité.

– Était-ce une amie ?

Ils se tournèrent et s'éloignèrent de la maison en direction du village.

– Oui. C'était l'amie de tout le monde.

Gamache, remarqua Clara, garda le silence en marchant à côté d'elle, les mains derrière le dos et le visage pensif.

À quoi pensez-vous ? demanda-t-elle.

Après un court instant, elle répondit elle-même.

– Vous pensez qu'elle a été tuée, non ?

Ils s'arrêtèrent de nouveau. Clara ne pouvait assimiler cette pensée ahurissante en marchant. Même sans bouger, elle pouvait à peine l'envisager. Elle se tourna et fixa Gamache. « Suis-je toujours aussi lente ? se dit-elle. Bien sûr qu'il croit que c'est un meurtre. Sinon, pourquoi le chef de l'escouade des homicides de la Sûreté du Québec serait-il venu ? »

Gamache fit un geste vers le banc du parc.

– Pourquoi toutes ces tables ? demanda-t-il alors qu'ils s'assoyaient.

– Nous avons eu une chasse aux œufs de Pâques et un piquenique.

Clara pouvait à peine croire que ça s'était passé la veille.

Gamache hocha la tête. Dans sa propre famille, ils avaient caché des œufs pour Florence, puis avaient dû les trouver euxmêmes. L'année prochaine, se disait-il, elle serait capable de le faire.

– Est-ce que Madeleine a été tuée ? demanda Clara.

– C'est ce que nous pensons, dit-il.

Après lui avoir laissé le temps de digérer l'information, il lui dit :

– Cela vous étonne ?

– Oui.

– Non, attendez. S'il vous plaît, réfléchissez. Je sais que, au départ, un meurtre surprend tout le monde. Cependant, je veux que vous songiez vraiment à la question. Si je vous disais que Madeleine Favreau a été tuée, seriez-vous surprise ?

Clara se tourna vers Gamache. Ses yeux brun foncé étaient pensifs, sa moustache grisonnante bien taillée et ses cheveux bien coiffés et légèrement ondulés sous sa casquette. Il avait un visage calme et déterminé, avec des rides qui rayonnaient à partir du coin des yeux. Il lui parlait en anglais, par courtoisie, elle le savait. Son anglais était parfait, avec, étrangement, un accent britannique. À chacune de leurs rencontres, elle avait eu l'intention de lui demander d'où celui-ci venait.

– Pourquoi avez-vous un accent anglais ?

Il haussa les sourcils, avec une expression de légère surprise.

– Est-ce la réponse à ma question ? dit-il en souriant.

– Non, professeur. Mais j'ai toujours voulu vous le demander et j'ai toujours oublié.

– Je suis allé à Cambridge. Au Christ's College. J'ai étudié l'histoire.

– Tout en perfectionnant votre anglais.

– Tout en apprenant l'anglais.

Ce fut au tour de Clara d'être surprise.

– Vous ne parliez pas l'anglais avant d'arriver à Cambridge ?

– En fait, je pouvais dire deux choses.

– Lesquelles ?

– *Fire on the Klingons* et *My God, Admiral, it's horrible.*

Clara s'étrangla de rire.

– Je regardais la télévision américaine, quand c'était possible. Surtout deux émissions.

– *Star Trek* et *Voyage to the Bottom of the Sea*, dit Clara.

– Vous seriez étonnée de voir à quel point ces phrases sont inutiles à Cambridge. À la rigueur, on peut dire : « Mon Dieu, amiral, c'est affreux. »

Clara rit et imagina le jeune Gamache à Cambridge. Qui donc se rend à l'autre bout du monde, dans un pays étranger, pour fréquenter une université sans connaître la langue ?

– Alors ?

Le visage de Gamache était redevenu sérieux.

– Madeleine était charmante, dans tous les sens du terme. C'était facile d'éprouver de l'affection pour elle et, je suppose, de l'aimer. Je pense que je l'aurais aimée, avec le temps. Je ne peux pas croire qu'on l'ait tuée.

– À cause de ce qu'elle était ou à cause de ce que quelqu'un n'était pas ?

« C'est *la* question », se dit Clara. Accepter le meurtre, cela voulait dire admettre la présence d'un tueur. Parmi eux. Près. Quelqu'un qui se trouvait dans cette pièce, presque assurément. L'un de ces visages souriants, rieurs, familiers cachait des pensées si abjectes que ce quelqu'un avait senti le besoin de tuer.

– Depuis combien de temps Madeleine habitait-elle ici ?

– Eh bien, en fait, elle vivait à l'extérieur du village, par là, dit Clara en indiquant les collines onduleuses. Avec Hazel Smyth.

– Qui était aussi présente hier soir, avec une dénommée Sophie Smyth.

– Sa fille. Madeleine est venue habiter avec elles il y a environ cinq ans. Elles se connaissaient depuis des années.

Juste à ce moment-là, Lucy tira sur sa laisse et Clara tourna la tête pour voir Peter franchir leur portail et traverser le chemin de terre en faisant des signes de la main. Elle regarda autour d'elle pour vérifier s'il y avait des autos, puis détacha la laisse de Lucy. La chienne âgée se précipita sur Peter, qui se plia en deux. Gamache grimaça.

Peter se redressa et boitilla jusqu'à leur banc, avec deux empreintes de pattes boueuses sur son entrejambe.

– Inspecteur-chef.

Peter tendit la main avec plus de dignité que Gamache ne l'aurait cru possible. Ce dernier se leva et serra chaleureusement la main de Peter Morrow.

– Quel triste événement, dit Peter.

– En effet. Je disais justement à Clara que, selon nous, il se peut que Mme Favreau ne soit pas morte naturellement.

– Pourquoi dites-vous ça ?

– Vous n'étiez pas là, n'est-ce pas ? dit Gamache en ignorant la question de Peter.

– Non, on a reçu des gens à souper hier soir et je suis resté pour ranger.

– Seriez-vous allé si vous aviez pu ?

Peter hésita à peine.

– Non. Je n'étais pas d'accord.

Lui-même croyait entendre un pasteur victorien.

– Peter a essayé de me dissuader de participer à la séance, dit Clara en prenant la main de son mari. Il avait raison. On n'aurait pas dû l'organiser. Si on s'était abstenus d'aller là-bas, ajouta-t-elle avec un signe de tête vers la maison posée sur la colline, Madeleine serait encore vivante.

« C'est probablement vrai, se dit Gamache. Mais pour combien de temps ? Il y a des choses auxquelles on n'échappe pas, et la mort en est une. »

L'inspecteur Jean-Guy Beauvoir regarda partir le dernier spécialiste de scènes de crime de la Sûreté du Québec, puis sortit de la chambre à coucher et referma la porte. Il déroula une bande de ruban jaune qu'il colla en travers. Il répéta le geste plusieurs fois, beaucoup plus qu'il ne l'aurait fait normalement. Quelque chose en lui ressentait le besoin de sceller correctement cette pièce. Il ne l'aurait jamais avoué, bien sûr, mais Jean-Guy Beauvoir avait senti croître quelque chose. Plus il restait là, plus cela s'accentuait. Un pressentiment. Non. Autre chose.

Le vide. Jean-Guy Beauvoir avait l'impression d'être creusé, évidé. Soudain, il comprit que, s'il ne quittait pas ce lieu, ses entrailles se changeraient en abîme.

Il mourait d'envie de sortir. En jetant un coup d'œil à l'agente Lacoste, il s'était demandé si elle ressentait la même chose. Pour lui, elle en savait beaucoup trop sur ces conneries de sorcellerie. Il murmura un *Ave* en scellant la pièce, puis recula pour admirer son travail.

S'il avait su comment Christo avait emballé le Reichstag, il y aurait vu une similitude. Le ruban jaune des scènes de crime recouvrait entièrement la porte.

Descendant les marches deux à deux, il sortit à toute vitesse au grand soleil. Après un séjour dans ce tombeau, le monde était plus lumineux, l'air plus frais. Même le rugissement de la rivière Bella Bella était réconfortant. Naturel.

– C'est bien, tu n'es pas encore parti.

Beauvoir se tourna et vit Robert Lemieux venir vers lui à grandes enjambées, un sourire éclairant son visage juvénile et enthousiaste. Lemieux n'était pas avec eux depuis longtemps, mais il était déjà le favori de Beauvoir. Il aimait les jeunes agents qui l'idolâtraient.

Cependant, Beauvoir était étonné de le voir là.

– L'inspecteur-chef t'a appelé ?

Beauvoir savait que le plan de Gamache était de mener l'enquête en toute simplicité jusqu'à ce qu'ils soient certains qu'il s'agissait d'un meurtre.

– Non. J'ai entendu parler de l'affaire par un de mes amis policiers ici. Je suis en visite chez mes parents à Sainte-Catherine-de-Hovey. J'ai pensé faire un saut.

Beauvoir regarda sa montre. Treize heures. Maintenant qu'il était sorti de la maison maudite, il se demanda si le vide qu'il avait ressenti n'était pas qu'un creux à l'estomac. Oui, sans doute.

– Viens avec moi. Le chef est au bistro, probablement en train de prendre le dernier croissant.

Même s'il plaisantait, Beauvoir éprouva une certaine anxiété. Et si c'était vrai ? Il se dépêcha d'atteindre l'auto, et les deux hommes parcoururent la centaine de mètres menant à Three Pines.

*

Armand Gamache était assis devant la cheminée en train de siroter un Cinzano en écoutant. Même à la fin avril, un feu de foyer était apprécié. Olivier l'avait accueilli avec une accolade et une réglisse en forme de pipe.

– Merci, patron, avait dit Gamache en l'étreignant à son tour et en acceptant la réglisse.

– C'est vraiment trop horrible, avait commenté Olivier, magnifique dans un pantalon de velours côtelé et un ample chandail en cachemire.

Pas un de ses cheveux blonds et fins n'était déplacé, pas un faux pli ni une tache ne déparaient son allure. Par contraste, son partenaire avait oublié de mettre son dentier et de se raser. Sa barbe noire de plusieurs jours avait raclé la joue de Gamache quand il avait serré Gabri dans ses bras.

Peter, Clara et Gamache avaient suivi Gabri jusqu'au sofa décoloré par le soleil, près du feu, tandis qu'Olivier leur apportait leurs verres. Puis, au moment où ils s'installaient, Myrna s'était jointe à eux.

– Je suis contente de vous revoir.

Elle avait pris place dans une bergère non loin.

Gamache regarda la grosse Noire avec affection. Elle était la propriétaire de sa librairie préférée.

– Qu'êtes-vous venu faire ici ? demanda-t-elle, ses yeux intelligents empreints de douceur pour atténuer la rudesse de la question.

Il éprouvait une certaine empathie pour le télégraphiste chevauchant sa bicyclette vacillante pendant la guerre. Le porteur de nouvelles catastrophiques. Toujours accueilli avec suspicion.

– Il pense qu'elle a été tuée, bien sûr, dit Gabri – sauf que, sans son râtelier, il donnait l'impression que Gamache *penchait*.

– Un meurtre ? dit Myrna en renâclant. C'était horrible et même violent, mais ce n'était pas un meurtre.

– Comment était-ce violent ?

– Je pense qu'on s'est tous sentis attaqués, dit Clara.

Tout le monde acquiesça d'un signe de tête.

Juste à ce moment, Beauvoir et Lemieux poussèrent la porte du bistro tout en parlant. Gamache attira leur attention en levant la main. Ils se turent et s'approchèrent du groupe près de la cheminée.

Le soleil entrait par les fenêtres de verre plombé et, en arrière-plan, on entendait murmurer d'autres clients. Tout le monde baissait la voix.

– Dites-moi ce qui s'est passé, dit calmement Gamache.

– La médium avait répandu le sel et allumé les bougies, dit Myrna, les yeux ouverts et revoyant la scène. On était disposés en cercle.

– On se tenait par la main, se rappela Gabri.

Sa respiration était devenue rapide et superficielle et on aurait dit qu'il allait s'évanouir en se remémorant les circonstances. Gamache crut presque entendre les battements de cœur du ventru.

– Je n'ai jamais été aussi terrifiée, dit Clara. Pas même dans une tempête de neige sur l'autoroute.

Tout le monde hocha la tête. Tous avaient déjà ressenti cette certitude renversante de voir leur vie finir ainsi : dans une collision brutale, une perte de contrôle, invisibles dans le tourbillon chaotique de la neige.

– Pourtant, c'était ça, l'idée, non ? demanda Peter, perché sur l'accoudoir de la bergère de Clara. Vous faire peur.

« C'est vraiment pour ça qu'on l'a fait ? » se demanda Clara.

– On était là pour nettoyer l'endroit des esprits malveillants, dit Myrna, dont le propos parut ridicule à la lumière du jour.

– Et peut-être pour nous faire peur, un petit peu, avoua Gabri. C'est vrai, ajouta-t-il en voyant le visage des autres.

Clara dut l'admettre, c'était vrai. Comment pouvaient-ils avoir été si bêtes ? Leurs vies étaient-elles si tranquilles, si ennuyeuses, qu'ils devaient chercher et créer le danger ? Non, pas le créer. Il était toujours là. Ils l'avaient courtisé. Il avait répondu.

– Jeanne, la médium, expliqua Myrna à Gamache, a dit qu'elle entendait venir quelque chose. On est restés un moment silencieux et, euh, je pense avoir entendu quelque chose aussi.

– Moi aussi, dit Gabri. Du côté du lit. Quelqu'un se retournait sur le lit.

– Non, ça provenait du corridor, dit Clara en détournant les yeux de la cheminée et en regardant leurs visages.

Cela lui rappelait la veille, tous ces visages éclairés par les flammes, les yeux ronds comme des billes, les corps tendus comme s'ils étaient prêts à bondir. Elle était revenue dans cette pièce affreuse. Il y régnait une odeur de fleurs printanières, comme dans un salon funéraire. Et elle entendait encore ces pas traînants qui s'approchaient derrière elle.

– Des pas. Il y avait des pas. Rappelez-vous : Jeanne a dit qu'ils arrivaient. Les morts.

Beauvoir sentit son cœur se contracter et ses mains s'engourdir. Il se demanda si Lemieux s'opposerait à ce qu'il lui prenne la main, mais se dit qu'il préférait plutôt mourir.

– « Ils s'en viennent », qu'elle disait, renchérit Myrna. Puis, elle a dit autre chose.

– « Du toit et d'un autre endroit », dit Gabri en essayant de se souvenir des paroles.

– « Du grenier », dit Myrna en le corrigeant.

– « Et de la cave », dit Clara en regardant Armand Gamache dans les yeux.

Il sentit pâlir son visage. La cave de la vieille maison des Hadley le hantait encore.

– C'est arrivé à ce moment-là, dit Gabri.

– Pas tout à fait, dit Clara. Elle a dit autre chose.

– « Ils sont tout autour de nous », dit Myrna calmement. Et puis : « Venez. Maintenant ! »

Elle claqua des mains et Beauvoir faillit mourir.

13

– Puis elle est morte, dit Gabri.

Olivier arriva par-derrière et posa ses mains sur les épaules de Gabri. Ce dernier hurla.

– Tabarnac! Essaies-tu de me tuer?

Le charme était rompu. La pièce s'illumina de nouveau et Gamache remarqua qu'un immense plateau de sandwichs était apparu sur la table basse.

– Qu'est-ce qui s'est passé ensuite? demanda Gamache en prenant une baguette grillée au chèvre chaud et à la roquette.

– M. Béliveau l'a descendue dans ses bras pendant que Gilles courait à sa voiture, dit Myrna en choisissant un croissant au poulet grillé et à la mangue.

– Gilles? demanda Gamache.

– Saindon. Il travaille dans les bois. Il était là aussi avec sa copine, Odile.

Gamache se rappelait avoir vu ces noms sur la liste des témoins, qu'il avait dans sa poche.

– Gilles s'est mis au volant. Hazel et Sophie sont montées avec eux, dit Clara. Nous, on a pris l'auto de Hazel.

– Mon Dieu, Hazel, dit Myrna. Est-ce que quelqu'un lui a parlé aujourd'hui?

– Je lui ai téléphoné, dit Clara en regardant l'assiette sans avoir vraiment faim. J'ai parlé à Sophie. Hazel était trop bouleversée.

– Hazel et Madeleine étaient proches? demanda Gamache.

– C'étaient de grandes amies, dit Olivier. Depuis l'école secondaire. Elles habitaient ensemble.

– Pas comme des amantes, dit Gabri. Enfin, pas que je sache.

– Ne sois pas stupide : bien sûr que ce n'étaient pas des amantes, dit Myrna. Ah, les hommes ! Ils pensent que si deux femmes adultes vivent ensemble et se montrent de l'affection, ce sont des lesbiennes.

– C'est vrai, dit Gabri, tout le monde suppose la même chose à propos de nous.

Il tapota le genou d'Olivier.

– Mais on vous pardonne.

– Madeleine Favreau a-t-elle déjà été grosse ?

La question de Gamache était si inattendue qu'elle provoqua des regards déconcertés, comme s'il avait parlé russe.

– Si elle avait de l'embonpoint, vous voulez dire ? demanda Gabri. Je ne pense pas.

Les autres secouèrent la tête.

– Mais elle ne vivait pas ici depuis très longtemps, vous savez, dit Peter. Quoi, cinq ans ?

– À peu près, dit Clara. Par contre, elle s'est tout de suite intégrée. Elle s'est jointe aux femmes de l'église anglicane avec Hazel…

Gabri grogna.

– Merde. Elle était censée me remplacer cet été. Qu'est-ce que je vais faire maintenant ?

Il était foutu, mais pas tout à fait autant que Madeleine, il devait l'avouer.

– Pauvre Gabri, dit Olivier. Cette tragédie l'affecte personnellement.

– Essaie donc de diriger l'association des femmes de l'église anglicane ! C'est mortel, je vous jure ! dit Gabri en se tournant vers Gamache. Hazel le ferait peut-être. *Penches*-tu ? demanda-t-il, s'adressant de nouveau à Oliver.

– Non, je ne *penche* pas, répondit Olivier. D'ailleurs, tu ferais mieux de ne pas le lui demander maintenant.

– Est-il possible que quelqu'un d'autre se soit trouvé dans cette maison ? dit Gamache. La plupart d'entre vous ont entendu des sons.

Clara, Myrna et Gabri restèrent silencieux, se rappelant les bruits abominables.

– Qu'est-ce que vous croyez, Clara? demanda Gamache.

« Qu'est-ce que je crois ? se demanda-t-elle. Que c'est le diable qui a tué Madeleine ? Que le mal habite dans cette maison, et que nous l'y avons peut-être même mis ? » La médium avait peut-être raison : toutes leurs pensées cruelles et malveillantes avaient été chassées du village idyllique et englouties par cette monstruosité. Et elle était vorace. Les pensées douloureuses créaient peut-être une dépendance : une fois qu'on y avait goûté, on en voulait encore.

Mais tout le monde avait-il vraiment évacué toutes ses pensées douloureuses ? Une personne gardait-elle les siennes, les accumulait-elle ? Les avait-elle avalées jusqu'à être gonflée de rancœur et devenir une version en chair et en os de la maison sur la colline ?

Y avait-il, parmi eux, un pendant humain de ce lieu horrible ?

« Qu'est-ce que je crois ? » Clara se demanda-t-elle de nouveau. Elle n'avait pas de réponse.

Après un moment, Gamache se leva.

– Où puis-je trouver Mme Chauvet, la médium ?

Il mit la main dans sa poche pour payer les sandwichs et les consommations.

– Elle est au gîte, dit Olivier. Voulez-vous que j'aille la chercher ?

– Non, on y va. Merci, patron.

– Je n'y étais pas, murmura Olivier à Gamache en lui tendant sa monnaie à la caisse, sur le long comptoir de bois, parce que j'avais trop peur.

– Je vous comprends. Cette maison a quelque chose…

– Et cette femme.

– Madeleine Favreau ? chuchota Gamache.

– Non. Jeanne Chauvet, la médium. Savez-vous ce qu'elle a dit à Gabri dès son arrivée ?

Gamache attendit.

– Elle a dit : « On ne baise pas, ici. »

Gamache assimila ces paroles inattendues.

– En êtes-vous certain ? C'est une remarque plutôt étrange pour une médium. Ce n'est…

– Pas vrai ? Bien sûr que non. En fait… Non, oublions cela.

Gamache sortit sous un ciel radieux avec, dans l'oreille, le dernier avertissement murmuré par Olivier.

– C'est une sorcière, vous savez.

Les trois policiers de la Sûreté marchaient le long du chemin qui encerclait le parc du village.

– Je suis perplexe, dit l'agent Lemieux, en courant un peu pour suivre le rythme de Gamache. Est-ce que c'était un meurtre ?

– Moi aussi, jeune homme, je suis perplexe, dit Gamache en s'arrêtant pour le regarder. Que faites-vous ici ? Je ne vous ai pas appelé.

Lemieux fut pris de court par la question. Il s'était attendu à ce que l'inspecteur-chef soit ravi, le remercie même. Gamache le considérait plutôt avec patience et un léger doute.

– Il est en visite chez ses parents, pas loin d'ici, pour Pâques, dit Beauvoir. Un ami de la Sûreté locale lui a parlé de l'affaire.

– J'ai pris l'initiative de venir. Je suis désolé, est-ce que j'ai fait quelque chose de mal ?

– Non, rien de mal. Je veux seulement mener une enquête le plus discrètement possible, jusqu'à ce qu'on sache si c'est un meurtre.

Gamache sourit. Il voulait que son personnel prenne des initiatives, mais peut-être pas à ce point. Il savait que, dans le cas de ce jeune policier, ça lui passerait un de ces jours, mais Gamache ne savait pas si ce serait une bonne chose.

– Alors, on n'est pas certains ? demanda Lemieux en se dépêchant de reprendre le rythme quand Gamache se remit à marcher en direction de la grande maison en brique.

– Je ne veux pas que ça se sache tout de suite, mais elle avait de l'éphédra dans son sang, expliqua Gamache. En avez-vous entendu parler ?

Lemieux secoua la tête négativement.

– Ça me surprend. Vous aimez le sport, non ?

Le jeune agent fit un signe affirmatif. C'était l'une des choses qui l'avaient lié à Beauvoir. Ils étaient tous deux de fervents partisans de l'équipe de hockey de Montréal, les Canadiens. Les Habs.

– Avez-vous entendu parler de Terry Harris ?

– Le porteur de ballon ?

– Ou de Seamus Regan ?

– Le voltigeur des Lions ? Ils sont morts tous les deux. Je me rappelle avoir lu ça dans *Allô Sport*.

– Ils prenaient de l'éphédra. On l'utilise dans les pilules amaigrissantes.

– C'est ça. Harris s'est effondré pendant un entraînement et Regan au cours d'un match. Je regardais la télé et je l'ai vu. La journée était chaude et tout le monde a pensé à un coup de chaleur. Mais c'était autre chose ?

– Comme leurs entraîneurs leur avaient dit de perdre du poids rapidement, ils prenaient des comprimés.

– C'était il y a des années, dit Beauvoir. L'éphédra est maintenant interdit, non ?

– Oui, pour autant que je sache, mais je me trompe peut-être. Pouvez-vous vérifier ? demanda Gamache à Lemieux.

– Certainement.

Gamache sourit en marchant vers l'attrayant gîte touristique. Il aimait l'enthousiasme de Lemieux. C'était l'une des raisons pour lesquelles il avait demandé au jeune homme de se joindre à l'équipe. La dernière fois que Gamache était venu enquêter sur un meurtre dans la région, Lemieux était en poste à Cowansville et il l'avait impressionné.

Dans cette affaire, la victime avait vécu dans la vieille maison des Hadley.

Ils montèrent les quelques marches menant à la vaste galerie du gîte. L'édifice de trois étages en brique avait jadis été une halte sur la route des diligences reliant Williamsburg et Saint-Rémy. Un jour, Olivier avait dit à Gamache que si Gabri le lui avait fait acheter, c'était pour pouvoir dire à ses amis qu'ils seraient traités « avec diligence ».

En entrant, Gamache fut accueilli par des planchers de bois, de beaux tapis indiens faits main et de riches tissus décolorés. Telle une vieille maison de campagne, le gîte invitait à la détente.

Gamache n'était cependant pas venu pour cela, mais pour découvrir ce qui avait tué Madeleine Favreau. Était-ce une simple crise cardiaque provoquée par l'excitation ou la peur ? Avait-elle pris l'éphédra elle-même ? Ou y avait-il quelque chose de plus sinistre à l'œuvre derrière l'agréable façade de Three Pines ?

Olivier avait précisé que Jeanne Chauvet occupait la petite chambre à coucher du rez-de-chaussée.

– Restez ici, ordonna Gamache à Lemieux, tandis que Beauvoir et lui s'engageaient dans le couloir.

– Pensez-vous qu'elle pourrait nous ensorceler ? murmura Beauvoir avec un sourire.

– C'est bien possible, dit Gamache, sérieusement, puis il frappa à la porte.

14

Silence.

Gamache et Beauvoir attendirent. La lumière du soleil et l'air frais se faufilaient par la fenêtre légèrement ouverte au bout du corridor, les simples rideaux blancs très fins soulevés par la brise.

Ils attendirent encore. Beauvoir eut envie de frapper de nouveau. Plus fort, cette fois, comme si l'insistance et l'impatience pouvaient faire apparaître quelqu'un. Ah, si c'était vrai! Il avait hâte de rencontrer cette femme qui fréquentait les fantômes. Les aimait-elle? Était-ce là sa motivation? Ou peut-être personne en chair et en os ne voulait de sa compagnie. Et si sa seule compagnie était celle des morts, c'était peut-être parce qu'ils n'étaient pas aussi difficiles que les vivants. Elle devait être folle, se disait-il. Après tout, les fantômes n'existaient pas. Sauf peut-être le Saint-Esprit. Mais si… Non. Il n'irait pas de ce côté. Il tourna la tête vers la silhouette patiente de Gamache: on aurait dit que c'était exactement ainsi qu'il voulait passer sa journée. Debout dans un corridor, en train de regarder fixement une porte close.

– Madame Chauvet? Ici Armand Gamache, de la Sûreté. J'aimerais vous parler.

Beauvoir sourit un peu. On aurait dit que l'inspecteur-chef s'adressait à la porte.

– Je vois que ça vous fait sourire, monsieur. Peut-être aimeriez-vous essayer?

Gamache s'écarta et Beauvoir s'avança vers la porte, la martelant du poing.

– Sûreté, ouvrez.

– C'est brillant, mon ami. Exactement ce qui plaira à une femme seule.

Gamache se retourna et parcourut le corridor en sens inverse, tout en regardant Beauvoir.

– Je vous ai laissé faire seulement parce que je sais qu'elle n'est pas là.

– Et je l'ai fait uniquement parce que je savais que ça vous amuserait.

– Il y a une clé au crochet, signala Lemieux lorsqu'ils revinrent. Est-ce qu'on ne pourrait pas ouvrir nous-mêmes ?

– Pas encore, dit Beauvoir. Pas sans mandat et pas avant qu'on sache si c'est un meurtre.

Malgré tout, il aimait la façon dont Lemieux voyait les choses.

– Et maintenant ? demanda-t-il à Gamache.

– Fouillez l'endroit.

Pendant que Beauvoir et Lemieux inspectaient la salle à manger, la cuisine très bien équipée, les salles de bains et le sous-sol, Gamache entra dans la salle de séjour et s'assit dans l'énorme fauteuil de cuir rembourré.

Il ferma les yeux et se vida l'esprit. Il était inquiet. Où était Jeanne Chauvet ? Que faisait-elle ? Comment se sentait-elle ? Coupable ? Remplie de remords ? Satisfaite ?

La séance de spiritisme était-elle un échec tragique ou une réussite spectaculaire ?

L'agent Robert Lemieux se tenait sur le seuil entre le séjour et la salle à manger. Il regardait l'inspecteur-chef.

Parfois, le jeune agent Lemieux était assailli par le doute. Une sorte de crise de la foi dont ses parents disaient avoir souffert des décennies plus tôt. Mais son église était la Sûreté, l'endroit qui l'avait accepté, lui avait donné un but. Si ses parents avaient fini par quitter leur église, lui ne quitterait jamais la sienne. Jamais, au grand jamais, il ne l'abandonnerait ni ne la trahirait. Ses parents l'avaient élevé, nourri, discipliné et aimé.

Mais la Sûreté lui avait procuré un chez-soi. Il aimait ses parents et ses sœurs, mais seuls d'autres policiers savaient ce que c'était que d'être dans la Sûreté. De sortir le matin, fier et fanfaron, mais en prenant soin de dire à sa chatte qu'il l'aimait, au cas où.

En observant l'inspecteur-chef Gamache, les yeux fermés, la tête penchée vers l'arrière, la gorge exposée, si confiant, Lemieux s'interrogea un instant. Était-ce bien vrai, ce qu'on lui avait dit sur Gamache ? Il n'y avait pas si longtemps, Lemieux vénérait Gamache. À sa première visite au quartier général, en tant que recrue, il avait vu l'homme célèbre traverser le hall d'entrée à grandes enjambées, de jeunes policiers dans son sillage, en décodant pour eux une affaire des plus complexes et des plus horribles. Pourtant, il avait pris le temps de lui sourire et de le saluer d'un signe de tête. À l'école de police, ils avaient étudié ses enquêtes. Ils avaient applaudi en voyant Armand Gamache faire tomber l'ignoble directeur Arnot. Et sauver la Sûreté.

Mais la réalité n'était pas toujours conforme aux apparences.

– Rien, dit Beauvoir, qui frôla Lemieux en entrant dans la salle de séjour.

Gamache ouvrit les yeux et les posa sur les deux hommes, en s'attardant sur Lemieux. Leurs regards se croisèrent.

Puis Gamache cligna des paupières et se leva du fauteuil en prenant son élan.

– Vous vous êtes suffisamment reposés. Il est temps de se mettre au travail. Agent Lemieux, veuillez rester ici au cas où Jeanne Chauvet reviendrait. Vous et moi, dit-il à Beauvoir alors qu'ils se dirigeaient vers la porte, nous allons voir Hazel Smyth.

En regardant Gamache et Beauvoir marcher jusqu'à leur voiture, Lemieux enfonça le bouton de composition rapide de son téléphone.

– Directeur Brébeuf ? Ici l'agent Lemieux.

– Quoi de neuf ? dit la voix assurée à l'autre bout du fil.

– Une ou deux choses qui pourraient vous être utiles, je pense.

– Bien. Aucun signe de l'agente Nichol ?

– Pas encore. Est-ce que je devrais m'informer ?

– Ne soyez pas stupide, bien sûr que non. Dites-moi tout.

Il y eut une pause à l'autre bout du fil. Brébeuf serra les mâchoires. Il n'était pas d'un naturel patient, même s'il avait attendu tout ce temps pour coincer Gamache. Ils avaient grandi ensemble, s'étaient engagés dans la police ensemble, étaient montés en grade ensemble. Ils avaient tous les deux brigué le poste de directeur, se rappela Brébeuf avec satisfaction. C'était le petit cadeau qu'il gardait dans un coin de sa tête et qu'il déballait dans des moments de tension. Il le fit encore maintenant. Il défit l'emballage – son attitude souriante, approbatrice et louangeuse à l'égard de son meilleur ami. Puis il arriva au magnifique cadeau inattendu. Il avait gagné. Il avait obtenu la promotion en ayant le dessus sur le grand Armand Gamache. Cela lui avait suffi pendant un certain temps. Jusqu'à l'affaire Arnot. Rapidement, il remballa la pensée réconfortante et la remit dans un coin de sa tête. À présent, il devait se concentrer, rester prudent.

– Vous savez pourquoi on fait ça, jeune homme.

– Oui, monsieur.

– Ne tombez pas sous son charme, ne soyez pas dupe comme la plupart des gens. Le directeur Arnot l'a été et vous voyez ce qui lui est arrivé. Concentrez-vous, Lemieux.

Lorsque Lemieux eut rapporté les événements de la journée, Brébeuf réfléchit un moment.

– Il y a quelque chose que je veux que vous fassiez. C'est un risque à prendre, mais il n'est pas très grand, à mon avis.

Il donna ses instructions à Lemieux.

– Ce sera bientôt terminé, dit-il d'une voix douce, et, alors, les policiers qui auront eu le courage de défendre leurs convictions seront récompensés. Vous êtes un brave jeune homme et, croyez-moi, je sais à quel point tout cela est difficile.

– Oui, monsieur.

Brébeuf raccrocha. Aussitôt cette affaire classée, il allait devoir décider quoi faire de Robert Lemieux. Ce jeune agent était vraiment trop impressionnable.

L'agent Lemieux raccrocha, avec une étrange sensation dans la poitrine. Non pas le serrement de cœur qu'il avait connu depuis que le directeur Brébeuf avait fait appel à lui, mais un relâchement, une euphorie.

Venait-on de lui offrir une promotion ? Pouvait-il faire ce qui était le mieux et, en même temps, tirer avantage de la situation ? Jusqu'où pourrait-il aller ainsi ? Après tout, cela finirait peut-être bien.

Hazel Smyth attendait le retour de Madeleine. Chaque bruit de pas, chaque craquement du plancher, chaque fois qu'on tournait une poignée de porte, c'était elle.

Et puis non. Chaque minute de la journée, Hazel perdait de nouveau Madeleine. La porte du séjour s'ouvrit et Hazel leva les yeux, s'attendant à voir le visage enjoué de Mado avec un plateau à thé – après tout, c'était l'heure du thé. Mais, à la place, elle vit le visage joyeux de sa fille.

Sophie entra en tenant l'énorme verre de vin rouge qu'elle s'était servi et se fraya un chemin jusqu'au canapé dans la pièce encombrée de meubles.

– Alors, qu'est-ce qu'on mange, ce soir ? demanda-t-elle en se laissant tomber dans un fauteuil et en prenant un magazine.

Hazel regarda fixement cette inconnue. C'était comme si elle les avait toutes les deux perdues la veille au soir : Madeleine morte et Sophie possédée. Ce n'était plus la même fille. Qu'était-il arrivé à la Sophie égoïste et morose ?

Celle qui se trouvait devant elle était radieuse. On aurait dit que l'esprit de Madeleine avait pénétré Sophie. Sans le cœur, cependant. Sans l'âme. Ce qui se dégageait de Sophie n'était ni la joie, ni l'amour, ni la chaleur.

C'était plutôt le bonheur. Madeleine était morte, d'une façon horrible et grotesque. Et Sophie était heureuse.

Cela terrifiait Hazel.

Beauvoir conduisait et Gamache jouait le rôle de navigateur, essayant de lire la carte malgré les ballottements de l'auto sur la route cahoteuse et criblée de trous. Il ne voyait rien de leur itinéraire, sauf des gribouillis et des points vacillants. Au moins, il n'était pas malade en voiture.

– C'est seulement un peu plus loin.

Gamache replia la carte et regarda à travers le pare-brise.

– Attention!

Beauvoir braqua le volant, mais ils heurtèrent tout de même le nid-de-poule.

– Vous savez, je me débrouillais très bien avant que vous leviez les yeux, dit-il.

– Vous n'avez raté aucun nid-de-poule depuis Three Pines. Attention!

La voiture en heurta un autre et Gamache se demanda combien de temps ses pneus allaient tenir le coup.

– Nous allons traverser le village de Notre-Dame-des-Roof-Trusses. De l'autre côté, il y a un tournant sur la droite. Chemin de l'Érablière.

– Notre-Dame-des-*Roof-Trusses*? demanda Beauvoir qui n'en croyait pas ses oreilles.

– Vous vous attendiez peut-être à Saint-Roof-des-Trusses?

Au moins, Three Pines, c'était logique, se dit Beauvoir. Williamsburg et Saint-Rémy, c'était logique. Les *roof trusses* n'avaient-ils pas quelque chose à voir avec la construction? Ne s'agissait-il pas de fermes de toits?

Maudits Anglais. Il n'y avait qu'eux pour choisir un nom pareil. C'était comme appeler un village Royal Bank ou Concrete Foundation. Toujours en train de construire, de se vanter. Et puis, c'était quoi, cette nouvelle affaire? N'y avait-il jamais de mort naturelle à Three Pines? D'ailleurs, même leurs meurtres n'étaient pas normaux. Est-ce qu'ils ne pouvaient pas tout simplement s'entretuer en utilisant un poignard, un fusil ou un bâton de baseball? Non. C'était toujours quelque chose d'alambiqué, de compliqué.

C'était très peu québécois. Les francophones étaient directs et clairs. S'ils vous aimaient, ils vous prenaient dans leurs bras. Pour tuer quelqu'un, ils l'assommaient. Boum, terminé. Condamné. Au suivant.

Pas de conneries du genre: « Est-ce un meurtre ou pas ? »

Beauvoir commençait à se sentir personnellement visé, mais, d'autre part, il était content que l'affaire l'ait éloigné de la chasse aux œufs de Pâques avec ses beaux-parents. Il n'y avait pas vraiment d'enfants, seulement lui et sa femme, Enid. Ses parents à elle voulaient qu'ils passent la matinée à chercher les œufs en chocolat qu'ils avaient cachés partout dans la maison. Ils avaient même dit à la blague que ce serait facile pour lui, puisqu'il était enquêteur après tout. Le plus simple, s'était-il dit, serait de pointer son arme sur la tête de son beau-père pour l'obliger à révéler où se trouvaient les maudits œufs. Puis, il avait reçu l'appel miraculeux : sa convocation.

Il se demanda comment allait la pauvre Enid. Bof, tant pis. C'étaient ses cinglés de parents.

Ils traversèrent en un rien de temps le village de Notre-Dame-des-Roof-Trusses. Effectivement, dans la cour d'une petite usine, un immense panneau décoloré annonçait « *Roof Trusses* ». Beauvoir secoua la tête.

La vieille maison en brique donnait sur la route. Devant, il y avait quelques érables massifs. Dans quelques semaines, se dit Gamache, la façade et l'entrée seraient probablement bordées de luxuriantes platebandes remplies de vivaces. Ce jour-là, cependant, la demeure, petite et proprette, évoquait seulement un bon potentiel, car les feuilles n'étaient pas encore sorties, ni les fleurs écloses, et la pelouse n'avait pas encore poussé.

Gamache adorait se rendre chez les gens impliqués dans une affaire. Examiner comment ils avaient aménagé leur espace le plus intime. Voir les couleurs, la décoration. Sentir les arômes. Y avait-il des livres ? De quel genre ?

Quelle impression se dégageait du lieu ?

Il était déjà allé dans des bicoques dans des endroits perdus, où les tapis étaient usés, les meubles défoncés, le papier peint décollé. Mais, en entrant dans ces maisons, il avait remarqué l'odeur de café et de pain frais. Les murs étaient couverts d'immenses photos de diplômés souriants et, sur de petites tables pliantes rouillées et bosselées, de modestes vases ébréchés contenaient de jolies jonquilles, des branches de saule ou quelque minuscule fleur sauvage cueillie par des mains usées pour des yeux qui l'adoreraient.

Il s'était également trouvé dans des manoirs à l'atmosphère de mausolée.

Il avait hâte de découvrir comment on se sentait dans la demeure de Madeleine Favreau. De l'extérieur, elle avait un air triste, comme la plupart des maisons au printemps, quand la neige d'un blanc éclatant avait disparu et que platebandes et arbres n'étaient pas encore en fleurs.

La première chose qui le frappa en entrant, c'est qu'il était presque impossible de bouger. Même dans l'étroit vestibule, on était parvenu à entasser une armoire, une bibliothèque et un long banc de bois sous lequel avaient été jetées pêle-mêle des bottes et des chaussures boueuses.

– Je m'appelle Armand Gamache.

Il s'inclina légèrement devant la femme d'âge moyen qui ouvrit la porte.

Elle portait un pull et un pantalon, une tenue confortable, ordinaire. Elle eut un léger sourire lorsqu'il lui montra sa carte de police.

– Ça va, inspecteur-chef. Je sais qui vous êtes.

Elle s'écarta pour le laisser entrer. La première impression de Gamache fut que c'était une personne convenable qui tentait de se donner une contenance dans une situation affligeante. Elle s'adressait à eux en français, mais avec un fort accent anglais. Elle était courtoise et réservée. Seul indice d'un problème : ses yeux cernés, comme si le chagrin l'avait physiquement affectée.

Mais Armand Gamache savait autre chose. Les signes de chagrin étaient parfois longs à se manifester. Pour les proches de victimes de meurtre, les premiers jours de deuil se déroulaient dans une torpeur bénie. En général, ils tenaient le coup et accomplissaient les gestes d'une vie normale, si bien qu'un simple observateur ne devinerait jamais qu'un grand malheur les avait frappés. La plupart des gens s'effondraient graduellement, comme la vieille maison des Hadley.

Gamache pouvait presque voir, au-dessus de Hazel, là-haut sur la colline, les cavaliers implacables et leurs montures qui s'ébrouaient et piaffaient, impatientes de ne plus être retenues. Ils annonçaient la fin de tout ce que Hazel connaissait, de tout ce qui était coutumier et prévisible. Cette femme réservée tenait courageusement à distance l'armée du chagrin en maraude, mais, bientôt, cette armée allait donner l'assaut, dévaler la colline et fondre sur elle, et il ne lui resterait plus rien de familier.

– Clara Morrow a appelé pour savoir comment j'allais et pour m'offrir de quoi manger. Elle m'a dit que vous viendriez peut-être.

– J'aurais pu vous apporter la nourriture. Désolé.

Il essayait de retirer son manteau sans frapper Beauvoir, tassé contre la porte maintenant fermée. Quelques livres tombèrent de l'étagère et Gamache se cogna les jointures contre l'armoire, mais il réussit finalement à s'extirper du vêtement.

– Ne vous en faites pas, dit Hazel en prenant le manteau et en essayant d'ouvrir l'armoire. Je lui ai dit qu'on en avait bien assez. En fait, je ne peux pas vous parler longtemps. La pauvre vieille Mme Turcotte a eu une attaque et je dois lui apporter son souper.

Ils suivirent Hazel dans la maison.

On pouvait à peine circuler dans la salle à manger et, lorsqu'ils se furent frayé un passage jusqu'au séjour, Gamache se sentit comme un explorateur venant d'arriver sur le continent africain et qui souhaitait installer son camp à cet endroit pour un moment. À condition de pouvoir dégager suffisamment d'espace.

La petite pièce contenait deux sofas, dont le plus volumineux qu'il ait jamais vu, ainsi qu'un assortiment de fauteuils et de tables. La minuscule maison en brique était bourrée, encombrée, surchargée et sombre.

– C'est plutôt douillet ici, dit-elle alors qu'ils s'assoyaient, Gamache et Beauvoir sur l'énorme sofa, Hazel dans la bergère usée en face.

Il y avait un sac de reprisage à ses pieds. C'était le fauteuil de Hazel, Gamache le savait. Mais ce n'était pas le meilleur de la pièce. Celui-là était vide et se trouvait plus près de la cheminée. Sous la lampe d'une table était posé un livre ouvert.

Un ouvrage en français, d'un écrivain québécois que Gamache admirait.

Le fauteuil de Madeleine Favreau. Le meilleur des deux. Comment cela avait-il été décidé ? L'avait-elle tout simplement choisi ? Hazel le lui avait-elle offert ? Madeleine Favreau était-elle un tyran ? Hazel, une perpétuelle victime ?

Ou peut-être étaient-elles tout simplement deux bonnes amies qui prenaient les décisions naturellement, de façon amicale, et choisissaient le « meilleur » à tour de rôle.

– Je ne peux pas croire qu'elle soit partie, dit Hazel en s'assoyant comme si ses jambes avaient cédé.

La perte d'un proche avait cet effet, Gamache le savait. Vous ne perdiez pas seulement un être cher, mais aussi votre cœur, vos souvenirs, votre rire, votre cerveau et même vos os. Tout finissait par revenir, mais différemment : réarrangé.

– Connaissiez-vous Mme Favreau depuis longtemps ?

– J'ai l'impression de l'avoir connue toute ma vie. On s'est rencontrées à l'école secondaire. La première année, on était dans la même classe et on s'est liées d'amitié. J'étais un peu timide, mais, pour une raison quelconque, je lui ai plu. Ça m'a facilité la vie.

– Pourquoi donc ?

– Le fait d'avoir une amie, inspecteur-chef. Une seule suffit. Ça fait toute la différence.

– Vous deviez en avoir avant, madame.

– Oui, mais elles n'étaient pas comme Madeleine. L'avoir, elle, pour amie, c'était magique. Le monde s'éclairait. Comprenez-vous ?

– Oui, dit Gamache en hochant la tête. Un voile se lève.

Elle lui sourit avec reconnaissance. Il comprenait. Toutefois, maintenant, elle sentait le voile redescendre lentement. Madeleine venait à peine de mourir et, déjà, le crépuscule approchait, accompagné du vide. Il s'étalait et assombrissait son horizon.

L'une était morte et l'autre se retrouvait seule. Encore une fois.

– Mais vous n'avez pas toujours vécu ensemble?

– Seigneur, non.

Hazel éclata de rire, ce qui l'étonna. Peut-être ce crépuscule n'était-il qu'une menace.

– Après l'école secondaire, on a suivi des chemins différents, mais on s'est retrouvées il y a quelques années. Elle a passé environ cinq ans ici.

– Mme Favreau a-t-elle déjà été corpulente?

Il commençait à s'habituer à voir des regards déconcertés lorsqu'il posait cette question.

– Madeleine? Pas que je sache. Elle a pris quelques kilos au fil des ans depuis le secondaire, mais, en vingt-cinq ans, c'est normal. Elle n'a jamais été grosse.

– Vous ne l'avez pas vue pendant des années, cependant.

– C'est vrai, admit Hazel.

– Pourquoi Mme Favreau est-elle venue rester ici?

– Son mariage avait échoué. Comme nous vivions seules toutes les deux, nous avons décidé de cohabiter. À l'époque, elle habitait à Montréal.

– Avez-vous eu de la difficulté à faire de la place, ici?

– Euh, j'apprécie votre tact, inspecteur-chef, dit Hazel en souriant.

Il l'aimait bien, se rendit-il compte.

– Si elle avait apporté un cure-dents, on aurait eu des ennuis. Dieu merci, elle ne l'a pas fait. Madeleine n'a amené que sa propre personne, et c'était bien suffisant.

Et voilà. C'était simple, spontané, intime: de l'amour.

En face de lui, Hazel ferma les yeux et sourit de nouveau, puis ses sourcils se rapprochèrent.

Soudain, la douleur était palpable dans la pièce. Gamache aurait voulu prendre les mains calmes de cette femme dans les siennes. Tout autre officier supérieur de la Sûreté n'y aurait vu que de la faiblesse et de la folie. Cependant, Gamache savait que c'était la seule façon de trouver un meurtrier. Il écoutait les gens, prenait des notes, rassemblait des preuves, comme tous ses collègues. Mais il faisait une autre chose, aussi.

Il recueillait des sentiments. Il relevait des émotions. Car le meurtre est profondément humain. Il ne s'agit pas tant de savoir ce que font les gens, mais comment ils se sentent, car c'est là que tout commence. Un sentiment jadis humain et naturel s'est gauchi, est devenu monstrueux, fielleux, corrosif, jusqu'à ronger son contenant même. Jusqu'à ce qu'il ne reste presque plus rien d'humain.

Il faut des années pour qu'une émotion atteigne ce stade. Des années à la nourrir, à la protéger, à la justifier, à l'entretenir et finalement à l'enterrer. Vivante.

Puis un jour elle remonte à la surface, et elle est terrible.

Elle n'a qu'un but : enlever la vie à quelqu'un.

Armand Gamache trouvait des meurtriers en suivant la trace d'émotions qui avaient mal tourné.

À côté de lui, Beauvoir se tortilla. Non pas d'impatience, pensa Gamache. Pas encore, du moins. Mais parce que le sofa semblait avoir pris vie en projetant de minuscules pointes.

Hazel ouvrit les yeux et regarda l'inspecteur-chef avec un sourire, pour le remercier, se dit-il, de ne pas être intervenu.

Là-haut, ils entendirent un bruit sourd.

– Ma fille, Sophie. Elle est en visite, elle va à l'université.

– Elle était à la séance d'hier soir, je crois, dit Gamache.

– C'était bête, tellement bête.

Hazel frappa du poing l'accoudoir de son fauteuil.

– Je savais que ça n'avait pas de sens.

– Alors pourquoi y êtes-vous allée ?

– Je ne suis pas allée à la première, et j'ai même essayé d'empêcher Madeleine…

– La première ?

Beauvoir se redressa en oubliant qu'un million de petites aiguilles lui piquaient le postérieur.

– Oui, vous ne saviez pas ?

Gamache était toujours étonné et un peu déconcerté lorsque les gens semblaient penser qu'ils savaient déjà tout.

– Racontez-nous, s'il vous plaît.

– Il y a eu une autre séance vendredi soir. Le Vendredi saint. Au bistro.

– Mme Favreau y était ?

– Avec un tas d'autres personnes, mais il ne s'est pas passé grand-chose. Ils ont donc décidé d'essayer une autre fois, à cet endroit.

Gamache se demanda si Hazel Smyth évitait délibérément de nommer la vieille maison des Hadley, comme des acteurs qui appellent *Macbeth* « la pièce écossaise ».

– Organise-t-on beaucoup de séances à Three Pines ? demanda Gamache.

– Il n'y en a jamais eu avant, pour autant que je sache.

– Pourquoi deux le même week-end, alors ?

– C'est la faute de cette femme.

Alors qu'elle parlait, sa façade se lézarda et il entrevit quelque chose en elle. Pas de la tristesse, pas un sentiment de perte.

De la rage.

– Qui, madame ? demanda Gamache, même s'il connaissait la réponse.

Les aiguilles s'enfoncèrent davantage dans le derrière de Beauvoir et se dirigeaient vers l'avant.

– Pourquoi êtes-vous venus ? demanda Hazel. Madeleine a-t-elle été tuée ?

– De qui parlez-vous ? De quelle femme ? répéta fermement Gamache.

– De cette sorcière. Jeanne Chauvet.

« Tous les chemins mènent à elle, se dit Gamache. Mais où est-elle ? »

15

Armand Gamache ouvrit la porte de la chambre de Madeleine Favreau. Il savait que, faute de pouvoir rencontrer cette femme, c'était ce qu'il pouvait faire de mieux.

Du fond du corridor, à l'étage, des mots leur parvinrent.

– Alors, Madeleine a-t-elle été tuée ?

– Vous devez être Sophie, dit Beauvoir en se dirigeant vers la jeune femme.

Ses longs cheveux noirs encore humides laissaient supposer qu'elle venait de prendre une douche. Même à quelques pas, il sentit l'odeur fraîche et fruitée du shampooing.

– Vous avez bien deviné.

Elle fit un large sourire à Beauvoir et pencha la tête de côté en tendant la main. Sophie Smyth était mince et vêtue d'un peignoir en tissu éponge blanc. Beauvoir se demanda si la jeune femme savait l'effet que cela produisait.

Il lui rendit son sourire et se dit qu'elle le savait probablement.

– Donc, vous voulez savoir si c'est un meurtre.

Beauvoir parut pensif, comme s'il réfléchissait sérieusement à sa question.

– Avez-vous beaucoup d'idées malfaisantes ?

Elle rit comme s'il avait formulé une pensée à la fois subtile et délirante, et le poussa d'une façon taquine.

Gamache entra dans la chambre de Madeleine, laissant Jean-Guy Beauvoir pratiquer sa douteuse magie.

*

Un léger parfum embaumait la chambre, ou plus vraisemblablement une eau de toilette. Quelque chose de délicat et de raffiné. Différent de l'arôme de jeune femme extravagant et capiteux qu'il avait perçu dans le corridor.

Il pivota pour embrasser le décor. La pièce était petite et bien éclairée, même dans le soleil couchant. Les légers rideaux blancs qui encadraient la fenêtre servaient à tamiser la lumière et non à l'empêcher de pénétrer. On avait peint la chambre d'un blanc propre et rafraîchissant, et le couvre-lit, avec ses bosses révélatrices, était en chenille. Le lit à deux places – il n'y avait probablement pas assez d'espace pour un lit plus large, estima Gamache –, en laiton, était une belle antiquité. En passant à côté, il laissa sa large main traîner sur le métal frais. Des lampes étaient posées sur les tables de chevet, une pile de livres et de magazines sur l'une, un réveil sur l'autre. L'horloge numérique indiquait seize heures dix-neuf. Gamache tira un mouchoir de sa poche et appuya sur le bouton d'alarme. Il vit clignoter sept heures.

Dans le placard étaient rangés des robes, des jupes et des chemisiers, la plupart des vêtements étant de taille douze, un de taille dix. Dans la commode en pin couleur miel, le tiroir du haut contenait des petites culottes, propres mais non pliées. À côté d'elles se trouvaient des soutiens-gorges et des chaussettes. D'autres tiroirs renfermaient des pulls et quelques t-shirts, mais il était clair qu'elle n'avait pas encore fait le changement de l'hiver à l'été. Et qu'elle ne le ferait pas.

– Alors, dit Beauvoir en s'appuyant contre le mur du couloir, parlez-moi d'hier soir.

– Que désirez-vous savoir ?

Sophie s'appuya elle aussi, à moins de cinquante centimètres de lui. Il se sentait mal à l'aise parce qu'elle empiétait sur son espace vital. Pourtant, il savait qu'il l'avait cherché. Au moins, c'était mieux que ce sofa avec ses aiguilles.

– Eh bien, êtes-vous allée à la séance ?

– Vous voulez rire ? Trois jours ici, dans un village perdu, avec deux vieilles bonnes femmes ? Si on m'avait dit qu'on allait nager dans de l'huile bouillante, j'y serais allée.

Beauvoir rit.

– En fait, j'avais hâte d'arriver à la maison. Vous savez, avec du linge sale et d'autres trucs. Et maman me prépare toujours mes plats préférés. Mais, Seigneur, après quelques heures je n'en peux plus !

– Comment était Madeleine ?

– Quand, ce week-end ou toujours ?

– Est-ce qu'il y a une différence ?

– En arrivant ici, elle était gentille, j'imagine. Je suis restée seulement un an avant d'aller à l'université. Après, je revenais uniquement pour les congés et en été. Au début, elle me plaisait bien.

– Au début ?

– Elle a changé.

Sophie se tourna pour s'adosser contre le mur, en avançant la poitrine et les hanches, et regarda fixement devant elle. Beauvoir demeura silencieux. À attendre. Il savait qu'il y avait autre chose et il la soupçonnait de vouloir le lui dire.

– Elle n'était pas aussi gentille, cette fois. Je ne sais pas.

Elle baissa les yeux. Ses cheveux tombèrent devant son visage et Beauvoir ne voyait plus son expression. Elle marmonna quelque chose.

– Pardon ?

– Je ne suis pas fâchée qu'elle soit morte, dit Sophie dans ses mains. Elle prenait des choses.

– Comme quoi ? Des bijoux, de l'argent ?

– Non, pas ce genre de choses. D'autres choses.

Beauvoir fixa les cheveux de Sophie, puis baissa le regard sur ses mains. L'une d'elles serrait l'autre, comme si elle avait voulu qu'on la tienne, mais que personne ne se proposait.

Gamache prit les livres qui se trouvaient sur la table de chevet de Madeleine. Certains en anglais, d'autres en français. Des biographies, une histoire de l'Europe après la Deuxième Guerre mondiale et un roman d'un auteur canadien bien connu. Des goûts éclectiques.

Puis, il passa son long bras entre le sommier et le matelas, le glissant de part et d'autre. Selon son expérience, si les gens avaient des livres ou des magazines dont ils avaient honte, c'est là qu'ils les cachaient.

Une autre cachette servait moins à dissimuler qu'à préserver une certaine vie privée. Le tiroir de la table de chevet. En l'ouvrant, il y trouva un livre.

Pourquoi ne le gardait-elle pas avec les autres? Était-ce un secret? Il paraissait pourtant inoffensif.

Il le prit et regarda, sur la couverture, la photo d'une femme âgée, souriante, en vêtements de tweed, parée de longs colliers extravagants. D'une main expressive, elle tenait un cocktail. *Sarah Binks* de Paul Hiebert, disait la couverture. Il ouvrit le livre et lut au hasard. Puis il s'assit sur le bord du lit et continua sa lecture.

Cinq minutes plus tard, il lisait encore, le sourire aux lèvres, en riant parfois tout haut. Regardant ensuite autour de lui d'un air coupable, il referma le livre et le glissa dans sa poche.

Il conclut sa fouille en quelques minutes, en terminant par la commode près de la porte. Madeleine y gardait quelques photographies encadrées. Il en sortit une et vit Hazel avec une autre femme. Elle était mince, avec des cheveux noirs très courts et des yeux bruns brillants. Des yeux de biche, élargis par la coupe de cheveux. Elle avait un grand sourire, sans artifice ni arrière-pensée. Hazel était également détendue et souriante.

Ensemble, elles paraissaient naturelles. Hazel calme et satisfaite, l'autre femme radieuse.

Armand Gamache avait enfin fait la connaissance de Madeleine Favreau.

– Triste demeure, dit Beauvoir en observant dans le rétroviseur. Est-ce qu'il y a déjà eu du bonheur dans cette maison, d'après vous?

– Je pense qu'autrefois il y a eu beaucoup de joie dans cette maison, répondit Gamache.

Beauvoir parla au chef de sa conversation avec Sophie. Gamache écouta, puis regarda par la fenêtre, ne voyant çà et là que des lumières lointaines. La nuit tombait lorsqu'ils reprirent la route cahoteuse vers Montréal.

– Quelle est votre impression ? demanda Gamache.

– Je crois que Madeleine Favreau a chassé Sophie de chez elle. Peut-être pas consciemment, mais je pense qu'il n'y avait pas assez de place pour les deux. On bouge à peine là-dedans. Avec l'arrivée de Madeleine, c'était trop. Quelque chose devait changer.

– Quelque chose devait partir, dit Gamache.

– Sophie.

Gamache hocha la tête en direction de l'obscurité et songea à un amour si dévorant qu'il avait avalé puis recraché la propre fille de Hazel. Que pouvait bien ressentir cette fille ?

– Qu'est-ce que vous avez trouvé ? demanda Beauvoir.

Gamache décrivit la chambre.

– Mais pas d'éphédra ?

– Non. Ni dans sa chambre ni dans la salle de bains.

– Qu'en pensez-vous ?

Gamache prit son téléphone cellulaire et composa un numéro.

– Je crois que Madeleine n'a pas pris l'éphédra elle-même. On lui a administré la dose.

– Suffisante pour tuer.

– Suffisante pour assassiner.

16

– Allô, papa, dit la voix soucieuse de Daniel au téléphone. Où est le lapin de Florence ? On ne peut pas rester assis dans l'avion pendant sept heures sans le lapin. Et sans le « gare ».

– Quand allez-vous à l'aéroport ? demanda Gamache en vérifiant l'heure sur le tableau de bord de la Volvo.

Dix-sept heures vingt.

– On devait partir il y a une demi-heure, mais il nous manque le gare de Florence.

L'inspecteur-chef comprenait parfaitement. L'autre grand-père de Florence, papi Grégoire, lui avait donné une tétine jaune qu'elle adorait. Une fois, papi Grégoire avait dit en passant que Florence la suçait comme lui tétait ses cigares. Florence l'avait entendu et la sucette était devenue son gare. Son bien le plus précieux. Sans gare, pas question de prendre l'avion.

Gamache se dit qu'il aurait dû cacher la tétine.

– Quoi, chérie ? cria la voix de Daniel à l'écart du combiné. Ah, merveilleux. Papa, on les a trouvés. Faut y aller. Je t'aime.

– Moi aussi, je t'aime, Daniel.

Daniel raccrocha.

– Voulez-vous que je vous conduise à l'aéroport ? demanda Beauvoir.

Gamache regarda l'heure de nouveau. Leur vol vers Paris était à dix-neuf heures trente. Dans deux heures.

– Non, ça va. Trop tard. Merci.

Beauvoir était content d'avoir posé la question, et encore plus que le chef ait répondu non. Une petite fleur de satisfaction s'ouvrit dans sa poitrine. Daniel maintenant parti, le chef était de nouveau tout à lui.

Ne désespère pas en ces temps menaçants,
Laisse-les menacer,
Bien que les vents soufflent avec vigueur...

Odile regardait les sacs de céréales biologiques sur les étagères, en quête d'inspiration.

– « Bien que les vents soufflent avec vigueur », répéta-t-elle, en panne.

Elle devait trouver quelque chose qui rimait avec « menaçants ».

– Enlaçant ? Remplaçant ? Verglaçant ? « Bien que les vents soufflent avec vigueur sous un orage verglaçant » ? dit Odile, remplie d'espoir.

Non. C'était proche, mais pas tout à fait ça.

Toute la journée, dans la boutique qu'elle tenait avec Gilles à Saint-Rémy, elle avait été inspirée. À tel point que le comptoir était jonché de ses écrits, griffonnés au verso de reçus et sur des sacs en papier kraft. La plupart, elle en était certaine, étaient publiables. Elle allait les taper et les envoyer au *Courrier des éleveurs de porcs.* On y acceptait presque tous ses poèmes, souvent sans rien changer. La muse n'était pas toujours aussi généreuse, mais Odile n'avait pas eu le cœur aussi léger depuis des mois.

Tout au long de la journée, des gens étaient passés à la boutique, la plupart pour y trouver un petit quelque chose et beaucoup d'informations, qu'Odile fournissait avec plaisir, après y avoir été incitée par quelques questions. Elle ne devait pas paraître trop empressée. Ni trop contente.

– Tu étais là, ma chère ?

– Ça a dû être épouvantable.

– Pauvre M. Béliveau. Il était tellement amoureux d'elle. Dire qu'il a perdu sa femme il y a à peine trois ans.

– Est-ce qu'elle est vraiment morte de peur ?

C'était le seul souvenir qu'Odile ne voulait pas se rappeler. Madeleine figée dans un cri, comme si elle avait été pétrifiée en voyant quelque chose d'horrible, pareille à la tête avec les serpents dont on parle dans la mythologie. Cette tête n'avait jamais semblé particulièrement terrifiante pour Odile, dont les monstres prenaient forme humaine.

Oui, Madeleine était morte de peur et elle ne l'avait pas volé, après toute la terreur qu'elle avait inspirée à Odile au cours des derniers mois. Mais, à présent, la terreur avait disparu, comme une tempête qui s'est calmée.

Une tempête. Odile sourit et remercia sa muse de se présenter de nouveau.

Bien que les vents soufflent avec vigueur tout en tempêtant,
Qu'est-ce que c'est, qu'est-ce que c'est pour toi et moi.

Il était passé dix-sept heures, c'était le temps de fermer. Après une bonne journée de travail.

L'inspecteur-chef Gamache appela l'agent Lemieux, toujours au gîte touristique.

– Elle n'est pas encore revenue, chef. Mais Gabri est ici.

– Passez-lui le téléphone, s'il vous plaît.

Après une pause, il entendit la voix familière.

– Salut, patron.

– Salut, Gabri. Mme Chauvet est-elle arrivée en voiture ?

– Non, non, elle s'est tout simplement matérialisée… Bien sûr qu'elle est arrivée en voiture. Comment peut-on venir ici autrement ?

– Son auto est-elle encore là ?

– Ah, bonne question.

Gamache entendit Gabri sortir avec le téléphone, probablement sur la galerie.

– Oui, elle est là. Une petite Echo verte.

– Elle ne peut donc pas être allée bien loin, dit Gamache.

– Voulez-vous que j'ouvre la porte de sa chambre ? Je peux faire semblant de nettoyer. J'ai la clé – Gamache entendit tinter la clé que Gabri décrochait – et j'avance dans le couloir.

– Pourriez-vous la donner à l'agent Lemieux, s'il vous plaît ? C'est lui qui devrait ouvrir.

– Bon, d'accord.

Gamache sentit Gabri contrarié. Après un instant, Lemieux parla.

– J'ai ouvert, chef.

Il y eut ensuite une pause insupportable, pendant que l'agent Lemieux entrait dans la pièce et allumait.

– Rien. La chambre est vide. La salle de bains aussi. Voulez-vous que je fouille les tiroirs ?

– Non, ce serait aller trop loin. Je voulais seulement m'assurer qu'elle n'était pas là.

– Morte ? Je me suis posé la question, moi aussi, mais non.

Gamache demanda à parler de nouveau à Gabri.

– Patron, nous aurons peut-être besoin de chambres pour demain soir.

– Pour combien de temps ?

– Jusqu'à la fin de l'enquête.

– Et si vous ne la tirez pas au clair ? Allez-vous rester pour toujours ?

Gamache se rappela les chambres élégantes et invitantes avec leurs oreillers moelleux, leurs draps bien propres et des lits si hauts qu'il fallait un marchepied pour y monter. Il revoyait aussi les tables de chevet sur lesquelles on trouvait des livres, des magazines et de l'eau. Ainsi que les jolies salles de bains au vieux carrelage et à la plomberie neuve.

– Si vous préparez tous les matins des œufs à la florentine, c'est possible, dit Gamache.

– Vous n'êtes pas raisonnable, dit Gabri, mais je vous aime. Ne vous en faites pas à propos des chambres, on en a suffisamment.

– Même pendant le congé de Pâques ? Vous n'affichez pas complet ?

– Complet ? Personne ne nous connaît et j'espère bien que ça va continuer, dit Gabri en renâclant.

Gamache raccrocha après avoir demandé à Gabri de l'appeler au retour de Jeanne Chauvet et de dire à Lemieux de rentrer pour la nuit. En regardant par la fenêtre les autres voitures qui filaient le long de l'autoroute en direction de Montréal, Gamache se demandait où était la médium.

Secrètement, il espérait toujours entendre une voix lui murmurer des réponses, sans trop savoir ce qu'il ferait s'il commençait à entendre des voix.

Il attendit un moment, puis, comme aucune voix ne répondait, il prit le téléphone et fit un autre appel.

– Bonjour, monsieur le directeur. Encore au travail ?

– Je m'apprêtais à partir. Qu'est-ce que tu as trouvé, Armand ?

– C'était un meurtre.

– C'est une impression ou un fait réel ?

Gamache sourit. Son vieil ami le connaissait bien et, comme Beauvoir, se méfiait des « impressions » de Gamache.

– En fait, c'est mon esprit guide qui me l'a dit.

Il y eut une pause à l'autre bout du fil, puis Gamache se mit à rire.

– C'est une blague, Michel. Une blague. Cette fois, il y a un fait réel. De l'éphédra.

– Je me souviens de te l'avoir mentionné.

– C'est vrai, mais il n'y avait pas d'éphédra dans sa chambre à coucher, ni dans la salle de bains, ni dans aucun autre endroit où elle aurait pu le ranger. De plus, rien n'indique que cette femme ait éprouvé le besoin de perdre du poids. Pas de trouble alimentaire qui l'aurait amenée à utiliser un médicament considéré comme dangereux. Aucune obsession du poids et des régimes. Aucun livre ni magazine sur le sujet. Rien.

– Tu crois que quelqu'un lui a administré l'éphédra ?

– Oui. Pour moi, il s'agit donc d'une enquête sur un meurtre.

– Je suis d'accord. Je suis désolé d'avoir interrompu ton congé, cependant. Reviendras-tu à temps pour voir Daniel avant son départ ?

– Non, il est déjà en route pour l'aéroport.

– Je suis vraiment désolé, Armand.

– Ce n'est pas ta faute, dit Gamache, mais Brébeuf, qui le connaissait très bien, perçut un certain regret. Embrasse Catherine de ma part.

– Bien sûr.

En raccrochant, Gamache éprouva du soulagement. Depuis quelques mois, peut-être plus, il avait senti un changement chez son ami, comme si un voile était descendu, s'était interposé entre eux. Quelque chose avait obscurci leur amitié de toujours. Rien de concret. Gamache s'était même demandé si c'était son imagination. Il avait demandé à Reine-Marie son opinion après un souper avec les Brébeuf.

– Je n'arrive pas à mettre le doigt dessus, s'était-il efforcé d'expliquer. C'est seulement une…

– Impression ? avait-elle dit en souriant.

Elle faisait confiance aux impressions de son mari.

– Peut-être un peu plus. Son ton est différent, son regard paraît plus dur. Il dit parfois des choses qui semblent intentionnellement offensantes.

– Comme ce commentaire sur les Québécois prétentieux qui déménagent à Paris ?

– Tu l'as entendu, toi aussi. Il sait que Daniel est installé là-bas. Est-ce que c'était une pique ?

Si oui, ce n'était qu'une parmi d'autres. Pourquoi ?

En fouillant dans sa mémoire, il n'avait trouvé aucune raison pour laquelle Michel aurait voulu le blesser. Il ne se rappelait pas avoir fait quoi que ce soit pour provoquer cela.

– Il t'aime, Armand. Laisse-le tranquille. Catherine dit qu'ils s'inquiètent à propos du mariage de leur fils, qui s'est séparé.

– Michel ne m'en a pas parlé, dit Gamache, étonné d'en être offusqué.

Il croyait qu'ils se disaient tout. Il se demanda si lui-même ne devrait pas se montrer plus circonspect, mais freina ce réflexe. « Comme c'est facile de se venger », se dit-il. Il allait donner à Michel tout l'espace et le temps voulus, et le laisser se défouler d'une partie de sa frustration sur lui. Il était naturel de s'en prendre aux proches.

Michel s'inquiétait pour son fils. Bien sûr, ce devait être quelque chose comme ça. Cela ne pouvait le concerner, lui, ni leur amitié.

En raccrochant, Gamache sourit. Michel semblait être redevenu lui-même. Dans sa voix, il avait perçu son entrain de toujours. Peu importe ce qui les avait éloignés, c'était maintenant du passé.

Michel Brébeuf raccrocha et regarda le mur en souriant.

Voilà, il avait la réponse à la question qui le tourmentait depuis des mois : comment ? Comment faire tomber un homme comblé ?

Maintenant, Michel Brébeuf le savait.

17

L'agente Yvette Nichol se réveilla tôt le lendemain, trop fébrile pour dormir. Le jour tant attendu était arrivé. Gamache allait enfin voir de quoi elle était capable.

Elle se regarda dans la glace. Elle était petite, rousse, les yeux bruns, avec des taches pourpres sur la peau aux endroits qu'elle avait grattés. Bien que mince, elle avait un visage un peu grassouillet, comme un ballon avec des cheveux.

Elle aspira ses joues en les mordant entre ses molaires. C'était mieux, mais elle ne pouvait pas passer sa vie comme ça.

Elle avait les traits de son père et la personnalité de sa mère. Elle n'avait jamais beaucoup aimé cette dernière, mais c'était ce que lui avaient toujours dit ses tantes et ses oncles, et elle se demandait si c'était pour l'agacer. Sa mère était morte subitement, un jour là, le lendemain disparue.

Sa mère avait été une étrangère dans la famille de son père. Cette parenté placoteuse l'avait tolérée, sans jamais l'aimer ni la respecter, ni même l'accepter. La mère d'Yvette s'était efforcée de se conformer aux préjugés et aux jugements mesquins des Nikulas. Mais ils s'étaient seulement moqués d'elle et avaient changé d'avis.

Elle était pitoyable : toujours à essayer de s'intégrer, à vouloir gagner l'affection de gens qui jamais n'en donneraient, et qui la méprisaient en retour.

« Tu es exactement comme ta mère. » Ces paroles prononcées avec un accent marqué avaient laissé une trace profonde dans la tête d'Yvette Nichol. Il s'agissait probablement des seuls mots en français que connaissaient ses oncles et ses tantes. Retenus comme on retient un juron. « Putain. » « Merde. » « Tu es exactement comme ta mère. » « Hostie. »

Non, c'était son père qu'elle aimait. Et c'était réciproque. Il la protégeait de l'essaim d'odeurs, de langues et d'insultes qui l'assaillaient dans sa propre maison.

– Ne te maquille pas.

Sa voix traversa la porte de la salle de bains. Elle sourit. Il la trouvait assez jolie ainsi.

– Sans maquillage, tu as l'air plus jeune, plus fragile.

– Papa, je suis une agente de la Sûreté. Aux homicides. Je ne veux pas avoir l'air fragile.

Il l'incitait constamment à user de stratagèmes pour être appréciée de son entourage. Elle savait bien, cependant, que c'était inutile : les gens n'allaient pas l'aimer davantage. Jamais ils ne l'aimaient.

La veille, à Pâques, son patron l'avait appelée en plein repas familial. Autour de la table, tous ne cessaient de répéter à quel point c'était mieux en Roumanie, en Yougoslavie ou en République tchèque. Ils parlaient dans leurs propres langues, en faisant tout un plat lorsqu'elle ne comprenait pas. Mais elle en comprenait assez pour savoir que, chaque année, ils demandaient à son père pourquoi elle ne coloriait jamais d'œufs ni ne préparait de pain spécial pour l'occasion. Toujours à lui chercher des poux ! Personne n'avait fait de commentaire sur sa nouvelle coiffure ou sur ses vêtements neufs. Personne ne l'avait interrogée sur son emploi. Bon sang, elle était une agente de la Sûreté du Québec ! La seule à avoir réussi dans toute cette famille de ratés. Ne pouvaient-ils pas lui poser des questions là-dessus ? Non. Ils lui auraient montré plus d'intérêt si elle avait été un foutu œuf peint !

Elle avait couru dans le couloir avec le téléphone et s'était réfugiée dans sa chambre, pour que son patron ne les entende pas rire et jacasser à ses dépens.

– Vous vous souvenez de quoi on a parlé il y a quelques mois ?

– À propos de l'affaire Arnot ?

– Ne mentionnez plus jamais ce nom. Compris?

– Compris.

Il la traitait comme une enfant.

– Nous enquêtons sur une nouvelle affaire. Nous ne sommes pas certains qu'il s'agisse d'un meurtre, mais, si c'en est un, vous ferez partie de l'équipe. Je m'en suis assuré. Le moment est venu. Êtes-vous sûre de pouvoir faire ce que j'attends de vous, agente Nichol? Sinon, vous devez me le dire maintenant. L'enjeu est trop grand.

– Oui, ça va, je peux le faire.

La veille, quand elle avait prononcé ces paroles, elle le croyait. Mais on était le lendemain. C'était une affaire d'homicide. C'était le temps d'agir.

Et elle était morte de peur. Dans moins de deux heures, elle serait à Three Pines avec l'équipe. Mais, tandis que les autres chercheraient un meurtrier, elle essaierait de démasquer un traître au sein de la Sûreté. Non, plus que le démasquer: le faire traduire en justice.

L'agente Yvette Nichol aimait les secrets, les siens et ceux des autres. Elle les emmurait tous dans son for intérieur, où elle les maintenait en vie, les renforçait et les laissait grossir.

Elle savait garder un secret, et se demandait si son patron l'avait choisie à cause de cela. Cependant, elle soupçonnait que la raison était plus terre à terre: il l'avait probablement choisie parce qu'elle suscitait déjà le mépris.

– Tu peux y arriver, dit-elle à l'étrange jeune femme qu'elle voyait dans la glace.

La peur l'avait soudainement enlaidie.

– Tu peux, répéta-t-elle avec plus de conviction. Tu es intelligente, courageuse et belle.

D'une main mal assurée, elle porta son rouge à lèvres à sa bouche. L'abaissant un instant, elle lança un regard sévère à la fille dans le miroir.

– Pas de gaffe.

Serrant son poignet de son autre main, elle appliqua le rouge voyant et bon marché sur ses lèvres, comme si sa tête était un œuf de Pâques qu'elle s'apprêtait à peindre. Sa famille allait être fière d'elle après tout.

Debout dans la lumière claire du matin, sur la route en face de la vieille maison des Hadley, l'agente Isabelle Lacoste regardait l'allée cahoteuse et tordue. On aurait dit que quelque chose essayait de s'extirper des entrailles de la terre.

Son courage avait finalement atteint ses limites. Après avoir passé plus de cinq ans aux homicides avec l'inspecteur-chef Gamache, à affronter des meurtriers fous et détraqués, elle avait fini par être arrêtée par cette maison. Elle s'efforça tout de même de rester un moment de plus devant elle, puis se retourna et s'éloigna. Dans son dos, elle sentait que la maison l'observait. Isabelle Lacoste accéléra le pas et piqua un sprint jusqu'à sa voiture.

Elle inspira profondément et fit volte-face pour regarder la maison. Il fallait qu'elle y entre. Mais comment ? Seule ? Inutile d'y penser. Elle savait qu'elle n'en franchirait jamais le seuil. Elle avait besoin de quelqu'un pour l'accompagner. En baissant les yeux vers le village, vers la fumée s'échappant des cheminées, vers les fenêtres éclairées, elle imagina les gens assis devant leur premier café avec du pain grillé et de la confiture. Elle se demanda qui elle choisirait. Le sentiment qu'elle éprouvait était étonnamment puissant. Est-ce ainsi que se sentaient les juges avant l'abolition de la peine de mort ?

Puis son regard s'arrêta sur une maison en particulier. Au fond, elle avait toujours su qui elle choisirait.

– Je réponds, cria Clara de son atelier.

Elle s'était levée de bonne heure, espérant que la lumière du matin lui montrerait ce que Peter avait vu quelques jours plus tôt. L'imperfection du tableau. Les couleurs qui détonnaient. La mauvaise nuance de bleu, peut-être? Ou de vert? Fallait-il un vert émeraude plutôt qu'un céladon ? Elle avait délibérément évité le bleu marial, mais c'était sans doute là son erreur.

Elle n'avait plus qu'une semaine pour terminer la toile avant la venue de Denis Fortin.

Le temps filait. Quelque chose clochait dans l'œuvre et elle ne savait pas quoi. Assise sur le tabouret, en sirotant son café corsé et en mangeant un bagel de Montréal, elle espérait que le soleil printanier le lui révélerait.

Mais il restait silencieux.

« Mon Dieu, que vais-je faire ? »

Juste à ce moment, quelqu'un frappa à la porte. Elle se demanda si c'était Dieu, mais se dit qu'il entrerait probablement sans cogner.

– Non, tu travailles, lança Peter de la cuisine.

Il jeta un coup d'œil à l'horloge. À peine passé sept heures.

– J'y vais.

Il regrettait ses commentaires sur l'œuvre de Clara. Depuis, il avait essayé de lui expliquer que ç'avait été une réaction excessive. Qu'il n'avait rien à redire, bien au contraire. Mais elle avait jugé ses paroles condescendantes. Jamais il ne lui viendrait à l'esprit qu'il avait menti, la première fois. Que son tableau était éblouissant, lumineux, extraordinaire – et tous ces qualificatifs qu'il avait rêvé de lire et d'entendre à propos de ses propres toiles.

En fait, les siennes étaient fort prisées des galeristes et des décorateurs. Il prenait un objet concret, disons une brindille, et l'agrandissait à un point tel qu'il en devenait méconnaissable, abstrait. Pour une raison quelconque, l'idée de masquer la vérité lui plaisait. Pour décrire son travail, les critiques utilisaient des termes comme « complexe », « profond » et « fascinant ». Tout cela lui avait suffi, jusqu'à ce qu'il voie le tableau de Clara. À présent, il aurait souhaité que quelqu'un, ne serait-ce qu'une personne, qualifie ses œuvres de « lumineuses ».

Peter ne voulait pas que Clara change un iota à sa peinture. Tout en l'espérant.

D'un pas nonchalant, il se rendit à la porte et l'ouvrit à l'agente Isabelle Lacoste.

– Bonjour, dit-elle en souriant.

– Est-ce que c'est Dieu ? cria Clara de son atelier.

Lacoste secoua la tête comme pour s'excuser.

– Non, ce n'est pas Dieu, chérie. Désolé.

Sourire aux lèvres, Clara apparut en s'essuyant les mains sur un torchon.

– Bonjour, agente Lacoste. Je ne vous ai pas vue depuis belle lurette. Prendriez-vous un café ?

Isabelle Lacoste ne se serait pas fait prier. En ce matin de printemps frisquet, cette maison sentait le café frais, le bagel grillé et le feu de cheminée. Lacoste voulait s'asseoir et parler à ces gens accueillants, en se réchauffant les mains sur une grande tasse. Sans retourner là-bas. C'était possible, elle le savait. Personne, dans l'équipe des homicides, ne se doutait de sa visite. Son but était profondément personnel : un petit rituel privé.

– J'ai besoin de votre aide, dit-elle à Clara, qui leva les sourcils, étonnée.

Et les abaissa lorsque Isabelle Lacoste lui expliqua ce qu'elle voulait.

Myrna Landers fredonnait en moulant le café qu'elle allait préparer dans sa Bodum. Le bacon cuisait et deux œufs bruns étaient posés sur le comptoir en bois de la cuisine, prêts à être cassés au-dessus de la poêle. Le plus souvent, elle ne prenait que du pain grillé et du café, mais, de temps à autre, elle ne disait pas non à un petit-déjeuner complet. Au fond, disait-on, les Anglais se contenteraient de trois petits-déjeuners par jour. C'était son cas. Elle pouvait se satisfaire de bacon, d'œufs, de croissants, de saucisses, de crêpes au sirop d'érable, de gruau à la cassonade, de jus d'orange fraîchement pressé et de café fort. Bien sûr, au bout d'un mois, on la retrouverait morte.

Morte.

La spatule de Myrna resta suspendue au-dessus du bacon qu'elle venait de remuer. Celui-ci lui crachota sur la main, mais elle ne réagit pas. Elle était de nouveau dans cette chambre affreuse cet horrible soir là. Elle retournait Madeleine.

– Dieu que ça sent bon, s'exclama une voix familière de l'autre extrémité du loft.

Myrna revint à ses sens et, en se tournant, vit Clara et une autre femme enlever leurs bottes boueuses. La seconde regardait autour d'elle, ébahie.

– C'est magnifique, dit Lacoste en écarquillant les yeux.

Son seul désir, maintenant, était de s'asseoir à la longue table de réfectoire, de manger du bacon et des œufs, et de ne plus jamais partir. Du regard, elle embrassa la pièce. Au plafond, des poutres apparentes étaient noircies par l'âge. Sur les quatre murs de briques presque roses, de saisissantes abstractions s'intercalaient entre les bibliothèques archipleines et les grandes fenêtres à meneaux. Au centre du loft, des fauteuils usés flanquaient le poêle à bois, devant lequel se trouvait un grand sofa. Les parquets étaient en larges planches de pin couleur miel. Lacoste se dit que les deux portes fermées menaient à une chambre à coucher et à une salle de bains.

Elle se sentait chez elle. Lacoste aurait voulu tout à coup prendre la main de Clara. Elle avait trouvé sa place. Dans ce loft. Mais aussi avec ces deux femmes.

– Bonjour.

La Noire massive en cafetan se dirigea vers elle, les bras tendus, sourire aux lèvres.

– L'agente Lacoste, n'est-ce pas ?

– Oui.

Lacoste et elle se firent la bise sur les deux joues. Puis Myrna se tourna vers Clara pour lui donner l'accolade et échanger des bises avec elle aussi.

– Vous venez prendre le petit-déjeuner ? Il y a plein de choses et je peux en préparer d'autres. Qu'est-ce qui se passe ?

Elle voyait la tension sur le visage de Clara.

– L'agente Lacoste a besoin de notre aide.

– Que puis-je faire ?

Myrna regarda la femme habillée avec élégance et simplicité, à l'image de la plupart des jeunes Québécoises. Par comparaison, Myrna se sentait comme une maison confortable et heureuse.

Lacoste lui expliqua ce qu'elle voulait, tout en ayant l'impression que ses propos souillaient cet endroit merveilleux.

Lorsqu'elle eut terminé, Myrna resta tout à fait immobile et ferma les yeux, puis les rouvrit et dit :

– Bien sûr que nous allons vous aider, ma chère.

Dix minutes plus tard, le bacon retiré de la plaque chauffante, la bouilloire débranchée et Myrna tout habillée, les trois femmes traversèrent lentement le village qui se réveillait en douceur. Une brume légère flottait au-dessus de l'étang et s'accrochait aux collines.

– Je me rappelle, dit Lacoste à Clara, quand votre voisine est morte, vous avez fait un rituel.

Myrna hocha la tête. Elles avaient fait le tour de Three Pines avec un bouquet fumant de sauge et de foin d'odeur pour réinviter la joie en ce lieu rongé par un meurtre brutal. Avec succès.

– Un ancien rituel païen, d'une époque où « païen » voulait dire « paysan » et « paysan » voulait dire « travailleur », et où être un travailleur avait de l'importance, dit Myrna.

L'agente Isabelle Lacoste demeura silencieuse. La tête penchée, elle regardait ses bottes en caoutchouc, tandis qu'elle avançait sur le chemin en pataugeant dans la boue. Elle adorait cet endroit. Nulle part ailleurs elle n'aurait pu marcher en toute sécurité au beau milieu d'une route. Elle sentait de part et d'autre l'odeur de la terre et de la pinède.

– Madeleine a été tuée ? demanda Clara. C'est pour ça que vous voulez accomplir le rituel ?

– Oui, elle a été tuée.

Myrna et Clara s'arrêtèrent.

– Je n'arrive pas à le croire, dit Myrna.

– Pauvre Madeleine, dit Clara. Pauvre Hazel. Elle se dévoue tellement pour les autres, et puis voilà ce qui lui tombe dessus.

« Si des gestes de bonté pouvaient nous protéger de la tragédie, se dit Lacoste, le monde entier serait meilleur. Ce serait de l'égoïsme conscient, peut-être, mais, au moins, il serait conscient. C'est bien ce que je suis en train de faire, non ? D'essayer d'acheter une faveur ? De prouver ma bonté à l'Être suprême, quel qu'il soit, qui décide de la vie et de la mort et distribue les récompenses ? »

Les trois femmes levèrent de nouveau le regard vers leur destination, qui se dressait au-dessus du village. « Maudite maison des Hadley, se dit Clara dans la pénible montée. Elle a détruit une autre vie. »

Elle espérait que la maison était satisfaite, repue. Elle était contente de ne pas avoir encore mangé et espérait ne pas sentir le bacon et les œufs.

– Pourquoi faites-vous ça ? demanda Myrna à Lacoste, d'un ton calme.

– Parce qu'il est possible que la…

Elle s'arrêta et se ressaisit.

– Parce qu'on ne sait jamais…

Myrna se retourna et lui prit la main. L'agente Lacoste n'était pas habituée à voir des suspects ou des témoins lui tenir la main, mais elle ne la retira pas.

– Ça va, ma chère. Regardez-nous. On est deux vieilles sorcières, Clara et moi. On a allumé un sacré gros pétard de sauge et de foin d'odeur et on a fumigé le village pour le débarrasser de ses mauvais esprits. On vous comprend.

Isabelle Lacoste se mit à rire. Pendant toute sa vie adulte, elle avait eu honte de ses croyances. Elle avait été élevée dans le catholicisme, mais, par un matin froid et maussade, en regardant une tache pourpre sur l'asphalte, là où un jeune homme avait été mortellement heurté par un chauffard qui avait pris la fuite, elle avait fermé les yeux et parlé à la victime.

Elle lui avait promis que jamais on ne l'oublierait. Qu'elle trouverait qui lui avait fait cela.

C'était la première fois qu'elle s'adressait à un mort. Cela lui avait semblé plutôt inoffensif, mais un instinct d'un autre ordre lui disait de prendre garde. Non pas aux morts, mais aux vivants. Et, lorsqu'elle s'était fait surprendre par un collègue, ses craintes avaient été confirmées. On s'était moqué d'elle et on l'avait impitoyablement ridiculisée. On l'avait harcelée dans les couloirs de la Sûreté, raillée pour avoir communiqué avec les esprits.

Sur le point de démissionner, tandis qu'elle attendait, en fait, devant le bureau du directeur, lettre en main, la porte s'était ouverte et l'inspecteur-chef Gamache était sorti. Tout le monde le connaissait, bien sûr. Même avant la tristement célèbre affaire Arnot, il jouissait d'une grande réputation.

Il l'avait regardée en souriant, puis avait fait quelque chose d'extraordinaire. Il lui avait tendu sa grande main et s'était présenté en disant : « Ce serait pour moi un privilège, agente Lacoste, si vous veniez travailler avec moi. »

Elle avait cru qu'il plaisantait. Il ne l'avait pas quittée des yeux.

– Acceptez, s'il vous plaît.

Et c'est ce qu'elle avait fait.

Elle se doutait bien que l'inspecteur-chef Gamache savait que, sur chaque scène d'homicide, quand l'activité se calmait, que les équipes étaient rentrées et que l'endroit avait retrouvé sa tranquillité, Isabelle Lacoste était encore là.

Et qu'elle parlait aux morts. Les rassurait en leur disant qu'on s'occupait de l'affaire. Qu'ils ne tomberaient pas dans l'oubli.

Debout dans la douce lumière, elle prit les mains rudes de Myrna, regarda dans les yeux bleus si chaleureux de Clara, et baissa sa garde.

– Je crois que l'esprit de Madeleine Favreau est encore là, dit-elle en tournant la tête vers la maison abandonnée sur la colline. Il attend qu'on le délivre. Je veux qu'elle sache qu'on essaie et qu'on ne l'oublie pas.

– C'est un geste sacré, dit Myrna en lui pressant les mains. Merci d'avoir sollicité notre aide.

Isabelle Lacoste se demanda si elles la remercieraient toujours, quelques minutes plus tard. Puis, ayant enfin atteint leur destination, les trois femmes se tinrent côte à côte devant la vieille maison des Hadley.

– Allons-y, dit Clara. On aura beau attendre, ce ne sera pas plus facile.

Prenant les devants, elle parcourut l'allée cahoteuse jusqu'à la porte et essaya de tourner la poignée.

– C'est verrouillé, dit-elle.

Elle avait envie de se retrouver chez Myrna pour se régaler de bacon à l'érable, d'œufs au plat retournés et de pain bien grillé, tartiné de marmelade maison. Elles avaient tenté le coup et fait de leur mieux, personne ne pourrait…

– J'ai la clé, dit Lacoste.

« Merde. »

Au même instant, Armand Gamache et Jean-Guy Beauvoir arrivèrent à l'hôpital de Cowansville. Quelques patients flânaient devant la porte en fumant des cigarettes, l'un d'eux relié à une bombonne d'oxygène. Les deux hommes gardèrent une distance respectueuse.

– Qu'est-ce qui vous a pris tant de temps ?

Yvette Nichol se trouvait devant la boutique de cadeaux. Elle était vêtue d'un tailleur-pantalon bleu mal ajusté, aux revers maculés de boue, et ses cheveux étaient coiffés à la Jeanne d'Arc – une coupe passée de mode depuis le dix-septième siècle. Elle portait du rouge à lèvres, mais on aurait plutôt dit qu'elle s'était écorché les lèvres avec un éplucheur.

– Agente Nichol, dit Beauvoir en hochant la tête.

Ce visage maussade et boudeur lui retournait l'estomac. Gamache avait commis une erreur monumentale en l'invitant à faire partie de l'équipe, c'était évident. Pourquoi donc l'avait-il fait ?

Beauvoir ne le savait pas, mais il pouvait deviner. Gamache s'était donné pour mission personnelle d'aider tous les ratés, les nuls, les faibles. Cependant, il ne se contentait pas de les aider, avec une gentille lettre de recommandation, par exemple, il les intégrait dans son équipe. Il en avait placé quelques-uns aux homicides, l'escouade la plus prestigieuse de la Sûreté, pour travailler avec le plus célèbre détective du Québec.

Beauvoir avait même été le premier.

Détesté au poste de Trois-Rivières, il avait été affecté en permanence à la cage des pièces à conviction. Et c'était bel et bien une cage. S'il n'avait pas démissionné, c'est qu'il savait que sa présence exaspérait les patrons. Il était rempli de rage. Une cage était probablement l'endroit qui lui convenait.

Puis, l'inspecteur-chef l'avait repéré, l'avait intégré aux homicides et, quelques années plus tard, l'avait promu au rang d'inspecteur pour en faire son bras droit. Mais Jean-Guy Beauvoir n'était jamais tout à fait sorti de la cage : celle-ci était entrée en lui et il y gardait le pire de sa rage, là où elle ne pouvait pas nuire. À côté de cette cage, il y en avait une autre, plus calme. Dans un coin était blotti quelque chose qui l'effrayait bien plus que sa fureur. Beauvoir vivait dans la terreur qu'un jour cette autre créature s'échappe.

Dans cette cage, il cachait son amour. Et si un jour il en sortait, cet amour s'envolerait tout droit vers Armand Gamache.

Jean-Guy Beauvoir tourna la tête vers l'agente Nichol et se demanda ce qu'elle gardait dans sa cage. Peu importe ce que c'était, il espérait qu'elle l'avait enfermé à double tour. Ce qu'elle laissait sortir était bien assez malveillant.

Ils descendirent au sous-sol de l'hôpital et pénétrèrent dans une salle où rien n'était naturel. Ni la lumière, ni l'air (qui sentait les produits chimiques), ni l'ameublement (en aluminium). Ni la mort.

Sans afficher la moindre expression, un technicien d'âge moyen sortit Madeleine Favreau d'un tiroir. Il glissa la fermeture éclair du sac avec désinvolture, puis recula en chancelant.

– Merde alors ! glapit-il. Que lui est-il arrivé ?

Même s'ils s'étaient préparés, il fallut tout de même un moment aux enquêteurs des homicides, pourtant endurcis, pour reprendre leurs esprits. Gamache fut le premier à se ressaisir et à parler.

– Ça ressemble à quoi, selon vous ?

Le technicien s'avança peu à peu, s'étira le cou autant qu'il le put, puis examina de nouveau l'intérieur du sac.

– Calvaire ! dit-il en expirant. Je n'en ai aucune idée, mais je ne veux absolument pas finir comme ça.

Il se tourna vers Gamache.

– Un meurtre ?

– Elle est morte de peur, dit Nichol, fascinée.

Elle ne pouvait détacher son regard de ce visage.

Madeleine Favreau était restée figée dans son cri : les yeux exorbités, les lèvres distendues dévoilant toutes les dents, la bouche béante et muette. C'était horrible.

Qu'est-ce qui pouvait provoquer cela ?

Gamache la regarda de nouveau. Puis il respira à fond.

– Quand la D^re^ Harris sera-t-elle ici ?

Le technicien consulta l'horaire de travail.

– À dix heures, fit-il d'un ton bourru, pour essayer de faire oublier son cri de surprise.

– Merci, dit Gamache en sortant, avec dans son sillage les deux autres et la puanteur du formol.

Myrna, Lacoste et Clara foncèrent vers l'escalier. Avec ses jambes courtes, Clara s'efforçait de suivre Myrna, qui montait deux marches à la fois. Elle essayait de rester cachée derrière elle, dans l'espoir que les monstres trouveraient son amie en premier. À moins qu'ils arrivent par-derrière. Clara tourna la tête et rentra dans Myrna, qui s'était arrêtée net dans le couloir.

– Si mon père avait vu ça, dit-elle à Clara, il aurait insisté pour qu'on se marie.

– C'est bien, il reste des hommes de la vieille école.

Myrna s'était immobilisée parce que l'agente Lacoste, en tête, l'avait fait. Soudainement. À mi-parcours du couloir.

Clara regarda au-delà de sa protectrice et vit Lacoste en état d'alerte.

« Oh, mon Dieu ! se dit-elle. Qu'y a-t-il maintenant ? »

Lentement, Lacoste avança à petits pas. Myrna et Clara firent de même. Puis Clara vit ce qu'il y avait. Des lanières de ruban jaune éparpillées sur le plancher. D'autres qui pendaient au chambranle.

Le ruban de la police avait été forcé, pas seulement enlevé ni même coupé. Il avait été déchiqueté. Quelque chose avait désespérément voulu entrer.

Ou sortir.

Par l'embrasure de la porte, Clara voyait la pièce faiblement éclairée. Au centre de leurs chaises, sur le cercle de sel, se trouvait un oiseau minuscule, un merle.

Mort.

18

L'agent Robert Lemieux bourra de bûches le poêle noir et massif au centre de la vieille gare. Autour de lui, des techniciens installaient des tables de travail, des tableaux noirs, des ordinateurs et des imprimantes. On avait peine à reconnaître le lieu comme une ancienne gare ferroviaire du Canadien National. N'eût été l'immense camion d'incendie rouge, on aurait même eu de la difficulté à y voir les locaux du service des pompiers volontaires de Three Pines. Les techniciens enlevaient soigneusement des affiches sur la prévention, de même que d'autres en hommage aux Prix littéraires du Gouverneur général. Sur l'une d'elles, la chef des pompiers, Ruth Zardo, dardait un regard noir à l'occasion de la remise de son prix, comme si quelqu'un lui avait lancé des excréments.

La veille, l'inspecteur Beauvoir avait appelé Lemieux en lui ordonnant de se rendre tôt à Three Pines pour aider à préparer les lieux. Tout ce qu'il avait fait jusqu'ici, c'était éviter de gêner et allumer le feu. Il s'était également arrêté au Tim Hortons de Cowansville pour prendre des cafés – deux crèmes, deux sucres – et des boîtes de beignes.

– Bon, tu es là.

Beauvoir entra d'un pas énergique, suivi de l'agente Nichol. Lemieux et elle se regardèrent d'un œil mauvais.

Il avait eu beau chercher, il se demandait encore ce qu'il avait fait pour provoquer une telle hostilité. Il avait tenté de se lier d'amitié avec elle. C'étaient les ordres du directeur Brébeuf: il devait s'insinuer dans les bonnes grâces de tout le monde. Et il l'avait fait. Pour lui, c'était naturel: pendant toute sa vie bénie des dieux, il s'était lié d'amitié facilement. Sauf avec elle. Cela l'embêtait. *Elle* l'embêtait, peut-être parce qu'elle montrait ce qu'elle ressentait et que cela le troublait et l'irritait. Pour lui, elle appartenait à une nouvelle espèce dangereuse.

Il sourit à Nichol, qui lui répondit par un rictus.

– Où est l'inspecteur-chef? demanda Lemieux à Beauvoir.

Cinq bureaux étaient disposés en cercle autour d'une table de conférence. Chacun avait maintenant son ordinateur, et les téléphones venaient d'être branchés.

– Il est avec l'agente Lacoste. Ils vont bientôt arriver. Les voilà justement, dit Beauvoir en hochant la tête en direction de la porte.

L'inspecteur-chef Gamache, en parka et casquette de tweed, traversa la pièce, suivi de l'agente Lacoste.

– Nous avons un problème, dit Gamache après avoir salué Lemieux et enlevé sa casquette. Veuillez vous asseoir.

L'équipe se rassembla autour de la table de conférence. Les techniciens, qui connaissaient Gamache, s'efforcèrent de réduire le niveau de bruit.

– Agente Lacoste?

Comme Gamache ne s'était pas donné la peine d'ôter son parka, Beauvoir se dit qu'il s'agissait d'un incident grave. Isabelle Lacoste, en manteau et bottes en caoutchouc, retira ses gants minces et étala ses mains sur la table devant elle.

– Quelqu'un est entré par effraction dans la chambre à coucher de la vieille maison des Hadley.

– La scène du crime? demanda Beauvoir.

Cela ne se produisait presque jamais. La plupart des gens n'étaient pas stupides à ce point. Instinctivement, il regarda dans la direction de Nichol, mais écarta l'idée.

– Comme j'avais apporté ma trousse, j'ai pris des photos et des empreintes. Dès que les techniciens seront prêts, j'enverrai ces dernières au labo, mais vous pouvez voir les photos.

Elle fit circuler son appareil photo numérique. Les images allaient être beaucoup plus claires sur leurs ordinateurs, mais cela suffit tout de même à les faire taire. Gamache, qui les avait déjà vues, alla dire aux techniciens de se concentrer en priorité sur les communications.

Pendant un moment, même l'inspecteur Beauvoir resta sans voix.

– Le ruban n'a pas été simplement arraché, il a été déchiqueté.

Il détestait la sensation physique qu'il éprouvait. Il était tout engourdi et sa tête lui paraissait légère, comme si quelque chose s'était détaché et flottait au-dessus de lui. Il voulait ravoir tous ses morceaux. Il serra les poings de toutes ses forces, jusqu'à ce que ses ongles bien taillés lui mordent les paumes.

Cela fonctionna.

– Qu'est-ce que c'est, ça ? dit Nichol. On dirait du caca.

– Agente Nichol, dit Gamache. Il nous faut des commentaires constructifs, et non puérils.

– Bien quoi, c'est vrai, dit Nichol en regardant Lemieux et Lacoste, qui n'allaient sûrement pas l'aider, même s'ils étaient du même avis qu'elle.

Beauvoir, en tout cas, l'était. Sur le plancher, au centre du cercle de chaises, se trouvait un petit tas sombre. Cela ressemblait à un tas de crottes. Étaient-ce des excréments d'ours ? Un animal avait-il déchiqueté le ruban ? Un ours grognon aurait-il trouvé refuge dans la vieille maison des Hadley ?

C'était plausible.

– C'est un oiseau, dit Lacoste. Un bébé merle.

Beauvoir était content de s'être tu. Un ours, un bébé oiseau, peu importe.

– Le pauvre, dit Lemieux, qui reçut un regard méprisant de Nichol et un léger sourire de Gamache.

– Celui-ci est prêt, monsieur.

Un technicien fit signe de l'un des ordinateurs. Il s'assit et tendit la main. Lacoste lui remit l'appareil photo et la trousse d'empreintes. En quelques instants, celles-ci furent envoyées à Montréal et les photos apparurent à l'écran. Bientôt, l'un après l'autre, tous les ordinateurs s'ouvrirent sur la même scène troublante, tel un économiseur d'écran macabre : vus du couloir, le ruban de police déchiqueté à l'avant-plan et l'oiseau mort au milieu du cercle de chaises.

« Que veut cette maison ? se demanda Gamache. Tout ce qui y entre vivant en sort mort ou différent. »

– Alors, dit Beauvoir lorsqu'ils furent revenus à la table de conférence. Comme vous le savez tous, c'est maintenant une affaire de meurtre. Laissez-moi faire le point.

Il tendit un bras et prit l'une des grandes tasses, replia d'une main experte le rebord découpé du couvercle en plastique pour y boire, puis ouvrit une boîte de beignes glacés au chocolat.

L'inspecteur Beauvoir résuma ce qu'ils savaient de la victime et du meurtre. Lorsqu'il décrivit la séance de spiritisme, le niveau de bruit diminua dans la pièce, jusqu'au silence. En levant les yeux, Gamache remarqua qu'un autre cercle s'était formé autour d'eux, un cercle de techniciens attirés par le récit, comme des campeurs groupés autour d'un feu pour écouter une histoire de fantômes.

– Pourquoi ont-ils tenu une séance de spiritisme ? demanda Lemieux.

– Demandons-nous plutôt qui en a eu l'idée, dit Nichol en l'ignorant.

– C'est Gabri Dubeau, semble-t-il, qui a proposé de tenir la première au bistro, dit Beauvoir. Mais on ne sait pas qui a pensé à la vieille maison des Hadley.

– Pourquoi dites-vous qu'il faudrait savoir qui l'a suggérée en premier ? demanda Gamache.

– Bien, c'est évident, non ? Pour faire mourir de peur quelqu'un, on ne va pas à Disneyland. On choisit un lieu qui a déjà effrayé les gens. La vieille maison des Hadley.

C'est tout juste si Nichol ne lança pas « voyons donc ! » au nez de l'inspecteur-chef. Tout le monde se tut, guettant la réaction du patron. Il réfléchit un moment, puis hocha la tête.

– Vous avez peut-être raison.

– Mais elle n'est pas morte de peur, dit Beauvoir en s'en prenant à Nichol.

Il était irrité par son insubordination et furieux contre Gamache de l'avoir tolérée. C'était quoi, son problème ? À quel jeu jouait-il, en l'acceptant même au sein de l'équipe ? Pourquoi était-il beaucoup moins exigeant envers elle qu'envers les autres ? Ce n'était pas bon pour la discipline. Mais, à voir les regards dégoûtés de ses collègues, il se dit qu'aucun d'eux n'allait prendre l'agente Yvette Nichol pour modèle.

– Si vous vous taisiez et écoutiez, vous sauriez qu'elle a été empoisonnée. J'ai raison, non ?

– Avec de l'éphédra, dit l'inspecteur-chef. Le médecin a d'abord cru qu'elle était morte d'une crise cardiaque, mais, en raison de son jeune âge, il a décidé de faire une analyse sanguine, qui a révélé des doses massives d'éphédra.

Nichol se croisa les bras sur la poitrine et resta silencieuse.

– Hier après-midi, j'ai fait une recherche sur l'éphédra, dit Lemieux en sortant son carnet. Ce n'est pas un produit chimique, mais une plante. Une herbe appelée *Ephedra dis-ta-chya*.

Lemieux prononça le nom lentement, en détachant bien les syllabes, même s'il était peu probable que quelqu'un le corrige.

– Elle pousse partout dans le monde.

– C'est comme de la marijuana ? demanda Lacoste.

– Non, ce n'est pas un hallucinogène ni un relaxant. Bien au contraire. En médecine chinoise, on l'utilisait sous forme de thé pour soulager – il consulta de nouveau ses notes – le rhume et l'asthme, mais j'imagine que quelqu'un…

– N'imaginez pas, dit Gamache d'un ton calme.

– Excusez-moi.

Lemieux baissa la tête et feuilleta rapidement son carnet, de la fin au début et inversement, sous le regard fixe de toute l'équipe. Il finit par trouver le gribouillage.

– Une compagnie pharmaceutique nommée Saltzer a constaté que c'était un supplément diététique efficace. L'éphédra stimule le métabolisme, ce qui a pour effet de brûler la graisse. Le marché pour un tel produit était immense, bien plus grand que pour un décongestionnant ou un remède contre le rhume. Tout le monde veut perdre du poids.

– Mais tout le monde n'a pas besoin d'en perdre, dit Lacoste. C'est là, le problème. On a créé un faux besoin.

– Connaissez-vous bien l'éphédra ? demanda Gamache.

– J'en ai entendu parler, c'est tout. Mais je connais les questions d'image corporelle. La plupart des filles se trouvent grosses, non ?

Elle fit l'erreur de regarder Nichol, qui haussa les épaules. Après tout, comme Lacoste n'avait pas appuyé son commentaire sur le caca, elle allait la laisser se débrouiller seule.

– Ce n'est pas une histoire d'image corporelle, dit Beauvoir, essayant de ramener la discussion sur le sujet.

– Peut-être bien, dit Gamache. Madeleine Favreau avait quarante-quatre ans, le début de l'âge moyen. Une fouille de sa chambre n'a révélé aucun indice de problème corporel, ni livres de régimes, ni articles sur la perte de poids, et il n'y avait même pas de boissons ni de produits diététiques dans le frigo.

Nichol sourit à Lacoste. Gamache n'était pas d'accord avec sa généralisation abusive.

– Nous n'avons aucune raison de penser qu'elle prenait de l'éphédra pour perdre du poids, continua-t-il.

– Est-ce qu'elle aurait pu en prendre pour soigner un rhume ? demanda Lacoste sans se laisser décourager par cette folle de Nichol.

– On n'en vend plus comme remède contre le rhume, dit Lemieux.

– Et, même si c'était le cas, il n'y en avait pas dans sa chambre ni dans la salle de bains. Nous allons faire une autre fouille, mais, à moins qu'elle ait caché le produit, et elle n'avait aucune raison de le faire, quelqu'un d'autre lui en a donné à son insu.

– C'est pourquoi vous avez déclaré que c'était un meurtre, dit Beauvoir.

– C'est pourquoi je crois que cela peut avoir un rapport avec l'image corporelle.

Ils le regardèrent, perplexes, car ils avaient perdu le fil de sa pensée.

– Madeleine Favreau ne prenait pas d'éphédra, mais quelqu'un en prenait. Cette personne en a acheté, probablement pour elle-même, puis en a administré à Madeleine Favreau.

– Mais l'éphédra est interdit au Canada. Santé Canada l'a retiré du marché il y a des années, dit Lemieux. Il est également interdit aux États-Unis et en Grande-Bretagne.

– Pourquoi ? demanda Lacoste.

De nouveau, l'agent Lemieux consulta ses notes. Il ne voulait pas commettre d'erreur.

– Il y a eu cent cinquante-cinq décès aux États-Unis et les médecins ont rapporté plus de mille incidents. Surtout des arrêts cardiaques et des attaques d'apoplexie. Et pas chez des gens âgés. La plupart étaient jeunes et vigoureux. Après une enquête, on a déterminé que l'éphédra brûle la graisse, en effet, mais accélère aussi le rythme cardiaque et augmente la tension artérielle.

– Puis, quelques athlètes sont morts, dit Beauvoir.

– Un joueur de baseball et un joueur de football, c'est vrai, acquiesça Lemieux. Tout à coup, c'est comme si on avait mis le pied dans un tas de merle.

Même Gamache sourit. Nichol, non.

– Grâce à une enquête, on a découvert que l'éphédra affecte le cœur, surtout chez les gens qui ont une maladie préexistante.

– Il accélérerait donc le rythme cardiaque de n'importe qui…, récapitula Beauvoir.

C'était ce qu'il adorait. Les faits.

– … mais peut tuer des gens dont le cœur est déjà malade. Est-ce que Mme Favreau avait un problème cardiaque ?

– Je n'ai trouvé aucun médicament dans son armoire à pharmacie, dit Gamache. Plus tard aujourd'hui, nous aurons le rapport de la médecin légiste.

– Je me demande combien de gens ont entendu parler de l'éphédra, dit Beauvoir. Pas moi, mais je ne fais pas de régimes. Serait-il juste de supposer que la plupart des gens qui suivent des régimes savent ce que c'est ?

Il se tourna vers Lacoste, qui réfléchit. Elle se mettait au régime de temps à autre. Comme la plupart des femmes, elle possédait un miroir déformant qui la montrait grosse un jour et mince le lendemain.

– Je pense que tous ceux qui ont l'habitude de suivre des régimes seraient au courant, dit-elle, lentement, en essayant de comprendre. Si on est obsédé par la perte de poids, on aura tendance à remarquer tout produit qui promet de maigrir sans effort.

– Alors on cherche un amateur de régimes? demanda Nichol, perplexe.

– Il y a un problème, cependant, dit Lemieux. On ne peut pas acheter d'éphédra ici. Ni aux États-Unis.

– En effet, c'est un problème, admit Gamache.

– Sauf que…, fit une voix derrière eux.

À l'un des bureaux, le technicien qui avait téléchargé l'information les regardait de derrière un écran plat.

– … on peut en commander en ligne, dit-il, le doigt pointé vers l'écran.

Ils se levèrent et se dirigèrent vers son ordinateur.

Là, sur l'écran, était affichée une longue liste de sites repérés par Google, qui offraient tous d'expédier de l'éphédra parfaitement inoffensif à quiconque était suffisamment stupide et désespéré pour en vouloir.

– Tout de même, dit Armand Gamache en se redressant. L'éphédra à lui seul n'aurait pas suffi. Une fois l'éphédra ingéré, la possibilité était là, mais le meurtrier avait besoin d'une autre chose. Un accessoire. La vieille maison des Hadley.

À la stupéfaction de tous, il se tourna vers Nichol.

– Vous aviez raison. Elle est morte de peur.

19

Clara s'appuya au dossier de la chaise et tendit le bras vers sa grande tasse. Devant elle se trouvaient les restes du petit-déjeuner. Des miettes. L'assiette avait un air si triste qu'elle mit deux tranches dans le grille-pain en forme de tipi et le referma.

À la vieille maison des Hadley, Myrna et elle étaient demeurées avec l'agente Lacoste pendant que cette dernière faisait ce qu'elle devait faire. Trop lentement, selon elles. Clara était restée presque tout le temps à l'entrée de la pièce à regarder le petit oiseau recroquevillé sur le côté, les pattes ramenées vers la poitrine, un peu comme Madeleine, mais en plus petit. Et avec des plumes. Bon, pas tellement comme Madeleine, mais il y avait un point commun : ils étaient tous les deux morts.

Clara ressentait une peine profonde à propos de Madeleine, mais aucune culpabilité. Avec cet oiseau, c'était différent. Elle savait qu'elle avait aidé à le tuer. Ils savaient tous qu'il y avait un oiseau. Ils avaient même choisi cette pièce dans l'espoir de le sauver.

Avait-elle essayé, au moins ? Non. Elle avait craint qu'il fonde sur eux dans la pénombre. Loin de tenter de le sauver, Clara l'avait détesté. Elle avait voulu qu'il meure, qu'il parte, ou du moins qu'il attaque quelqu'un d'autre.

Et maintenant il était là. Mort. Un bébé. Un merleau effrayé, probablement tombé du nid, puis dans la cheminée, et dont le seul désir était de retrouver sa mère et son chez-soi.

Lorsque l'agente Lacoste avait été enfin prête, les trois femmes s'étaient tenues par la main en regardant fixement le cercle de sel. Chacune avait envoyé des pensées silencieuses à Madeleine. Tandis que l'agente Lacoste n'avait vu que son apparence grotesque, Clara et Myrna se la rappelaient vivante. Cela avait eu un effet libérateur de voir Madeleine resplendissante, rire et sourire, écouter et regarder tout ce qui l'entourait avec des yeux curieux. La Madeleine vivante était devenue plus réelle. Comme il se devait.

Puis Clara avait pensé à l'oiseau et s'était excusée auprès de lui, en promettant de faire mieux la prochaine fois.

Ces quelques moments furent les plus paisibles qu'elle avait jamais connus dans la vieille maison des Hadley. Cependant, personne ne protesta lorsqu'il fallut partir.

L'inspecteur-chef Gamache se trouvait à passer en voiture lorsqu'elles étaient sorties. L'agente Lacoste lui avait fait signe de s'arrêter. Myrna et Clara l'avaient salué, puis étaient rentrées au loft à pied. Pendant que Myrna remettait le bacon sur le feu, Clara avait appelé Peter pour lui dire où elle se trouvait.

– As-tu lu le journal? demanda-t-il.

– Non, on était trop occupées à faire un exorcisme.

– Tu es chez Myrna? Attends-moi. J'arrive tout de suite.

Myrna ajouta du bacon et moulut du café, tandis que Clara mettait la table et tranchait du pain pour le faire griller. À l'arrivée de Peter, le petit-déjeuner était prêt.

– Ça vient de chez Sarah.

Il tendit un sac en papier. Clara l'embrassa et prit le sac.

Des croissants.

Vingt minutes plus tard, Peter se léchait les doigts et essuyait un peu de beurre sur la joue de Clara. Sur la joue, pas sur la bouche! «Comment fait-elle? se demanda-t-il, fasciné. On dirait un don naturel qui ne sert à rien.»

– Je suis aussi passé par le magasin de M. Béliveau, dit-il en versant du café.

– Il est ouvert? demanda Myrna. Je n'ai pas remarqué.

– Comme toujours. Il est venu souper hier soir, tu sais, ajouta Peter en ouvrant des pots de confiture.

L'un d'eux était encore bouché par de la cire qu'il dut retirer avec un couteau.

– Il a à peine mangé.

– Ça ne m'étonne pas, dit Myrna. Je pense qu'il l'aimait.

Les deux autres hochèrent la tête. Le pauvre homme. Perdre deux femmes aimées en l'espace de quelques années. Il avait été si adorable pendant le repas, la veille. Il avait même apporté une tarte de la boulangerie de Sarah. Mais son énergie avait fléchi et, une demi-heure plus tard, il était resté assis là, silencieux, à déplacer la nourriture dans son assiette. Peter continuait de remplir son verre de vin et Clara papotait à propos des préparatifs du jardin. Voilà en quoi l'amitié était formidable, s'était dit Clara. Personne n'attendait rien de M. Béliveau, et il le savait. Parfois, cela fait tout simplement du bien de ne pas être seul. Il était parti tôt, tout de suite après le souper. Il avait semblé un peu plus enjoué. En emmenant Lucy, Clara et Peter l'avaient raccompagné jusque chez lui, à travers le parc du village. Sur la galerie, Clara et Peter lui avaient donné une accolade, sans toutefois prononcer des paroles de réconfort convenues : ç'aurait été uniquement pour se rassurer eux-mêmes. Ce qu'il fallait à M. Béliveau, c'était se sentir mal. Ensuite, il irait mieux.

Maintenant, en prenant le petit-déjeuner, Clara et Myrna racontèrent leur matinée à Peter. Il écouta, à la fois étonné par le courage qu'elles avaient eu de retourner dans cette maison et renversé par leur stupidité. Croyaient-elles vraiment que l'esprit de Madeleine planait dans la pièce et pouvait les entendre ? Sans parler du soi-disant esprit d'un oiseau mort. Ce qui était encore plus déconcertant, c'était qu'une agente de la Sûreté semblait y ajouter foi. Mais cela lui rappela quelque chose. Il prit le journal qu'il avait apporté et l'ouvrit.

– Écoutez ceci.

– Des résultats au golf ? demanda Myrna en versant du café à Clara.

Peter était caché derrière *La Journée*, le quotidien montréalais.

– C'est dans la chronique municipale, dit Peter, dont la tête apparut à côté du journal.

Il vit Myrna qui versait de la crème dans son café et Clara qui ouvrait le grille-pain et en retirait les toasts avec précaution. Clara en donna une à Myrna et tendit le bras vers la marmelade, qu'elle commença à étendre en couche épaisse sur la sienne. Elles ne lui accordaient aucune attention. Il retourna derrière le journal en souriant. Les choses étaient sur le point de changer, il le savait. Il commença à lire à haute voix.

– « Certains s'inquiètent du fait qu'un officier supérieur de la Sûreté du Québec semble vivre bien au-dessus de ses moyens. Selon mes sources, un homme de son rang ne doit pas gagner plus de quatre-vingt-quinze mille dollars. À mon avis, même une telle somme est beaucoup trop élevée. Quoi qu'il en soit, malgré ce salaire excessivement généreux, son mode de vie dépasse son revenu. Il porte des vêtements haut de gamme, importés d'Angleterre. Il prend ses vacances en France. Il mène grand train à Outremont. Il vient de faire l'acquisition d'une Volvo. »

Peter abaissa lentement le journal et vit Myrna et Clara qui le regardaient fixement, les yeux presque aussi grands que la bouche. La toast arrêtée à mi-chemin.

Il releva le tabloïd, pour lire la dernière ligne. Le coup de grâce. Le fer retourné dans la plaie.

– « Et tout cela depuis la triste affaire du directeur Pierre Arnot. Qu'a-t-il fait pour recevoir cet argent ? »

Gabri regarda sa cliente avaler sa dernière gorgée de tisane et poser sa tasse. Il l'épiait de la cuisine. Par la fente de la porte battante, il la vit ensuite se lever.

Jeanne Chauvet était revenue au gîte la veille au soir, après le souper. Gabri avait souri, lui avait remis la clé de sa chambre, puis, discrètement, avait donné un coup de fil à Gamache chez lui.

– Elle est là, avait-il murmuré.

– Pardon ?

– Elle est là, avait-il répété avec plus de vigueur.

– Qui parle?

– Oh, pour l'amour du ciel, la sorcière est là, avait hurlé Gabri dans le téléphone.

– C'est Gabri?

– Non, Glinda. Bien sûr que c'est moi. Elle est revenue il y a cinq minutes. Qu'est-ce que je fais?

– Rien, patron. Pas ce soir, mais assurez-vous qu'elle ne partira pas avant que j'arrive demain. Merci.

– Quand serez-vous ici? Comment vais-je l'empêcher de partir? Allô? Gamache, allô?

Il avait fixé le plafond toute la soirée, essayant d'imaginer comment retenir la petite femme au rez-de-chaussée. Le moment était maintenant venu. Elle se levait de table.

Cette femme menue et effacée était-elle une meurtrière? Probablement, se dit-il. Elle était certainement responsable de cette séance, et cette séance avait tué Madeleine. Et failli le tuer, lui. En avait-elle l'intention? Cette affreuse femme voulait-elle sa peau? Était-ce lui, la véritable cible? Mais qui donc souhaiterait sa mort?

Soudain, une très longue liste apparut, de la petite fille qu'il avait tourmentée en deuxième année aux amis dont il avait volé les recettes. Puis il repensa aux remarques délibérément blessantes qu'il avait faites dans le dos de certaines personnes, mais à portée de voix. C'était tellement subtil et cinglant! Ses interlocuteurs avaient ri et Gabri s'en était repu en essayant de ne pas voir l'expression de douleur, de trouble et de peine sur le visage de ceux qui l'avaient considéré comme un ami.

N'était-ce pas pour cela qu'Olivier et lui avaient décidé de déménager ici? En partie pour s'éloigner de la montagne de conneries qu'ils avaient accumulées dans leur ancienne vie, mais surtout pour habiter un endroit où la gentillesse l'emportait sur les plaisanteries douteuses.

Il avait recommencé ici, mais son passé l'avait-il rattrapé? Et si l'une de ces vieilles pédales l'avait retrouvé et avait embauché cette sorcière pour l'éliminer?

Oui, c'était la seule explication raisonnable. Si elle ne le tuait pas maintenant, et c'était peu probable avec Gamache dans les parages, elle lui jetterait un sort, tout au moins. Elle s'arrangerait pour que quelque chose chez lui flétrisse et tombe. Il espérait que ce ne serait pas ses cheveux.

Jeanne regarda autour d'elle dans la salle à manger, puis parcourut lentement le couloir jusqu'à sa chambre.

« Est-elle en train de sortir par la fenêtre ? » se demanda Gabri. C'était tout à fait le genre de ruse dont elle était capable. Il entrouvrit un peu plus largement la porte et y passa la tête. Le chat s'échappa et entra d'un pas nonchalant dans la salle à manger.

« Tu cherches ta maîtresse, petit démon ? » murmura Gabri, maintenant convaincu que le maudit chat d'Olivier était devenu un ami de Jeanne. Comment ? Peu importe. Mais, pour Gabri, cela n'augurait rien de bon. Étirant le cou pour regarder par la fente, il vit que le champ était libre. Il comprima sa corpulence pour passer en ouvrant le moins possible – en fait, la porte était béante au moment où il arriva à mi-chemin –, puis, à pas de loup, se glissa furtivement dans le couloir. La fenêtre était ouverte, mais la moustiquaire était encore en place.

Gabri estima que l'endroit le plus stratégique pour l'avoir à l'œil serait la réception. Après une trentaine de secondes de grande vigilance, il décida de faire une réussite à l'ordinateur en attendant l'arrivée de Gamache ou l'attaque de la sorcière. Pourquoi s'embêter ? Il fit bouger la souris et une image surgit sur l'écran.

« Éphédra », disait-elle. Gabri songea à en commander, mais préféra appeler Olivier.

– Je me demande s'il a lu l'article, dit Clara en abaissant sa toast.

Elle était finalement repue, sinon écœurée.

– Il semblait parfaitement détendu quand on l'a rencontré ce matin, dit Myrna.

– De toute façon, il ne laisserait rien voir, non ? avança Peter en prenant la toast de Clara.

– Pourquoi revient-on sur l'affaire Arnot ? C'était il y a des années, dit Myrna.

– Au moins cinq, ajouta Peter.

Il se redressa et posa les mains sur la table, d'une manière étudiée, décontractée. Un jour, Ruth l'avait rudoyé en l'accusant d'être pointilleux et pontifiant. C'était injuste, il le savait, mais la blessure était encore vive. Depuis, il avait pris soin de ne pas paraître trop cérémonieux ou condescendant en apprenant aux gens des choses comme la bonne façon de couper une tomate ou de tenir un journal. Ou en leur donnant de l'information, comme pour l'affaire Arnot.

Peter avait lu des articles sur cette affaire, à l'époque. Tous les médias avaient parlé de cette cause controversée. Elle avait fait les manchettes pendant des mois.

– Je me rappelle, maintenant, dit Myrna en se tournant vers Peter. Tu étais obsédé par cette histoire.

– Je n'étais pas obsédé. C'était un procès important.

– C'était intéressant, en effet, dit Clara. Bien sûr, on ne connaissait pas encore Gamache, mais tout le monde avait entendu parler de lui.

– Il était l'une des stars de la Sûreté, précisa Myrna.

– Jusqu'à l'affaire Arnot, dit Peter. La défense a présenté Gamache comme un homme hypocrite et égoïste, heureux de recevoir les honneurs qui accompagnent le pouvoir, mais médiocre, au fond. Motivé par la jalousie et l'orgueil.

– C'est vrai, répondit Myrna, se rappelant d'autres détails en y repensant. Est-ce que la défense n'a pas insinué qu'il avait piégé Arnot?

Peter hocha la tête affirmativement.

– Arnot était un directeur de l'escouade des crimes graves. Le procès a révélé qu'il avait ignoré certains crimes violents, même des meurtres. Il avait tout simplement fermé les yeux.

– Surtout quand ils concernaient des autochtones, ajouta Myrna en hochant la tête.

– J'allais justement le dire. Pierre Arnot en était même venu à ordonner à ses policiers les plus fiables de commettre des meurtres.

– Pourquoi ? demanda Clara en essayant de remonter jusque-là dans ses souvenirs.

Peter haussa les épaules.

– Selon l'idée avancée par des journaux comme celui-ci – il tendit son exemplaire de *La Journée* –, Arnot laissait les criminels s'entretuer plutôt que d'assassiner des innocents. Et rendait ainsi service à la communauté.

Le silence régna dans le loft de Myrna pendant que les trois amis se rappelaient ces révélations scandaleuses. D'autant plus scandaleuses que les Québécois, francophones comme anglophones, avaient du respect, de l'affection même, pour la Sûreté. Jusque-là. Le procès avait mis fin à cela.

Peter se souvenait de ce qu'il avait vu aux nouvelles télévisées. Les officiers supérieurs de la Sûreté arrivant chaque jour avec un air sinistre, les micros et les caméras brandis sous leur nez. Au début, ils arrivaient tous ensemble, pour faire preuve d'unité. À la fin, deux d'entre eux avaient été écartés du troupeau : Gamache et son supérieur immédiat. Un directeur quelconque, le seul à publiquement appuyer Gamache. Il était presque touchant de voir les deux hommes se rembrunir et se renfermer de plus en plus au fil des révélations, des accusations et de l'amertume croissante.

Mais Gamache avait tout de même souri aux reporters qui lui posaient les mêmes questions idiotes, tendancieuses et insultantes. Il était resté calme, d'une courtoisie à l'ancienne, même lorsqu'on lui avait reproché son manque de loyauté. On avait même fini par l'accuser de complicité, d'avoir été au courant des meurtres et d'avoir donné son approbation tacite. Après tout, disait Arnot, comment le chef des homicides pouvait-il ne pas savoir ?

– C'était affreux, dit Clara. C'était comme regarder l'écrasement du dirigeable *Hindenburg* en boucle et au ralenti. Quelque chose de noble avait été détruit.

Peter se demanda si Clara songeait à Gamache ou à la Sûreté.

– La presse était certainement partagée, dit-il. La plupart des journaux soutenaient Gamache, mais certains demandaient sa démission.

– Celui-ci, dit Myrna en désignant *La Journée*, replié à côté de Peter, a suggéré, dans des éditoriaux, de mettre Gamache dans la même cellule qu'Arnot. Pour qu'ils s'entretuent.

– Qu'est-ce qu'ils sont devenus, Arnot et les autres ? demanda Clara.

– Ils sont dans un pénitencier. C'est un miracle qu'ils n'aient pas encore été tués par les autres prisonniers.

– Je parie que ce pourri d'Arnot a pris le contrôle de l'endroit, dit Myrna.

Elle chiffonna sa serviette en papier et la jeta de toutes ses forces sur la table. Les deux autres la regardèrent, étonnés par sa colère soudaine.

– Qu'y a-t-il ? demanda Clara.

– Vous ne comprenez pas ? On vient de parler de cette affaire comme s'il s'agissait d'un épisode de téléroman. Mais ça s'est réellement produit. Cet Arnot a tué des gens. Ceux-là mêmes qu'il était censé aider. Pourquoi ? Parce que c'étaient des autochtones, remplis de désespoir et de vapeurs de colle. Et le seul homme à être intervenu, à avoir courageusement tenu tête à Arnot et à toute la hiérarchie de la Sûreté, ils ont essayé de le détruire, lui aussi. Arnot est un psychotique, et je ne dis pas ça à la légère. Je sais reconnaître les signes. Pendant des années, j'ai diagnostiqué et traité des psychotiques. Vous ne comprenez donc pas ?

Elle regarda Peter et Clara, puis se pencha pour prendre le journal de Peter et le flanqua violemment sur la table.

– Ce n'est pas fini. L'affaire Arnot continue.

Le téléphone sonna et Clara répondit.

– C'est Olivier, dit-elle en couvrant le combiné. *Wow*, merci. Je vais leur transmettre l'information.

Clara raccrocha et se tourna vers les autres.

– Avez-vous déjà entendu parler de l'éphédra ?

20

Jean-Guy Beauvoir distribua les tâches.

L'agente Isabelle Lacoste devait se pencher sur la vie de Madeleine Favreau, l'agente Nichol devait parcourir la liste des fournisseurs d'éphédra et déterminer si l'un d'eux en avait récemment expédié dans la région, et Robert Lemieux allait accompagner l'inspecteur Beauvoir et l'inspecteur-chef Gamache.

– Ce n'est pas juste, dit Nichol, stupéfaite de l'erreur de jugement de Beauvoir. Lemieux a commencé à s'informer sur l'épilepsie, ou quelque chose comme ça.

– L'éphédra, dit Beauvoir. Tu n'écoutais pas ?

– C'est là, sur l'ordinateur, non ?

Beauvoir se retourna vivement et lança un regard furieux à Gamache, pour s'assurer que le patron comprenait à quel point cette femme était ridicule.

– En tout cas, poursuivit Nichol, apparemment inconsciente de l'impression qu'elle donnait, il devrait terminer ce qu'il a commencé.

– Quoi ? C'est une nouvelle règle ? demanda Beauvoir. On n'est pas dans une cour de récréation, ici, et ceci n'est pas un débat. Tu feras ce qu'on t'ordonne.

– Bien. Monsieur.

Nichol retourna d'un pas énergique à son bureau, en ignorant la tentative de Lemieux d'attirer son attention et de s'excuser avec un sourire.

Après leur départ, alors que les techniciens étaient occupés dans une autre partie de la pièce, Nichol sortit son téléphone cellulaire. Il avait vibré pendant toute la réunion et elle avait dû se retenir de répondre, ce qui aurait été désastreux.

– Oui, allô, dit-elle, pas du tout surprise d'entendre la voix familière.

– Alors, comment les choses se passent-elles ? demanda-t-il.

Elle fit un bref résumé, puis il y eut une pause à l'autre bout du fil.

– Je n'aime pas ça. Il faudrait toujours être avec Gamache. Pourquoi se fait-il accompagner par d'autres agents ? Il s'est produit quelque chose qui l'a mis en colère ?

– Mais non. Je n'ai rien fait de mal. J'ai même découvert la cause du décès. Tout le monde disait que c'était un médicament, et moi, qu'elle est morte de peur. Le chef a même été d'accord et l'a dit.

– Quoi, en lui faisant honte devant toute son équipe ?

– Ce n'est pas difficile.

– Qu'est-ce que j'avais dit ? Qu'est-ce que j'ai répété ? Ne pas se le mettre à dos.

– Alors je suis censée me taire, ne pas donner mon opinion ?

– L'enjeu dépasse cette simple affaire. Pas question de tout faire foirer.

– Arrêtez de dire ça.

– Alors arrête de tout faire foirer.

La communication fut coupée.

Armand Gamache hocha la tête en direction de deux clients qui, assis à une petite table ronde, devant le Bistro d'Olivier, profitaient du beau soleil printanier. S'ils en ont la possibilité, les Québécois fréquentent les terrasses même tard en automne et y reviennent dès qu'ils le peuvent au printemps. Ils mettent des cols roulés et des paletots, des gants et des chapeaux, et recherchent le soleil.

Ces deux-là trempaient des biscottis dans leurs cappuccinos et parlaient avec animation. Les bribes de conversation que

Gamache capta ressemblaient beaucoup à celles qu'il avait perçues en croisant des gens avec leurs chiens dans le parc.

Les villageois semblaient n'avoir qu'un mot à la bouche: éphédra.

Gamache s'arrêta et lança un regard sévère à l'agent Lemieux qui, souriant, paraissait jouir de l'agréable journée de printemps.

– Avez-vous entendu? demanda Gamache.

Lemieux pencha la tête de côté pour écouter.

– Un merle?

L'inspecteur Beauvoir secoua la tête.

– Écoutez plus attentivement, s'il vous plaît, dit Gamache.

Lemieux se tut et écouta, les yeux fermés. Il entendit la rivière en maraude. Il entendit des oiseaux, peut-être pas des merles. Il entendit des gens parler. Il entendit le mot «éphédra».

Il ouvrit les yeux et fixa Gamache.

– Ces deux-là, à la table du bistro, doivent être liés au meurtre, murmura-t-il.

Puis il entendit encore «éphédra», cette fois du côté du magasin général de M. Béliveau.

– Agent Lemieux, vous pourriez peut-être me dire comment vous avez fait votre recherche hier.

Gamache le regardait plutôt sévèrement.

– Eh bien, j'attendais que la voyante revienne, j'ai remarqué un ordinateur sur le bureau et je l'ai utilisé.

– Celui de Gabri.

– Oui.

– As-tu fermé les sites que tu as visités? demanda l'inspecteur Beauvoir.

– Je suis certain que oui.

– Je n'utiliserais jamais de l'éphédra, c'est beaucoup trop dangereux, dit une villageoise à son compagnon en passant devant les hommes, puis elle sourit à Gamache, qui les salua en soulevant sa casquette. Mais j'ai entendu dire que Gabri en a déjà pris, ou c'est peut-être Olivier. Et, franchement, ça ne ferait pas de tort à Myrna d'en prendre un peu.

Gamache replaça sa casquette et fixa Lemieux. C'était l'un des regards les plus déconcertants qu'il ait jamais eus : à la fois interrogateur et scrutateur.

– Je n'ai peut-être pas fermé les sites. Je suis désolé. J'ai été bête.

Robert Lemieux baissa la tête et la secoua. C'est tout juste s'il ne se mit pas à trépigner.

– Excusez-moi, monsieur.

– Tu sais ce que ça veut dire ? dit Beauvoir.

– Oui. Que tous les résidants du village, peut-être même aussi du comté, savent maintenant qu'on s'intéresse à l'éphédra. Ils sont assez malins pour savoir pourquoi.

– Cela signifie que le meurtrier sait que nous sommes au courant et se débarrassera certainement des pilules, si ce n'est déjà fait, dit Gamache. Au Québec, à l'heure actuelle, c'est probablement la seule collectivité débarrassée de tout éphédra.

Lemieux leva la tête et la laissa retomber vers l'arrière, le nez pointé vers le ciel bleu.

– Je suis désolé. Vous avez raison. Je n'ai pas réfléchi.

– Comment ça, pas réfléchi ? Eh bien, réfléchis maintenant. D'après toi, qu'est-ce qu'on fait ici ? siffla Beauvoir, en essayant de ne pas hausser le ton ni alerter les villageois. Il y a un meurtrier, ici, quelqu'un qui n'a pas peur de tuer. Sais-tu ce qui empêche la plupart des gens de tuer ? La peur. La peur de se faire prendre. On a affaire à quelqu'un qui n'a pas peur. Voilà une personne terrifiante, Lemieux. Et tu viens de lui donner un énorme avantage.

Gamache écoutait avec intérêt, même s'il n'était pas d'accord. La peur peut empêcher certaines personnes de commettre un meurtre, mais il avait la certitude que c'est elle qui pousse la plupart des gens à tuer. Cachée sous toutes les autres émotions, c'est elle qui les déforme, les transforme en quelque chose de morbide. C'est un alchimiste qui peut changer la lumière du jour en nuit, la joie en désespoir. Dès qu'elle croît, la peur cache le soleil. Et Gamache savait ce qui poussait dans cette obscurité. Il le traquait tous les jours.

– Tu as entièrement raison, dit Lemieux. Je suis désolé.

Il regarda droit dans les yeux de Gamache, qui le fixa d'un air sévère. Lemieux perçut ensuite un léger adoucissement dans son regard et se détendit. Brébeuf avait raison. Il fallait divulguer intentionnellement l'information sur l'éphédra, susciter leur colère, puis s'excuser à fond.

« Tout le monde adore les fautifs, Gamache plus que quiconque. » Et pourquoi pas, après toutes les fautes qu'il avait lui-même commises ? Après avoir piégé Arnot et failli détruire la Sûreté, bien sûr que le grand Gamache adorait les fautifs.

Lemieux se demanda comment ce serait lorsqu'il prendrait la tête de l'escouade des homicides. Pas tout de suite, bien sûr, mais Brébeuf allait sûrement le récompenser. Et il monterait rapidement en grade. Au bout du compte, il y aurait des promotions.

– Soyez prudent, dit doucement Gamache.

Pour un terrible instant, Lemieux eut presque l'impression que le regard scrutateur de Gamache pouvait pénétrer la peau. Était-il au courant ?

– Que voulez-vous dire ? demanda-t-il.

– Que vous devez faire plus attention, précisa Gamache tout en continuant de le fixer.

« Je ne serai pas un faible, moi, se dit Lemieux. Et je ne m'arrêterai pas au grade d'inspecteur-chef. »

– Nous devrons couvrir plus de terrain plus rapidement, dit Gamache. Inspecteur, j'aimerais que vous et l'agent Lemieux vous sépariez pour interroger tous les témoins du meurtre.

– Et vous ? demanda Beauvoir.

– J'irai voir Jeanne Chauvet.

Beauvoir prit son chef par le coude et l'entraîna à quelques pas de Lemieux.

– Je devrais vous accompagner, dit Beauvoir.

– Pour l'interrogatoire d'une voyante, Jean-Guy ? Pourquoi donc ?

– Eh bien…

Beauvoir leva les yeux vers la vieille maison des Hadley, puis détourna le regard.

– Ça vaut peut-être mieux. On n'a pas affaire à une simple lecture de tarot, ni au jeu de Ouija de ma mère et de ses amies. Jeanne Chauvet est une sorcière.

– Et vous pensez qu'elle va évoquer des esprits maléfiques pour qu'ils s'en prennent à moi ?

Gamache ne souriait pas, ne se moquait pas de Beauvoir. Il semblait réellement vouloir savoir.

– Je ne crois pas aux fantômes, répondit Beauvoir. Je pense qu'on les a inventés dans un but précis.

– Quel but ?

– Ma femme parle des anges. Elle veut croire aux anges gardiens, pour se sentir moins seule, pour avoir moins peur.

– Et les esprits maléfiques, ont-ils aussi été inventés ?

– Je pense que oui. Par les parents et l'Église, pour qu'on les craigne et qu'on leur obéisse.

– Alors, les esprits maléfiques provoquent la peur et les anges la calment, dit Gamache en réfléchissant.

– Je pense que c'est dans notre tête, dit Beauvoir, que c'est ce que nous voulons croire. Madeleine Favreau croyait aux fantômes et ça l'a tuée. Sinon, elle n'aurait pas eu aussi peur et l'éphédra n'aurait pas provoqué d'arrêt cardiaque. Vous l'avez dit vous-même. Elle est morte de peur. Elle a été tuée par ses croyances, par quelqu'un qui les a exploitées. Vous avez des croyances que je n'ai pas. Je crains que cette femme les exploite. Qu'elle pénètre votre esprit.

– La médium ? Vous pensez qu'elle va se faufiler dans ma tête et utiliser mes croyances contre moi ?

Beauvoir hocha la tête et refusa de baisser les yeux, même s'il en avait envie. Il détestait ce terrain, celui des choses qu'il n'arrivait pas à saisir.

– Je sais que vous dites cela par bienveillance, dit Gamache en soutenant son regard. Mais mes croyances réconfortent, elles ne tuent pas. Elles sont qui je suis, Jean-Guy. On ne peut les utiliser contre moi, parce qu'elles font partie de moi.

– Vous croyez aux esprits, dit Beauvoir qui ne voulait pas lâcher prise. Je sais que vous n'allez pas à l'église, mais vous croyez en Dieu. Supposons qu'elle dise avoir évoqué des esprits maléfiques, quelle serait votre position ?

– J'imagine que je devrais faire appel aux anges, dit Gamache en souriant. Écoutez, Jean-Guy, à un moment donné, on doit tous se poser cette question : qu'est-ce que je crois ? Au moins, j'ai ma réponse, et tant pis si elle me tue. Mais je ne m'enfuirai pas.

– Je ne vous demande pas de vous enfuir, mais tout simplement d'accepter de l'aide. Laissez-moi vous accompagner.

Gamache parut hésiter.

– Il y a trop à faire. Vous avez votre propre tâche à accomplir.

Beauvoir soutint le regard de Gamache, puis laissa tomber. Il sut alors ce qui allait tuer Gamache. Ce ne serait pas un esprit maléfique, ni un vampire, ni un fantôme, mais son orgueil.

21

– Alors vous êtes une sorcière, à ce qu'on dit.

– Je préfère le terme « wiccane ». J'imagine que vous êtes catholique.

Gamache leva les sourcils. Cette femme était probablement au début de la quarantaine, mais il était difficile d'en être certain. Elle devait avoir l'air d'une femme mûre depuis la maternelle, se dit Gamache. Elle portait une jupe vieillotte et des chaussures basses. Son pull était de bonne qualité, mais démodé lui aussi. Il se demanda où elle l'avait trouvé. Chez sa mère ? Dans une friperie ? Il ne lui manquait qu'un tablier pour ressembler à un personnage des livres de Beatrix Potter qu'il avait offerts à Florence. Ses traits étaient menus et anguleux, ses yeux gris. Il avait l'impression d'interroger une créature des bois à l'esprit très vif.

– Non pratiquant, précisa Gamache.

Beauvoir avait-il raison ? Cette femme essayait-elle de s'insinuer dans son cerveau ? Étrangement, Beauvoir semblait croire qu'il y gardait ses croyances. En fait, elles se trouvaient ailleurs.

– Wiccane ?

– Pratiquante, dit-elle en hochant la tête avec un petit mais chaleureux sourire.

Ils étaient assis dans la salle de séjour du gîte. Un feu brûlait dans l'âtre. Même si le temps était doux, il était agréable. La pièce était élégante et simple, ce qui étonnait tous ceux qui rencontraient Gabri avant d'avoir vu où il habitait. Gamache se demanda ce qui était authentique, l'homme flamboyant ou sa demeure digne et confortable.

– Nous vous cherchions, hier. Cela ne vous ennuie pas de me dire où vous êtes allée ?

– Pas du tout. Mais d'abord, j'ai une question à vous poser. Mme Favreau a-t-elle été tuée ?

– Gabri ne vous a pas renseignée ?

– Eh bien, oui, en fait. Mais il m'a dit aussi qu'il avait écrit *Les Producteurs* mais que Mel Brooks lui avait volé le scénario. Et que Ruth est son père.

Gamache se mit à rire.

– Il doit se permettre une vérité par jour, et cette fois-là, j'en ai bien peur, c'était l'annonce du meurtre de Madeleine Favreau. Oui, elle a été tuée.

Jeanne ferma les yeux un moment et soupira.

– L'éphédra ?

« Sacré Lemieux », songea-t-il.

– Cela fait deux vérités.

– Qu'est-ce que c'est, l'éphédra ?

Elle avait un ton si naturel qu'il se demanda si elle était curieuse ou rusée. Si elle ne le savait vraiment pas, alors elle était innocente.

– D'abord ma question, s'il vous plaît. Où êtes-vous allée hier après-midi ?

– Sur la colline.

– À la vieille maison des Hadley ?

La répugnance apparut instantanément sur son visage, comme si on avait soulevé un rideau et qu'il avait aperçu ce qui se trouvait derrière.

– Non, pas là. J'espère ne plus jamais y aller.

Elle le dévisagea, scrutant son visage pour déceler tout signe pouvant laisser croire qu'il avait justement l'intention de lui demander de retourner à cet endroit. Gamache se dit que c'était une expression que les dentistes connaissaient bien. Celle de patients effrayés qui les supplient du regard : « Ne me faites pas mal. »

Puis, elle changea d'expression.

– J'étais à l'autre extrémité du village. À la petite église.

– Saint-Thomas ?

– Oui. Elle est belle. J'ai senti le besoin d'aller prier dans un lieu calme et paisible.

Elle vit sa perplexité.

– Quoi ? Les sorcières ne sont pas censées prier ? Ou nous ne prions que les anges déchus et pas ceux qui fréquentent Saint-Thomas ?

– Je ne sais rien des wiccans, dit Gamache. J'aimerais en entendre parler.

– Viendriez-vous avec moi ?

– Où donc ?

– Avez-vous peur ?

Elle ne se moquait pas de lui.

Il réfléchit un instant avant de répondre. Il essayait de ne pas mentir aux suspects. Non par respect de la morale ou de l'éthique, mais parce qu'il savait que, si son mensonge était découvert, cela affaiblirait sa position. Et jamais l'inspecteur-chef Gamache n'irait jusque-là. Pas pour quelque chose d'aussi ridicule qu'un mensonge.

– J'ai toujours un peu peur de l'inconnu, avoua-t-il. Mais je n'ai pas peur de vous.

– Vous me faites confiance ?

– Non.

Il sourit.

– Je me fais confiance. De plus, j'ai une arme et vous probablement pas.

– Je n'ai pas mon arme favorite, c'est vrai. La journée est si belle, c'est dommage d'être à l'intérieur. Je proposais seulement une promenade. Nous pourrions retourner à la chapelle.

Ils restèrent un moment sur l'immense galerie, près des berçantes et des tables de rotin, puis descendirent le large escalier et se mirent à marcher du même pas. Ils passèrent une ou deux minutes en silence. C'était une journée radieuse, avec toutes les teintes de vert imaginables qui commençaient à apparaître. La route de terre était enfin sèche et l'air sentait l'herbe et les bourgeons naissants. Des crocus mauves et jaunes parsemaient les pelouses et le parc du village. De grands champs de jonquilles précoces dansaient au vent. Elles s'étaient répandues et acclimatées dans tout Three Pines, et captaient le soleil dans leurs éclatantes trompettes jaunes. Après une minute, Gamache enleva son parka et le posa sur son bras.

– C'est très paisible, dit Jeanne.

Il ne répondit pas. Il marchait et attendait.

– C'est comme un village mystique qui n'apparaît qu'à ceux qui en ont besoin.

– C'est ce qui vous est arrivé ?

– Il me fallait un moment de répit, oui. J'avais entendu parler du gîte touristique et j'ai décidé de réserver à la dernière minute.

– Comment en avez-vous entendu parler ?

– En lisant un dépliant. Gabri a dû faire de la publicité.

Gamache hocha la tête. Le soleil réchauffait son visage.

– Rien de pareil ne m'est jamais arrivé. Personne n'est jamais mort à l'un de mes rituels. Personne, non plus, n'a jamais été blessé. Pas au sens physique.

Gamache eut une forte envie de lui poser une question, mais décida de se taire.

– Pendant les séances, les gens entendent souvent des choses qui les bouleversent, continua Jeanne. Les esprits ne semblent pas beaucoup se soucier des sentiments. Le plus souvent, cependant, contacter les morts est une expérience très douce, et même tendre.

Elle s'arrêta et le regarda.

– Vous avez dit que vous ne connaissez rien à la Wicca. Ni à nos rituels, je suppose.

– C'est vrai.

– Les séances de spiritisme n'ont rien à voir avec les maisons hantées, les fantômes ni les démons. Ce ne sont même pas des exorcismes. Pas vraiment. Elles n'ont aucun rapport avec la mort, même si nous contactons les esprits des défunts.

– De quoi est-il question, alors ?

– De la vie. Et de guérison. Lorsque les gens demandent une séance, c'est souvent parce qu'ils ont besoin de guérison, d'apaisement. À première vue, cela peut ressembler à un divertissement ou à un jeu d'épouvante, mais en réalité une des personnes présentes doit résoudre une situation pour continuer à vivre. Elle doit laisser aller quelque chose ou quelqu'un. C'est ce que je fais. C'est mon travail.

– Vous êtes guérisseuse ?

Jeanne s'arrêta et regarda Gamache droit dans ses yeux brun foncé.

– Oui. Toutes les wiccanes le sont. Nous sommes des sorcières, des sages-femmes, des guérisseuses. Nous utilisons des herbes et des rituels, la puissance de la Terre, de l'esprit et de l'âme. Nous utilisons l'énergie de l'Univers, et les esprits. Nous faisons tout ce que nous pouvons pour aider les âmes blessées à guérir.

– Il y en a beaucoup.

– C'est pourquoi je suis venue ici.

– Pour en trouver d'autres ou pour vous reposer de vos labeurs ?

Jeanne fut sur le point de répondre lorsque soudain son visage changea, passant du sérieux et de la concentration à la perplexité. Elle fixait quelqu'un derrière lui.

Il se retourna et ce qu'il vit le rendit perplexe, lui aussi.

Dans l'entrée menant à sa maison, Ruth Zardo avançait lentement en boitillant et en cancanant.

Jean-Guy Beauvoir n'eut aucune difficulté à trouver La Maison biologique. La boutique d'aliments bio était située rue Principale, à Saint-Rémy, juste en face du dépanneur où les gens achetaient leurs cigarettes, leurs bières et leurs billets de Loto-Québec. Contre toute attente, les deux commerces se complétaient, car ils vendaient de l'espoir. L'espoir que la loterie les favorise et qu'il ne soit pas trop tard pour enrayer le réchauffement planétaire. Et l'espoir que les aliments biologiques contrecarrent les effets de la nicotine. Odile Montmagny elle-même aimait griller une cigarette de temps à autre, généralement après un verre – ou une bouteille – de vin bon marché du dépanneur.

Lorsque l'inspecteur Beauvoir entra dans la boutique vide, il remarqua une odeur étrange, artificielle. C'était un arôme pénétrant et musqué, comme si les diverses herbes et fleurs séchées, l'encens et les poudres étaient engagés dans une lutte.

Bref, cela empestait.

Une jolie femme grassouillette, fin trentaine ou début quarantaine, se tenait derrière le comptoir, la main posée à plat sur un cahier d'écolier fermé. Ses cheveux, teints et mal coiffés, lui encadraient mollement le visage. Elle paraissait aimable et assez quelconque. Pour un très court instant, elle parut également agacée, comme s'il entrait dans son espace privé. Puis, elle afficha le sourire exercé de quelqu'un qui sait plaire.

– Oui ? Est-ce que je peux vous aider ?

– Êtes-vous…

Il sortit le bout de papier que l'inspecteur-chef lui avait donné avec la liste de tous ceux qui étaient présents à la séance. Il le consulta, faisant traîner les choses. Il voulait toute son attention. Il connaissait parfaitement son nom, bien sûr. Il désirait seulement la troubler, la déstabiliser. En levant les yeux, il la vit qui regardait le cahier rouge sur lequel était posée sa main. Pendant le petit numéro qu'il lui avait fait, elle s'était échappée et, loin d'être troublée, s'était replongée dans ses propres affaires.

– Êtes-vous Odile Montmagny ? demanda-t-il d'une voix forte.

– Oui.

Elle fit un sourire agréable et presque niais.

– Je suis l'inspecteur Beauvoir, de la Sûreté du Québec. Des homicides.

– Oh non, pas Gilles ?

Elle était transformée, le corps rigide, le visage concentré et effrayé. Sa main passa du cahier au comptoir de bois, et ses doigts semblaient vouloir s'y enfoncer.

– Gilles ? répéta-t-il.

Il sut immédiatement ce qu'elle pensait, mais ne voulut pas la soulager tout de suite.

– Que lui est-il arrivé ? demanda-t-elle d'un ton suppliant.

Odile crut qu'elle allait s'évanouir. Sa tête était engourdie et son cœur bondissait dans sa poitrine, comme s'il cherchait désespérément à s'en échapper pour retrouver Gilles.

– Je suis venu vous rencontrer à propos de Madeleine Favreau.

Il l'observa attentivement. Son visage mou et vide avait repris vie. Ses yeux brillaient, son esprit était concentré. Elle paraissait intelligente. Terrifiée. Magnifique. Puis, tout cela se dissipa. Sa tête, que, dans son désespoir, elle avait avancée brusquement vers lui, s'affaissa. Tous ses muscles se relâchèrent. En un clin d'œil, l'Odile précédente était revenue. Jolie, insignifiante, empressée. Mais il avait vu ce qui se cachait là-dessous, ce que peu de gens soupçonnaient, se disait-il, peut-être pas même Odile : la femme brillante, superbe et dynamique qui vivait encagée sous la couche rassurante d'insignifiance et de sourires, de teinture et d'objectifs raisonnables.

– Madeleine a été tuée ? C'était une crise cardiaque, j'en suis sûre.

– Oui, c'est vrai. Mais sa crise a reçu un coup de pouce. Elle a été causée par un médicament.

– Un médicament ?

Personne de Three Pines n'avait donc téléphoné à Odile ? Tout le monde avait convergé vers le Bistro d'Olivier pour apprendre les dernières nouvelles. C'était la salle des nouvelles du village, et Gabri le présentateur. Beauvoir interrogeait donc la seule personne de la région qu'on n'avait pas songé à appeler. Il ressentit soudain de la pitié pour cette femme avec son regard inquisiteur et nerveux. Il la plaignait, mais éprouvait aussi un certain dégoût. Les *losers* étaient toujours repoussants à ses yeux, et c'était l'une des raisons pour lesquelles il n'avait jamais aimé l'agente Nichol. Dès leur première rencontre, quelques années auparavant, il avait su qu'elle n'apporterait que des problèmes, mais il y avait pire encore. C'était une ratée, une minable. Et Beauvoir savait que les *losers* sont les gens les plus dangereux, car, tôt ou tard, ils arrivent au stade où ils n'ont plus rien à perdre.

– Un médicament appelé éphédra, dit-il.

Elle sembla réfléchir au mot.

– Et il a provoqué un arrêt cardiaque ? Pourquoi quelqu'un aurait-il voulu la tuer de cette façon ?

Non pas « pourquoi quelqu'un aurait-il voulu la tuer ? », mais « pourquoi de cette façon ? ». C'était la façon, et non la femme, qui semblait étonner Odile.

– Connaissiez-vous bien Mme Favreau ?

– C'était une cliente. Elle venait acheter ses fruits et légumes ici. Et des vitamines.

– C'était une bonne cliente ?

– Une habituée. Elle venait chaque semaine.

– Est-ce que vous vous fréquentiez en dehors du magasin ?

– Jamais. Pourquoi ?

Était-elle sur la défensive ?

– Eh bien, vous avez mangé ensemble, dimanche soir.

– C'est vrai, mais ce n'était pas notre idée. Clara nous a invités avant la séance. On ne savait même pas que Madeleine serait là.

– Y seriez-vous allée si vous l'aviez su ?

Beauvoir était persuadé d'être sur une piste. Il le sentait. Il voyait sur son visage qu'elle était sur la défensive, l'entendait dans sa voix.

Odile hésita.

– Probablement. Je n'avais rien contre Madeleine. Comme je le disais, c'était une cliente.

– Mais vous ne l'aimiez pas.

– Je ne la connaissais pas.

Beauvoir laissa s'étirer le silence. Puis, il regarda plus attentivement la boutique. C'était un bric-à-brac. D'un côté, les fruits et légumes et autres produits alimentaires ; de l'autre, des vêtements et des meubles. Du côté des aliments, il voyait des jarres en terre cuite munies de couvercles de bois auxquels étaient accrochées de petites pelles. Il vit aussi des sacs de jute et, sur les étagères fixées aux murs, des centaines de pots en verre remplis de ce qui ressemblait à de l'herbe. De la drogue, peut-être ? Il s'approcha, en remarquant le regard d'Odile rivé sur lui, et examina les contenants. Ils portaient des noms comme « reine-des-prés », « *ma huang* », « griffe du diable » et, son préféré, « raisin d'ours ». Il le prit, souleva le couvercle et huma prudemment. C'était une odeur suave. Il se demanda si les ours cueillaient des raisins pour la reine des prés avec les griffes du diable. Et s'ils faisaient bon ménage à Notre-Dame-des-Roof-Trusses.

Dans une bibliothèque, il y avait des volumes sur la gestion d'une petite ferme biologique, la construction d'une maison autosuffisante et le tissage artisanal. Qui donc cela pouvait-il intéresser ?

Jean-Guy Beauvoir n'était pas complètement insensible au mouvement écologiste et avait même donné à quelques collectes de fonds concernant la couche d'ozone, le réchauffement planétaire ou quelque chose de semblable. Mais choisir de mener une vie primitive, penser que cela pourrait sauver le monde, c'était ridicule. Une chose, cependant, l'attira. Une chaise en bois toute simple. Beauvoir caressa le bois noueux, poli et doux au toucher, et ne voulait pas retirer sa main. Il regarda la chaise pendant un long moment.

– Essayez-la, dit Odile, encore debout derrière le comptoir.

Beauvoir regarda de nouveau la chaise. Elle était profonde et invitante, comme un fauteuil, mais en bois.

– Elle ne tombera pas en morceaux, n'ayez pas peur.

Il aurait voulu qu'elle cesse de parler. Qu'elle le laisse apprécier, en silence, ce meuble magnifique. C'était comme une œuvre d'art qu'il était capable de comprendre.

– C'est Gilles qui l'a fabriquée, dit-elle, interrompant de nouveau ses réflexions.

– Gilles Saindon ? D'ici ?

Elle lui fit un sourire joyeux.

– Oui. Mon Gilles. C'est ce qu'il fait.

– Je pensais qu'il travaillait dans les bois.

– Il y cherche des arbres pour fabriquer des meubles.

– Il trouve lui-même ses arbres ?

– En fait, il dit que c'est eux qui le trouvent. Il va se promener dans les bois et il écoute. Quand un arbre l'appelle, il s'approche de lui.

Beauvoir la fixa longuement. Elle avait dit cela comme si c'était ce que faisait Ikea, aussi. Comme s'il était parfaitement naturel et normal d'entendre les arbres et même de les écouter. Il revint à la chaise.

« Sont-ils tous cinglés ? » se demanda Beauvoir. Le meuble ne lui disait plus rien.

22

L'agent Robert Lemieux attendait son tour au magasin général de M. Béliveau. Au départ, il avait cru trouver un dépanneur rempli de cochonneries, de cigarettes, de bière et de vin bon marché, ainsi que de petits articles d'appoint, comme des enveloppes et des bougies de gâteau d'anniversaire. Mais il découvrit plutôt une véritable épicerie que sa grand-mère aurait appréciée. Sur les étagères en bois foncé étaient présentés avec soin des boîtes de légumes en conserve, des céréales, des pâtes, des confitures et des gelées, des soupes et des craquelins. Tout cela était de bonne qualité et bien ordonné. Pas d'encombrement, pas de gloutonnerie. Le linoléum était usé mais propre, et un ventilateur tournait lentement au plafond de planches bouvetées.

Derrière le comptoir, un homme âgé de grande taille était penché vers une femme encore plus âgée qui, tout en bavardant, comptait sa monnaie pour payer son épicerie. Elle lui parlait de ses hanches, de son fils, d'un voyage qu'elle avait fait en Afrique du Sud et du plaisir qu'elle en avait retiré. Finalement, d'une voix douce et gentille, elle lui dit qu'elle était désolée pour la perte qu'il venait de subir. Elle tendit une main tavelée, aux veines bleues et gonflées, et la posa sur les longs doigts minces et très blancs de l'épicier. Et l'y garda. Il ne broncha pas. Ne retira pas sa main. Il regarda plutôt dans les yeux violets de la femme et sourit.

– Merci, madame Ferland.

Lemieux la regarda partir, content qu'elle se soit enfin tue, et prit sa place au comptoir.

– Une gentille dame, dit-il en souriant à M. Béliveau, qui regardait Mme Ferland ouvrir la porte du magasin, s'arrêter sur le perron, jeter un coup d'œil à gauche et à droite, comme si elle était perdue, puis s'éloigner à pas très lents.

– Oui.

Tout le village savait que Mme Ferland avait perdu son fils l'année précédente, même si elle préférait ne pas en parler. Jusqu'à aujourd'hui, quand elle avait parlé de lui à M. Béliveau, qui avait reconnu les bienfaits d'un chagrin partagé.

Il se retourna maintenant vers le jeune homme. Celui-ci avait des cheveux noirs à la coupe sobre, et son visage rasé de près était sympathique. Il paraissait aimable.

– Je m'appelle Robert Lemieux. Je suis de la Sûreté.

– Oui, monsieur. C'est ce que j'ai déduit. Vous êtes venu à propos de Mme Favreau.

– Je crois que vous aviez une relation particulière avec elle.

– C'est vrai.

M. Béliveau ne voyait aucune raison de le nier, même s'il n'était pas tout à fait certain de la nature de son lien avec Madeleine, du moins, pas de son côté à elle. Il ne connaissait bien que ce qu'il avait ressenti.

– C'était quoi, cette relation ? demanda l'agent Lemieux.

Il était peut-être trop brusque, mais il savait aussi qu'il n'aurait pas longtemps l'attention de cet homme. Un autre client pouvait entrer à tout moment.

– Je l'aimais.

Les paroles se posèrent dans l'espace entre eux, à la place qu'avait réchauffée la petite monnaie de Mme Ferland.

L'agent Lemieux s'attendait à cette réponse. Le chef lui avait dit que c'était sans doute le cas, ou, du moins, que leur relation n'était pas qu'une passade. Pourtant, en regardant l'homme mûr émacié, gris et solennel qui se trouvait devant lui, il n'arrivait pas à comprendre. Cet homme devait avoir plus de soixante ans, alors que Madeleine Favreau était dans la jeune quarantaine. Mais l'âge n'était pas la différence qui l'étonnait. D'après les photos, la victime avait été très belle. Sur toutes, elle riait ou souriait, radieuse. Elle était pleine de vie et de joie. Lemieux se disait qu'elle aurait sans doute pu attirer qui elle voulait. Alors pourquoi avoir choisi cet homme affaissé, voûté et sage ?

La réalité avait peut-être été différente. S'agissait-il d'un amour non partagé ? Si elle lui avait brisé le cœur, il s'était peut-être attaqué au sien.

Ce vieillard qui sentait les craquelins et ressemblait à une débarbouillette séchée avait-il tué Madeleine Favreau ? Par amour ?

Le jeune agent Lemieux ne pouvait le croire.

– Étiez-vous amants ?

La pensée même le dégoûtait, mais il se composa un visage sympathique et espéra avoir l'air d'un fils aux yeux de M. Béliveau.

– Non. Nous n'avons jamais fait l'amour.

M. Béliveau le dit simplement, sans gêne. Il se fichait éperdument de ce genre de chose.

– Avez-vous une famille, monsieur ?

– Aucun enfant. J'avais une femme, Ginette. Elle est morte il y a deux ans et demi. Un 22 octobre.

À l'arrivée de Robert Lemieux aux homicides, l'inspecteur-chef Gamache l'avait fait asseoir pour lui donner un cours éclair sur la chasse aux tueurs.

– Vous devez écouter. Lorsqu'on parle, on n'apprend rien, et ce travail consiste à apprendre. Pas seulement les faits. Le plus important, au cours d'une enquête sur un meurtre, est invisible et intangible. Ce sont les sentiments des gens. Car…

L'inspecteur-chef s'était penché vers l'avant et l'agent Lemieux avait eu l'impression que cet officier supérieur était sur le point de lui prendre les mains. Mais non, il avait plutôt regardé Lemieux droit dans les yeux.

– … car nous cherchons quelqu'un qui n'est pas tout à fait bien. Une personne qui semble être saine d'esprit, agir normalement, mais qui est très malade. Pour la trouver, il faut rassembler non seulement des faits, mais des impressions.

– Et on y arrive par l'écoute, fit l'agent Lemieux, qui savait dire aux gens ce qu'ils voulaient entendre.

– Quatre phrases mènent à la sagesse. Vous devez les retenir et les utiliser. Êtes-vous prêt ?

L'agent Lemieux avait sorti son calepin et, stylo à la main, avait écouté.

– Vous devez apprendre à dire : Je ne sais pas. Excusez-moi. J'ai besoin d'aide. Je me suis trompé.

L'agent Lemieux les avait écrites. Une heure plus tard, il était dans le bureau de Brébeuf et lui montrait la liste. Au lieu du rire auquel il s'attendait, il avait vu les lèvres du directeur s'amincir et blanchir, pendant qu'il serrait les mâchoires.

– J'avais oublié, dit Brébeuf. Notre chef nous a dit ces choses à notre arrivée. C'était il y a trente ans. Il les a dites une fois et ne les a jamais répétées. J'avais oublié.

– Eh bien, ça ne vaut pas tellement la peine de les retenir, dit Lemieux, jugeant que c'était ce que le directeur voulait entendre.

Il se trompait.

– Vous êtes un imbécile, Lemieux. Savez-vous à qui vous avez affaire ? Quelle idée j'ai eue, bon sang, de penser que vous pouviez vous mesurer à Gamache ?

– Vous savez, dit Lemieux, comme s'il n'avait pas entendu le reproche, l'inspecteur-chef Gamache semble y croire.

« Comme moi autrefois, se dit Brébeuf. Jadis, quand j'avais de l'affection pour Armand. Quand on se faisait confiance et qu'on s'était promis de se protéger mutuellement. Jadis, quand je pouvais encore avouer que je m'étais trompé, que j'avais besoin d'aide, que je ne savais pas. Quand je pouvais encore m'excuser. »

Mais c'était il y a longtemps.

– Je ne suis pas si imbécile, vous savez, dit doucement l'agent Lemieux.

Brébeuf s'attendait aux inévitables geignements, aux doutes, au besoin d'être rassuré par de sages paroles : « Oui, on fait ce qu'il faut pour la justice. Oui, Gamache a trahi la Sûreté. Oui, vous êtes un jeune homme intelligent, je sais que vous n'êtes pas dupe de son hypocrisie. » Brébeuf avait dû les répéter si souvent à Lemieux que lui-même les croyait presque.

Il fixa le jeune agent et attendit. Mais Brébeuf vit un policier calme et maître de lui-même.

« Bien. Très bien. »

En même temps, il sentit un frisson lui envelopper le cœur.

– Il m'a dit autre chose, poursuivit Lemieux, debout à la porte et souriant de façon désarmante. Matthieu, chapitre 10, verset 36.

Le visage impassible, Brébeuf regarda Lemieux refermer doucement la porte derrière lui. Puis il recommença à respirer, par petites bouffées rapides, presque des halètements. En baissant les yeux, il vit dans son poing serré la feuille froissée, roulée en boule, sur laquelle étaient écrites les quatre courtes phrases.

Quant à son esprit, il était totalement absorbé par les derniers mots de Lemieux.

Matthieu, chapitre 10, verset 36.

Il avait oublié cela aussi. Mais ce qu'il allait se rappeler très longtemps, c'était l'expression de Lemieux. Ce n'était pas le regard familier, nerveux, démuni et implorant d'un homme qui cherchait à être convaincu. Il avait plutôt vu celui d'un homme qui ne s'en faisait plus. Ce n'était pas de l'intelligence qu'il avait décelée là, mais de la ruse.

L'agent Lemieux écoutait et attendait que M. Béliveau lui en dise davantage, mais le vieil épicier semblait faire de même.

– Comment votre femme est-elle morte ?

– D'une attaque. Elle faisait de l'hypertension. Elle n'est pas morte sur le coup. J'ai pu la ramener à la maison et m'occuper d'elle pendant quelques mois. Mais elle en a eu une autre et celle-là l'a emportée. Elle est enterrée derrière l'église Saint-Thomas, dans le vieux cimetière, avec ses parents et les miens.

L'agent Lemieux se dit qu'il n'y avait rien de pire que d'être enterré ici. Il avait l'intention de l'être à Montréal ou à Québec, ou à Paris, à titre d'ancien et vénéré président de la République du Québec. Jusqu'à récemment, la Sûreté lui avait procuré un foyer, un but. Mais le directeur Brébeuf lui avait sans le savoir donné autre chose. Quelque chose qui manquait à sa vie. Un plan.

Robert Lemieux ne comptait pas rester longtemps à la Sûreté. Juste assez pour s'élever dans les rangs, se faire un nom, puis briguer des fonctions officielles. Tout était possible. Ou le serait, lorsqu'il aurait fait tomber Gamache. Il deviendrait un héros. Il serait récompensé.

– Bonjour, monsieur Béliveau.

Myrna Landers entra et remplit le magasin de soleil et de sourires.

– Est-ce que je vous interromps ?

– Non, pas du tout, répondit l'agent Lemieux en refermant son calepin. On était seulement en train d'avoir une petite conversation. Ça va ?

– Pas trop mal.

Elle se tourna vers M. Béliveau.

– Comment allez-vous ? Il paraît que vous avez soupé avec Clara et Peter hier soir.

– Oui. Ça m'a fait du bien. Je vais comme on peut s'y attendre.

– C'est un triste moment, dit Myrna qui, jugeant sa peine légitime, décida de ne pas essayer de lui remonter le moral. Je suis venue chercher un journal. *La Journée*, s'il vous plaît.

– Tout le monde me le demande aujourd'hui.

– On peut y lire un article étrange.

Elle se demanda si elle devait éviter d'en parler, puis se dit que, de toute façon, on avait découvert le pot aux roses. Elle paya le journal et le feuilleta jusqu'à la chronique municipale.

Les trois se penchèrent au-dessus, puis se redressèrent comme des dévots après des prières anciennes. Deux d'entre eux étaient troublés. Le troisième, euphorique.

Au moment même, un cancanage les attira vers la porte moustiquaire et le perron.

23

– Monsieur Saindon ! cria l'inspecteur Beauvoir, pour la millième fois.

Il commençait à s'inquiéter. Il s'était enfoncé dans les bois derrière Saint-Rémy. Odile lui avait expliqué comment trouver le camion de Gilles et sa piste en forêt. Pour le camion, ç'avait été facile, il ne s'était égaré que deux fois en se dirigeant vers ce cul-de-sac, mais trouver l'homme s'avérait plus difficile. Comme les arbres commençaient tout juste à bourgeonner, il n'était pas gêné par les feuilles, mais il devait composer avec les troncs abattus, les marécages et les rochers. Ce n'était pas son habitat naturel. Il avançait péniblement sur les pierres visqueuses et trébuchait dans les flaques de boue masquées par une couche de feuilles en décomposition. Ses souliers de cuir fin – peu pratiques, il le savait, mais il ne pouvait pas encore s'abaisser à chausser des caoutchoucs – étaient imbibés d'eau et de boue, et pleins de brindilles.

Lorsqu'il était sorti à l'air frais en laissant derrière lui les effluves écœurants de la boutique de produits bio, Odile lui avait lancé une phrase qui résonnait encore dans ses oreilles.

– Attention aux ours ! avait-elle joyeusement chantonné.

En entrant dans les bois, il avait ramassé un bâton, pour frapper l'ours sur le nez. Ou bien était-ce plutôt la technique à utiliser avec les requins ? Bon, l'un ou l'autre, il était prêt. Après l'avoir dévoré, l'ours pourrait toujours se servir du bâton comme cure-dents.

Il avait un revolver, mais le gardait dans son étui, car il avait été bien entraîné par Gamache à ne jamais le dégainer à moins d'être certain de tirer.

Beauvoir avait vu suffisamment de reportages sur des attaques d'ours pour savoir qu'en général les ours noirs n'étaient pas dangereux, à moins qu'on s'interpose entre une mère et son petit, ou qu'on les surprenne. Hurler « Monsieur Saindon » avait donc une double utilité.

– Monsieur Saaaaindonnnn !

– Je suis ici, répondit-on soudainement.

Beauvoir s'arrêta et regarda autour de lui.

– Où ? hurla-t-il.

– Par ici. Je vais vous trouver.

Beauvoir entendit des pas dans les feuilles mortes et des craquements de branches. Mais il ne voyait personne. Le son s'amplifia – toujours personne. On aurait dit l'approche d'un fantôme.

« Merde, je n'aurais pas dû penser à ça, se dit Beauvoir qui commençait à ressentir de l'anxiété. Je ne crois pas aux fantômes. Je ne crois pas aux fantômes. »

– Qui êtes-vous ?

Se retournant, Beauvoir vit, au sommet d'un petit talus, un individu costaud. Large de poitrine, grand, fort. Il portait un bonnet tricoté à longs poils et sa barbe rousse pointait dans toutes les directions. Il était couvert de boue et d'écorces.

Le yéti. Bigfoot. Sa grand-mère lui avait parlé d'une ancienne créature, mi-homme, mi-arbre, l'Homme vert – c'était lui.

Beauvoir serra son bâton.

– Inspecteur Beauvoir, Sûreté du Québec.

Il ne l'avait jamais dit d'une voix aussi faible. Puis l'Homme vert se mit à rire. Non pas d'un rire méchant, du genre je-vais-t'arracher-les-membres-un-à-un, mais d'un rire amusé. Il descendit du monticule en zigzaguant gracieusement entre les vieux arbres et les jeunes pousses.

– J'ai cru qu'un arbre me parlait.

Il tendit son énorme main crasseuse, que Beauvoir serra. Il rit, lui aussi. Il était difficile de ne pas se sentir joyeux en compagnie de cet homme.

– Sauf qu'en général ils sont un peu plus discrets.

– Les arbres?

– Oh, oui. Mais vous n'êtes probablement pas venu ici pour parler d'eux. Ni leur parler.

Saindon tendit le bras et posa sa main sur un tronc massif. Sans s'y appuyer, mais comme pour prendre contact avec lui. Même sans les commentaires obscurs d'Odile, Beauvoir pouvait se rendre compte que cet homme avait une relation singulière avec les arbres. Si Darwin avait conclu que l'homme descendait de l'arbre, Gilles Saindon serait le chaînon manquant.

– C'est vrai. J'enquête sur le meurtre de Madeleine Favreau. Je crois…

Beauvoir s'arrêta. L'imposant personnage avait reculé d'un pas, comme si Beauvoir l'avait poussé.

– Son meurtre? Qu'est-ce que vous dites là?

– Excusez-moi, je pensais que vous étiez au courant. Vous savez qu'elle est morte.

– J'étais là. Je l'ai emmenée à l'hôpital.

– Je suis désolé, mais, selon le rapport du médecin légiste, sa mort n'était pas naturelle.

– C'est sûr. Il n'y avait rien de naturel ce soir-là. On n'aurait jamais dû inviter des esprits dans la pièce. C'était la médium.

– C'est une sorcière, dit Beauvoir.

Il n'arrivait pas à croire qu'il venait de proférer une telle phrase. C'était pourtant la vérité, du moins le pensait-il.

– Je ne suis pas surpris, dit Saindon, qui commençait à reprendre ses esprits. On aurait dû avoir un peu plus de bon sens. Tout le groupe, mais surtout elle. Il se passe des événements étranges dans ce monde, jeune homme. Et dans l'autre. Mais je vais vous dire une chose.

Il se rapprocha de Beauvoir et se pencha. Beauvoir se prépara à affronter la puanteur combinée du travail ardu et du manque de savon. En fait, cet homme sentait plutôt l'air frais et le pin.

– Le plus étrange, c'est ce qui arrive entre les mondes. C'est là que les esprits sont pris au piège. Ce n'est pas naturel.

– Et écouter les arbres l'est?

Saindon, dont le visage était si sérieux et troublé depuis un moment, se remit à sourire.

– Un jour, vous les entendrez. Dans le silence, vous percevrez un murmure que toute votre vie vous avez pris pour le vent. Mais ce sera un arbre. La nature nous parle tout le temps; le problème, c'est de savoir écouter et comprendre. Par exemple, je n'entends pas ce que disent l'eau, les fleurs ou les pierres. En fait, oui, je les entends, mais seulement un peu. Mais les arbres? J'entends clairement leurs voix.

– Qu'est-ce qu'ils disent?

Beauvoir ne pouvait croire qu'il avait posé la question, encore moins qu'il voulait vraiment connaître la réponse.

Gilles le regarda un instant.

– Un jour, je vous le dirai, mais pas maintenant. Vous ne me croiriez pas et ce serait une perte de temps, pour vous comme pour moi. Un jour, si je pense que vous n'allez pas vous moquer ou leur faire de la peine, je vous dirai ce que racontent les arbres.

L'inspecteur Beauvoir fut étonné d'éprouver lui-même de la peine. Il voulait que cet homme lui fasse confiance, et il voulait savoir. Cependant, il savait aussi que Saindon avait raison. Pour lui, c'était de la foutaise. Peut-être.

– Pouvez-vous me parler de Madeleine Favreau?

Saindon se pencha et ramassa une branche. Beauvoir s'attendait à ce qu'il la casse de ses mains tannées comme le cuir, mais il la tint plutôt comme si c'était une petite main.

– Elle était magnifique. Je ne sais pas m'exprimer avec les mots, inspecteur. Elle était comme ça.

Il pointa la branche vers les bois. La lumière du soleil luisait sur des bourgeons vert pâle et tombait sur les feuilles d'automne mordorées. Des paroles n'étaient pas nécessaires.

– Elle vivait dans la région depuis peu, dit Beauvoir.

– Elle est arrivée il y a quelques années seulement. Elle habitait avec Hazel Smyth.

– Est-ce qu'elles étaient amantes, d'après vous ?

– Hazel et Madeleine ?

Saindon semblait trouver l'idée nouvelle, mais pas répugnante. Il fronça les sourcils et réfléchit.

– Peut-être bien. Madeleine était remplie d'amour. Les gens comme elle ne font pas toujours la distinction entre hommes et femmes. Je sais qu'elles s'aimaient, si c'est ce que vous voulez dire, mais je pense que vous parlez d'autre chose.

– C'est vrai. Et vous dites que ça ne vous étonnerait pas ?

– Non, mais seulement parce que, d'après moi, Madeleine aimait beaucoup de gens.

– Y compris M. Béliveau ?

– Je pense que tout ce qu'elle ressentait pour cet homme-là, c'était de la pitié. Sa femme est morte il n'y a pas longtemps, vous savez. Maintenant, c'est Madeleine qui meurt.

La rage monta en l'homme et en sortit si vite que Beauvoir fut pris au dépourvu. Saindon semblait vouloir frapper quelque chose ou quelqu'un. Il lançait des regards furieux, les poings serrés, des larmes coulant de ses yeux. Beauvoir pouvait presque l'entendre s'interroger : « L'arbre ou l'homme, l'arbre ou l'homme ? Lequel j'écrabouille ? »

« L'arbre, l'arbre, l'arbre », supplia Beauvoir. Mais la rage passa et Saindon s'appuya contre le tronc de l'énorme chêne. Beauvoir vit qu'il l'étreignait, et il n'avait absolument aucune envie de se moquer.

Se retournant vers Beauvoir, Saindon se frotta le visage avec sa manche à carreaux, pour essuyer les larmes et autre chose.

– Je vous demande pardon. Je pensais avoir déjà tout laissé sortir, mais j'imagine que non.

À présent, l'homme immense souriait d'un air penaud à Beauvoir par-dessus la manche gigantesque qu'il tenait collée à son visage. Puis, il l'abaissa.

– Je suis venu ici hier. C'est l'endroit où je me sens le plus à l'aise. J'ai marché jusqu'au ruisseau et j'ai hurlé. Toute la journée. Les pauvres arbres! Mais ils ne semblaient pas m'en vouloir. Ils hurlent aussi, parfois, quand on fait des coupes à blanc. Ils sentent la terreur de leurs semblables, vous savez. Par les racines. Ils crient, puis ils pleurent. Hier, j'ai crié. Aujourd'hui, j'ai pleuré. Je croyais que c'était fini. Je vous demande pardon.

– Est-ce que vous aimiez Madeleine?

– Oui. Je vous mets au défi de trouver quelqu'un qui ne l'aimait pas.

– Quelqu'un ne l'aimait pas. Quelqu'un l'a tuée.

– Je n'arrive pas encore à y croire. En êtes-vous sûr?

Comme Beauvoir restait silencieux, le gros homme hocha la tête, mais il semblait toujours avoir de la difficulté à accepter l'idée.

– Avez-vous déjà entendu parler d'un médicament appelé éphédra?

– Éphédra?

Gilles Saindon réfléchit.

– Non, mais je ne suis pas très porté sur les médicaments. J'ai une boutique de produits bio à Saint-Rémy.

– La Maison biologique. Je sais. J'étais là, tout à l'heure, pour parler à Odile. Est-ce qu'elle sait?

– Quoi?

– Que vous aimiez Madeleine.

– Probablement, mais elle doit savoir que ce n'était pas le même type d'amour. Madeleine était le genre de femme qu'on adore à distance, jamais je n'aurais imaginé m'approcher d'elle. Vraiment, regardez-moi!

Beauvoir le regarda et comprit ce qu'il voulait dire. Saindon était immense, sale, à l'aise dans les bois. Peu de femmes seraient attirées par un tel homme. Odile oui, cependant, et Beauvoir en savait assez sur les femmes, et certainement assez sur le meurtre, pour reconnaître un mobile.

Ruth Zardo marcha très lentement de sa petite maison en bois jusqu'à l'ouverture pratiquée dans le mur de pierres sèches et qui menait au parc du village. Gamache et Jeanne l'observaient. De l'autre côté du parc, Robert Lemieux, Myrna et M. Béliveau l'observaient aussi. Quelques personnes interrompirent leurs courses pour regarder, ébahies.

Tous les yeux étaient rivés sur la femme âgée qui cancanait en boitillant.

Ruth, nu-tête, ses cheveux blancs et courts légèrement ébouriffés par la brise, regarda par terre derrière elle et s'arrêta. Elle fit ce que Gamache ne l'avait jamais vue faire : elle sourit. D'un sourire simple, naturel. Puis elle se remit en marche.

Avançant à petits pas, elle sortit par l'ouverture dans la pierre. Suivie du cancanage. C'étaient deux oiseaux minuscules, couverts de duvet.

– En voilà une vieille sorcière, dit Jeanne.

– C'est Ruth Zardo, dit Gamache qui riait en songeant que personne ne la contredirait dans ce village.

Jeanne se tourna vers lui, abasourdie.

– Ruth Zardo ? La poète ? C'est Ruth Zardo ? Celle qui a écrit :

Je n'ai pas senti le mot décoché frapper
et s'enfoncer comme une balle molle.
Je n'ai pas senti la chair éclatée
se refermer sur elle comme de l'eau
sur une pierre lancée.

– *La* Ruth Zardo ?

Gamache sourit et confirma de la tête. Jeanne avait cité l'un de ses poèmes préférés de Ruth, « Mary, la demi-pendue ».

– Eh bien ! fit Jeanne qui en tremblait presque. Je la croyais morte.

– En partie, seulement, dit Gamache. Elle procède par étapes, on dirait.

– C'est une légende dans mes groupes.

– Les groupes de sorcières ?

– Ruth Zardo ! Ce poème, « Mary, la demi-pendue », parle d'une femme qui a réellement existé : Mary Webster. On l'a prise pour une sorcière et pendue à un arbre. C'était à l'époque de la chasse aux sorcières, à la fin du dix-septième siècle.

– Ici ? demanda Gamache.

Il s'intéressait à l'histoire du Québec et, au fil de ses lectures, il avait découvert beaucoup d'événements étranges et brutaux, mais aucun de comparable à la chasse aux sorcières.

– Non, au Massachusetts.

Comme tout le monde, elle avait toujours les yeux fixés sur Ruth. Celle-ci avait avancé d'environ trente centimètres dans le parc et, derrière elle, les oisillons agitaient leurs ailes minuscules, atrophiées, et se dressaient sur leurs petites pattes palmées.

– Quelle femme étonnante, dit Jeanne, comme dans un rêve.

– Ruth ou Mary ?

– Les deux, en fait. Avez-vous lu ses poèmes ?

Gamache hocha la tête.

On m'a pendue pour avoir vécu seule,
parce que j'avais des yeux bleus et une peau brûlée par le soleil,
des jupes en loques, peu de boutons,
une ferme à mon nom envahie par les herbes
et un remède infaillible pour les verrues.

– C'est ça, dit Jeanne en suivant Ruth des yeux comme la belle-de-jour suit le soleil.

Voilà que je monte comme un fruit tombé à la renverse,
une pomme meurtrie recollée à l'arbre.

– C'est incroyable, et pourtant…

Jeanne finit par se détourner de Ruth et fit lentement un tour complet sur elle-même.

– Je peux le croire de ce village. Où, ailleurs qu'ici, trouver la sécurité nécessaire pour se mettre à l'abri au temps des bûchers ?

– C'est pour ça que vous y êtes venue?

– Je suis venue parce que j'étais fatiguée, consumée par l'effort. C'est quelque chose, une sorcière qui se consume!

Elle éclata de rire et ils se dirigèrent vers la petite chapelle blanche, à flanc de colline.

– Pourtant, vous avez accepté de mener une séance.

– C'est à cause de ma formation. Il m'est difficile de dire non.

– C'est la formation ou la femme? Ce n'est pas nécessairement parce qu'on est guérisseuse qu'on trouve difficile de dire non.

– Ça l'a toujours été pour moi, c'est vrai, dit-elle.

Ils avaient atteint Saint-Thomas et grimpé la demi-douzaine de marches. Gamache ouvrit la grande porte en bois, mais Jeanne lui tourna le dos. Elle regarda Ruth, puis les trois grands pins dans le parc.

– Est-ce une simple coïncidence s'il y a trois pins à Three Pines?

– Non. Ce village a été fondé par des loyalistes de l'Empire-Uni qui fuyaient les États-Unis pendant la guerre avec l'Angleterre. Ce n'étaient que des bois, à l'époque. C'est encore le cas, j'imagine.

Gamache l'avait rejointe et maintenant tous les deux, côte à côte, regardaient le village et, plus loin, les forêts denses.

– Les loyalistes n'avaient aucun moyen de savoir quand ils étaient en sécurité. Ils ont donc inventé un code. Trois pins dans une clairière, cela voulait dire qu'ils pouvaient cesser de courir.

– Ils étaient saufs, dit Jeanne, qui parut s'affaisser. Oh, mon Dieu, merci, murmura-t-elle.

Gamache resta dans la lumière douce et dorée du soleil à attendre que Jeanne soit prête à entrer.

– On était en cercle et cette sorcière a jeté du sel par terre, raconta Gilles à Beauvoir.

Les deux hommes étaient assis sur des pierres, près du ruisseau qui coulait à plein régime. Beauvoir écoutait en lançant des cailloux dans l'eau. Saindon fixait le ruisseau à la surface couverte de mouchetures argentées qui dansaient là où le soleil captait du mouvement.

– J'aurais dû partir à ce moment-là, mais, je ne sais pas, on s'est tous fait prendre. C'était une sorte d'hystérie, je pense. J'ai entendu des choses dans le noir. C'était effrayant.

Beauvoir jeta un coup d'œil furtif à Saindon, mais l'homme ne semblait pas gêné par son aveu.

– Puis elle s'est mise à appeler les esprits en disant qu'elle les entendait, et moi aussi, je les entendais. C'était terrible. Elle a allumé des bougies et, en un sens, ça a rendu la noirceur encore plus profonde. Ensuite, il y a eu des pas traînants. Quelque chose était là, je le sais. La sorcière a réveillé quelque chose de mort. Même moi je sais que c'est une erreur.

– Qu'est-ce qui est arrivé, ensuite ?

Saindon avait le souffle rauque : il était revenu dans cette pièce macabre, enveloppée d'obscurité, de terreur et d'autre chose.

– Elle entendait quelque chose venir. Puis elle a frappé dans ses mains. J'ai cru mourir. Il y a eu deux cris, peut-être plus. Des sons horribles. Puis, un bruit sourd. J'étais presque aveuglé par la peur, mais j'ai vu Madeleine tomber. Sur le coup, j'étais trop effrayé pour bouger, mais Clara est allée vers Madeleine, Myrna aussi. Quand j'ai enfin pu bouger, quelques personnes entouraient Madeleine.

– Y compris M. Béliveau ?

– Non, il n'était pas là. Je suis arrivé avant lui. Je pensais qu'elle s'était seulement évanouie. Honnêtement, j'étais content que ce soit elle et pas moi. Puis, on l'a retournée.

– Je n'arrivais pas à le croire, dit Jeanne en se rappelant ce visage qu'elle avait tenté de fuir, ces deux derniers jours. On a essayé de trouver un pouls, de pratiquer la réanimation cardiopulmonaire, mais elle était tellement rigide que c'était impossible. On aurait dit qu'elle s'était figée sur place, comme si la vie lui avait été arrachée. Vous dites qu'un médicament appelé…

Elle parut s'efforcer de retrouver le nom. Gamache la laissa faire, en se demandant si elle faisait semblant.

– J'ai oublié le nom, mais un médicament a provoqué cela ?

– De l'éphédra. À vrai dire, c'est une herbe, une substance naturelle. Des gens l'utilisent pour maigrir, mais elle est interdite : trop dangereuse. Quelle était votre impression du groupe ?

– En fait, c'était la deuxième séance. La première avait eu lieu vendredi soir, au bistro.

– Le Vendredi saint, dit Gamache.

– Je sentais des tensions, surtout chez deux des hommes. Pas Gabri. Les deux autres. Le grand homme triste et l'immense barbu. Mais les hommes sont souvent ainsi pendant les séances. Ou bien ils n'y croient pas et sont bourrés d'énergie négative, ou bien ils y croient et se sentent gênés par leur peur. Encore de l'énergie négative. J'avais cependant la nette impression qu'ils n'étaient pas seulement contrariés de se trouver là : à mon avis, ils ne s'aimaient pas. C'était plus évident chez le gros homme, mais cet épicier…

– M. Béliveau, dit Gamache.

– Il a quelque chose de sombre.

Gamache la regarda avec surprise. Il appréciait le peu qu'il savait de l'homme. Celui-ci lui semblait raffiné, presque timide.

– Il cache quelque chose, ajouta Jeanne.

– Comme nous tous, répondit Gamache.

– Vous venez ici tous les jours ? demanda Beauvoir après que Saindon eut terminé son récit.

Cela lui fit penser à de la drague et Beauvoir s'efforça de ne pas rougir.

– Ouais. Je viens chercher du bois pour mes meubles.

– J'en ai vu un au magasin. Il est superbe.

– Les arbres me laissent faire.

– Ils vous laissent les abattre ? demanda Beauvoir, étonné.

– Bien sûr que non, vous me prenez pour qui ?

« Un meurtrier ? » se dit Beauvoir en complétant sa pensée. Était-ce ce qu'il pensait ?

– Je parcours les bois et attends l'inspiration. J'utilise uniquement des arbres morts. J'imagine qu'on a beaucoup en commun, vous et moi.

Pour une raison quelconque, cette phrase plut à Beauvoir, même s'il ne voyait pas ce qu'ils pouvaient avoir en commun.

– On a tous les deux un lien avec la mort, on en profite, si on peut dire. Sans arbres morts, je n'aurais pas de meubles ; sans cadavres, vous n'auriez pas de travail. Bien sûr, vous autres, vous activez parfois les choses.

– Qu'est-ce que vous voulez dire ?

– Voyons, n'avez-vous pas lu le journal, aujourd'hui ?

De sa poche arrière, Saindon tira un tabloïd plié et froissé. Il le tendit à Beauvoir en désignant un article d'un doigt sale.

– Regardez. Je pensais qu'ils avaient mis tous les pourris en prison, mais j'imagine qu'il en reste encore quelque part. Ici, en fait. Vous, vous semblez être une bonne personne. Ce doit être difficile d'avoir un patron corrompu.

Beauvoir entendit à peine les commentaires. Il avait l'impression d'être tombé dans le journal et d'être pris dans le piège des mots. D'un mot.

Arnot.

Pendant un instant, Jeanne resta silencieuse, s'imprégnant de la vue offerte par la petite chapelle en bois, parfumée par du joli muguet blanc et vert. L'endroit sentait aussi le vieux bois, le Pledge au citron et les livres. Et il avait l'air d'un joyau. La lumière du soleil devenait verte, bleue et rouge en passant à travers les vitraux, dont le plus frappant n'était pas celui du Christ ressuscité derrière l'autel, mais un autre, sur le côté de la chapelle. Il montrait trois garçons en uniforme. Le soleil qui les traversait répandait leurs couleurs sur Gamache et Jeanne : ainsi, ils étaient assis dans la chaleur de ces jeunes, dans leur essence.

– Prenez garde.

Elle se détourna de Gamache et regarda une tache de lumière rouge à ses pieds.

– Que voulez-vous dire ?

– C'est tout autour de vous, je le vois. Prenez garde. Quelque chose s'en vient.

24

Jean-Guy Beauvoir trouva Gamache à l'église Saint-Thomas. Assis côte à côte, le chef et la sorcière regardaient droit devant eux. Il allait peut-être interrompre un interrogatoire, mais il s'en fichait. Il tenait à la main le journal rempli de grossièretés. Gamache se tourna et, en voyant Beauvoir, lui sourit et se leva. Après un moment d'hésitation, Beauvoir fourra le tabloïd dans sa poche de poitrine.

– Inspecteur Beauvoir, voici Jeanne Chauvet.

– Madame.

Beauvoir lui prit la main et s'efforça de ne pas broncher. S'il avait su, en s'éveillant ce matin, qu'il allait serrer la main d'une sorcière ! De toute façon, il ne voyait pas trop ce qu'il aurait fait différemment. Voilà l'une des choses qu'il adorait de son travail : l'imprévisibilité.

– Je m'apprêtais à partir, dit la sorcière tout en continuant, pour une raison quelconque, de tenir la main de Beauvoir. Croyez-vous aux esprits, inspecteur ?

Beauvoir faillit rouler les yeux. Il imaginait très bien l'interrogatoire se transformer en une discussion entre le chef et la sorcière sur les esprits et sur Dieu.

– Non, madame, je n'y crois pas. Je pense que c'est une supercherie, une façon de s'attaquer aux faibles d'esprit et d'exploiter des gens en deuil. Pour moi, c'est pire que l'abus de confiance.

Il retira brusquement sa main. Il commençait à s'énerver. Sa rage était en train de secouer la cage et il savait qu'elle risquait de s'échapper. Non pas une colère normale et saine, mais une rage qui déchire et griffe sans discernement. Aveugle et puissante, sans conscience ni contrôle.

Dans la poche de son manteau, repliés près de sa poitrine, se trouvaient les mots qui allaient tout au moins blesser Gamache. Peut-être plus. Et il allait lui assener le coup. Beauvoir vomit sa rage sur cette femme frêle, grise et affectée.

– Je pense que vous vous attaquez à des gens tristes et solitaires. C'est dégoûtant. Si je le pouvais, je vous mettrais tous en prison.

– Ou vous nous pendriez à un pommier ?

– Pas nécessaire que ce soit un pommier.

– Inspecteur Beauvoir !

Armand Gamache avait élevé la voix, chose qu'il faisait rarement. Beauvoir savait qu'il avait dépassé les bornes, et de loin.

– Excusez-moi, madame, dit Beauvoir d'un ton méprisant, réprimant à peine sa colère.

Mais la petite femme devant lui, si peu solide à maints égards, n'avait pas bougé. Elle était restée calme et sérieuse devant l'assaut.

– Ça va, inspecteur.

Elle se dirigea vers la porte. En l'ouvrant, elle se retourna. À contre-jour dans la lumière dorée, elle n'était plus qu'une silhouette noire.

– Je suis née coiffée, dit-elle à Beauvoir. Vous aussi, je crois.

La porte se referma et les deux hommes se retrouvèrent seuls dans la petite chapelle.

– Elle parlait de vous, dit Beauvoir.

– Votre sens de l'observation est plus aigu que jamais, Jean-Guy, répondit Gamache en souriant. Que se passe-t-il ? Vouliez-vous vous assurer qu'elle ne m'avait pas perturbé l'esprit ?

Beauvoir était mal à l'aise. En vérité, la sorcière semblait s'être comportée avec une grande courtoisie. C'est lui qui était sur le point de perturber l'esprit de Gamache. En silence, il retira le journal de sa poche de poitrine et le tendit à Gamache.

L'inspecteur-chef parut amusé, puis il croisa le regard de Beauvoir et son sourire s'évanouit. Il ouvrit le journal, mit ses verres de lecture et, dans le silence de Saint-Thomas, lut.

Puis Gamache demeura parfaitement immobile. Autour de lui, tout semblait s'être mis à tourner au ralenti. Tout était plus intense. Il voyait un cheveu gris sur la tête foncée de Beauvoir. Il avait l'impression de pouvoir s'avancer, l'arracher et revenir à sa place sans que Beauvoir s'en aperçoive.

Armand Gamache pouvait soudain voir des choses dont il n'avait pas été conscient auparavant.

– Qu'est-ce que ça veut dire ? demanda Beauvoir.

Gamache regarda le nom du journal. *La Journée*. Un torchon montréalais, l'un des tabloïds qui l'avaient cloué au pilori à l'époque de l'affaire Arnot.

– C'est de l'histoire ancienne, Jean-Guy.

Gamache replia le journal et le posa sur son parka.

– Mais pourquoi mentionner l'affaire Arnot ? demanda Beauvoir en essayant de garder un ton aussi calme et raisonnable que celui du chef.

– Peu de nouvelles à rapporter, j'imagine. Ce journal est une vraie farce. Comment l'avez-vous eu ?

– Gilles Saindon me l'a donné.

– Ah, vous l'avez trouvé ? Bien. Racontez-moi ce qu'il vous a dit.

Gamache prit son parka et le journal, et, tandis qu'ils marchaient au soleil en direction de la vieille gare, Beauvoir lui résuma ses entrevues de la matinée avec Saindon et Odile. Beauvoir apprécia ce moment de normalité. Il était heureux que le chef ait fait peu de cas des commentaires dans le tabloïd. À présent, lui aussi pouvait faire comme s'ils étaient sans importance.

Les deux hommes marchaient du même pas, tête baissée. Un observateur aurait pu les prendre pour un père et son fils qui faisaient une promenade par cette belle journée de printemps, profondément absorbés par leur conversation. Mais quelque chose venait de changer.

Je n'ai pas senti le mot décoché frapper
et s'enfoncer comme une balle molle.

La chair éclatée se referma sur le mot décoché et Armand Gamache continua de marcher, d'écouter et d'accorder toute son attention à l'inspecteur Beauvoir.

Hazel Smyth était allée au salon funéraire de Cowansville. Sophie lui avait proposé de l'accompagner, mais d'une voix si boudeuse que Hazel avait préféré s'y rendre seule. Plusieurs de ses amis, aussi, s'étaient dits prêts à aller avec elle, mais Hazel ne voulait pas les déranger.

C'était comme si on l'avait kidnappée et emmenée dans un monde de chuchotements et de témoignages de sympathie pour un événement auquel elle n'arrivait pas encore à croire. Au lieu de participer à une rencontre du club des tricoteuses, elle avait regardé des cercueils. Plutôt que d'accompagner la pauvre Aimée à sa séance de chimiothérapie ou de prendre le thé avec Suzanne et de l'écouter parler de ses enfants perturbés, elle avait essayé de rédiger l'avis de décès.

Comment devait-elle se décrire ? Comme une chère amie ? Une chère compagne ? Fallait-il dire : « C'est avec regret... » ? Où étaient les mots bien sentis ? Des mots qui exprimaient bien les sentiments, qui permettaient de comprendre ce qu'elle voulait transmettre. L'abîme laissé par la perte de Madeleine. La boule dans la gorge qui pétille et qui fait mal. La terreur de s'endormir en sachant qu'au réveil elle allait revivre la perte, tel Prométhée enchaîné et tourmenté jour après jour. Tout avait changé. Même sa grammaire. Soudain, elle vivait au passé. Et au singulier.

– Maman, cria Sophie de la cuisine. Maman, es-tu là ? J'ai besoin de ton aide.

Hazel revint de très loin et se dirigea vers sa fille, d'abord lentement, puis de plus en plus vite à mesure que les mots la pénétraient.

« J'ai besoin de ton aide. »

Dans la cuisine, elle trouva Sophie appuyée contre le comptoir, le pied levé et une expression de douleur sur le visage.

– Qu'est-ce qu'il y a ? Qu'est-ce qui t'est arrivé ?

Hazel se pencha pour lui toucher le pied, mais Sophie le recula.

– Non, touche pas. Ça fait mal.

– Tiens, assieds-toi. Laisse-moi voir.

Elle fit asseoir Sophie à la table de la cuisine. Hazel posa un coussin sur une autre chaise et souleva tendrement la jambe de sa fille et l'y posa.

– Je me suis tordu la cheville dans un nid-de-poule dans l'entrée. Combien de fois est-ce que je t'ai dit de faire remplir ces trous ?

– Je sais, je suis désolée.

– J'allais chercher ton courrier quand c'est arrivé.

– Laisse-moi seulement voir.

Hazel se pencha et, d'un toucher doux et expérimenté, commença à examiner la cheville.

Dix minutes plus tard, elle installa Sophie sur le canapé du séjour, la télécommande de la télévision en main, un sandwich jambon-fromage dans une assiette et une boisson sans sucre sur un plateau. Elle avait enveloppé la cheville foulée de Sophie dans un bandage compressif et trouvé une paire de vieilles béquilles qui dataient de la dernière fois où sa fille s'était blessée.

Étrangement, le vertige, la distraction et les pensées embrouillées s'étaient dissipés. Elle se concentrait maintenant sur sa fille, qui avait besoin d'elle.

Olivier apporta l'assiette de sandwichs dans l'arrière-salle de son bistro. Il avait également posé, sur le buffet, une marmite de crème aux champignons à la coriandre avec un assortiment de bières et de boissons gazeuses. Tandis que l'équipe de la Sûreté arrivait pour le lunch, Olivier tira Gamache par le coude et le prit à part.

– Avez-vous vu le journal ? demanda Olivier.

– *La Journée* ?

Olivier hocha la tête.

– C'est de vous qu'ils parlent, non ?

– Je crois bien que oui.

– Mais pourquoi ? murmura Olivier.

– Je ne sais pas.

– Est-ce qu'ils font souvent ce genre de chose ?

– Pas souvent, mais cela arrive.

Il le dit d'un ton si décontracté qu'Olivier se détendit.

– Si vous avez besoin de quoi que ce soit, faites-le-moi savoir.

Olivier retourna en vitesse à la ruée du midi et Gamache prit un bol de soupe, un panini aux légumes grillés et au fromage de chèvre, et s'assit.

Les membres de son équipe prirent place autour de lui et, tout en savourant leur soupe et leurs sandwichs, lui lancèrent des regards furtifs. Sauf Nichol, qui gardait la tête baissée. D'une certaine façon, même s'ils étaient assis en cercle, elle réussissait à donner l'impression d'être à une table séparée, dans une autre pièce.

Avait-il commis une erreur en l'amenant ?

Il travaillait avec elle depuis longtemps et rien ne semblait avoir changé. C'était le plus inquiétant. L'agente Nichol semblait collectionner les ressentiments, et même en fabriquer. Elle était la parfaite petite usine à affronts, blessures et irritations, affairée jour et nuit à générer de la colère. Elle transformait les bonnes intentions en attaques, les cadeaux en insultes, le bonheur des autres en injure personnelle. Le sourire et même le rire semblaient la blesser physiquement. Elle s'accrochait à chaque rancœur. Elle ne renonçait à rien, sinon à son équilibre mental.

Pourtant, l'agente Yvette Nichol avait fait preuve d'une aptitude certaine pour la chasse aux meurtriers. Elle était une sorte d'idiote savante avec un unique talent, car elle détectait peut-être une affinité d'esprit.

Toutefois, il y avait une raison à sa présence dans cette enquête. Une raison qu'il devait tenir secrète.

Il regarda Yvette Nichol, penchée si près de sa soupe que ses cheveux y trempaient. Ils pendaient de chaque côté de son visage et formaient un rideau presque impénétrable. Mais, entre les touffes, il voyait sa cuiller crachoter et répandre son contenu lorsqu'elle la portait à sa bouche d'une main tremblante.

– Vous avez probablement tous vu ceci.

Il tendit un exemplaire de *La Journée.*

Ils firent un signe de tête affirmatif.

– On fait référence à moi, bien sûr, mais cela ne veut rien dire. Comme il n'y a pas beaucoup d'événements à signaler après ce long week-end, on a décidé de ressusciter l'affaire Arnot. C'est tout. Je ne veux pas que cela interfère avec votre travail. D'accord ?

Il regarda autour de lui. L'agent Lemieux acquiesçait d'un hochement de tête, l'agente Nichol épongeait de la soupe sur le bout de ses cheveux avec une serviette en papier et semblait ne pas avoir entendu. L'inspecteur Beauvoir le regardait intensément, puis il lui fit un petit signe de tête et prit un énorme croissant fourré au rôti de bœuf et au raifort.

– Agente Lacoste ?

Isabelle Lacoste le fixait, sans bouger. Sans manger, ni hocher la tête, ni parler. Elle le regardait, point.

– Dites-moi, commença Gamache en joignant les mains sur ses genoux, loin de son assiette et en lui accordant toute son attention.

– D'après moi, ce n'est pas rien, monsieur. Vous dites toujours que tout arrive pour une raison. Je pense qu'il y a une raison pour laquelle c'est paru dans le journal.

– Et qu'est-ce que ce serait ?

– Vous la connaissez, monsieur, la raison. Toujours la même : ils veulent se débarrasser de vous.

– Qui ça, « ils » ?

– Les gens de la Sûreté restés loyaux à Arnot.

Elle n'avait même pas hésité, n'avait pas eu à y penser. Il était vrai, cependant, qu'elle avait passé toute la matinée à réfléchir avant d'arriver à cette conclusion.

Elle l'observa pendant qu'il assimilait ses paroles.

Armand Gamache la regarda droit dans les yeux, de l'autre côté de la table. Ses yeux à lui étaient immobiles, calmes et pensifs. Malgré le chaos, les menaces et le stress, malgré toutes les attaques, verbales et physiques, qu'ils avaient endurées pour essayer de trouver des meurtriers, c'était toujours ce qu'elle se rappelait de lui. L'inspecteur-chef Gamache, calme et fort, maître de la situation. S'il était leur chef, c'était pour une raison. Il ne bronchait jamais. Et à présent non plus il ne broncha pas.

– Leurs motifs leur appartiennent, finit-il par dire. Je n'ai pas à m'en faire.

Il regarda autour. Même l'agente Nichol le fixait, la bouche légèrement ouverte.

– Et les autres ? demanda Lacoste. Les gens d'ici ? Ou les autres agents de la Sûreté ? Les gens vont y croire.

– Et alors ?

– Eh bien, ça pourrait nous faire du tort.

– Que voulez-vous que je fasse ? Que je publie une annonce pour dire que ce n'est pas vrai ? J'ai le choix entre deux possibilités : me fâcher et me tourmenter au sujet de ces ragots, ou les ignorer. Devinez laquelle je préfère.

Il souriait, à présent. La tension se dissipa enfin dans la pièce et ils purent poursuivre leur repas et leurs rapports. Au moment où Olivier desservit et apporta le plateau de fromages, Beauvoir et Gamache avaient résumé toute l'information. Robert Lemieux avait fait le compte rendu de son entretien avec M. Béliveau.

– Qu'est-ce qu'on sait sur sa femme ? demanda Beauvoir. Elle s'appelait Ginette, non ?

– Rien encore, dit Lemieux, sauf qu'elle est morte il y a quelques années. C'est important ?

– Ça pourrait l'être. Gilles Saindon semblait insinuer que ce n'était pas pure coïncidence si les deux femmes avec lesquelles M. Béliveau a été en relation sont décédées.

– Ouais, un arbre lui a probablement dit ça, marmonna Nichol.

– Qu'est-ce que tu as dit ? demanda Beauvoir en se tournant vers elle.

– Rien, répondit-elle.

De la soupe avait coulé de ses cheveux sur les épaules rembourrées de son costume bon marché et des miettes de pain étaient restées accrochées sur sa poitrine.

– Seulement, je ne pense pas qu'on puisse prendre Saindon au sérieux. De toute évidence, il est cinglé. Il parle aux arbres, bon sang ! Même chose pour cette sorcière. Elle répand du sel, allume des bougies et parle aux morts. Et vous prêtez attention à ce qu'elle dit ?

La dernière phrase s'adressait à Armand Gamache.

– Venez avec moi, agente Nichol.

Gamache posa soigneusement sa serviette sur la table et se leva. Il ouvrit sans un mot les portes-fenêtres donnant sur une terrasse de dalles qui surplombait la rivière.

Beauvoir eut un bref fantasme dans lequel le chef la jetait à l'eau. Dans cette vision, Nichol agitait les bras et disparaissait dans l'écume blanche, pour aboutir dans le pauvre océan Atlantique une semaine plus tard.

L'équipe vit plutôt Nichol gesticuler furieusement et trépigner pendant que Gamache écoutait, le visage sévère et sérieux. Personne n'entendait rien à cause du rugissement de la rivière. Lorsqu'il leva la main, elle se calma et demeura parfaitement immobile. Puis, il parla. Elle fit un signe de tête, pivota sur ses talons et s'éloigna.

Gamache revint dans la pièce, l'air inquiet.

– Elle est partie ? demanda Beauvoir.

– Elle est retournée au bureau provisoire.

– Et après ?

– Ensuite, elle va venir avec moi à la vieille maison des Hadley. J'aimerais que vous veniez aussi, dit Gamache à l'agente Lacoste.

Jean-Guy Beauvoir réussit à garder le silence et même à écouter le rapport d'Isabelle Lacoste, même s'il avait l'esprit agité. Pourquoi Nichol était-elle là ? Pourquoi ? Si tout arrive pour une raison, quelle était celle de sa présence ? Il y en avait une, il le savait.

– Madeleine Favreau avait quarante-quatre ans, dit Lacoste de sa voix claire, nette. Née Madeleine Marie Gagnon à Montréal et élevée dans le quartier Notre-Dame-de-Grâce, rue Harvard. Classe moyenne, éducation en anglais.

– En anglais ? demanda Lemieux. Avec un nom pareil ?

– À moitié, précisa Lacoste. Père francophone et mère anglophone. Elle avait un nom français, mais a reçu une éducation surtout à l'anglaise. Elle a fréquenté une école secondaire publique à NDG. La secrétaire de l'école se souvenait bien d'elle. Apparemment, il y a quelques photos de Madeleine dans le couloir principal. Élue athlète de l'année et présidente du conseil étudiant, elle était du genre à exceller. Elle était également meneuse de claque.

Gamache était heureux que Nichol ne soit plus là. Il imaginait très bien ce qu'elle ferait de cette litanie de succès.

– Ses résultats scolaires ?

– La secrétaire est en train de les vérifier pour moi. Nous devrions recevoir la réponse à notre retour au bureau provisoire. Après l'école secondaire…

– Un instant, s'il vous plaît, dit Gamache en l'interrompant. Et Hazel Smyth ? Vous êtes-vous informée à son sujet ? Elles sont allées à la même école.

– Oui, je l'ai fait. Hazel Lang. Quarante-quatre ans, elle aussi. Elle habitait avenue Melrose, à NDG.

Gamache connaissait les environs. De vieilles maisons dans un quartier tranquille. Des arbres et de modestes jardins.

– La secrétaire s'en occupe aussi.

– Elle ne s'est pas souvenue d'elle immédiatement ?

– Non, mais c'était peu probable après toutes ces années. Après l'école secondaire, Madeleine est allée étudier l'ingénierie à l'Université Queen's et a obtenu un poste à Bell Canada. Elle a démissionné il y a quatre ans et demi.

Beauvoir regardait Gamache fixement. Il ne pouvait chasser de son esprit son affrontement avec Nichol. Si l'un d'entre eux s'était adressé ainsi à lui au cours d'une réunion, il aurait été renvoyé sur-le-champ, à juste titre. Franchement, personne ne songerait même à parler de cette façon à Armand Gamache. Pas par instinct de survie, mais par respect.

Pourquoi Nichol se comportait-elle ainsi envers le patron ? Et pourquoi Gamache la laissait-il faire ?

– La femme à laquelle j'ai parlé travaillait dans un autre service, à un échelon inférieur, poursuivit Lacoste, mais selon elle Mme Favreau était une bonne patronne et très intelligente. Les gens l'aimaient. J'ai aussi parlé brièvement à son propre patron, Paul Marchand.

Lacoste consulta ses notes.

– Il est vice-président à la recherche et au développement. Madeleine Favreau était chef de service. Développement de produits. Elle travaillait étroitement avec le service du marketing.

– Alors, quand on concevait de nouveaux produits, comme un téléphone, dit Lemieux, elle y travaillait ?

– Son champ d'expertise était les technologies de l'information, un domaine en effervescence. D'après son patron, elle a été chargée de ce dossier peu de temps avant son départ.

Gamache attendit. Isabelle Lacoste était une excellente policière et, si l'inspecteur Beauvoir partait pour une raison quelconque, il la choisirait sans hésitation comme adjointe. Ses rapports étaient complets, clairs et dépourvus d'ambiguïté.

– Elle était mariée à François Favreau, mais ça n'a pas fonctionné. Ils ont divorcé il y a quelques années. Selon son patron, ce n'était probablement pas la raison de son départ. Quand il lui a demandé pourquoi elle quittait son emploi, elle est restée vague, mais ferme quant à sa décision, qu'il a respectée.

– Est-ce qu'il avait une théorie ? demanda Gamache.

– Oui, répondit Lacoste en souriant. Il y a six ans, on a diagnostiqué un cancer du sein à Madeleine Favreau. D'après M. Marchand, cela, ajouté au divorce, pourrait être la raison de son départ. Il en était attristé. Je l'entendais dans sa voix : il l'appréciait.

– Est-ce qu'il l'aimait ? demanda Gamache.

– Je ne sais pas. Mais il y avait là de l'affection, je pense, qui dépassait le simple respect. Il était désolé de la voir partir.

– Puis, elle est venue ici, dit Gamache en s'appuyant au dossier de sa chaise.

Olivier frappa à la porte et apporta des cafés et un plateau de desserts. Il prit légèrement plus de temps que Gamache ne l'aurait cru nécessaire, mais finit par partir. Il dut se satisfaire de miettes de baguette, sans une seule miette d'information.

– Pas d'enfants ? demanda Lemieux.

Lacoste secoua la tête et prit une mousse au chocolat, si bien fouettée qu'elle débordait largement du bol en verre taillé, et décorée de vraie crème et de framboises. Satisfaite de son rapport et de son repas, elle fit glisser vers elle une tasse de café noir bien corsé.

Beauvoir remarqua qu'il ne restait qu'une mousse. Lemieux avait pris une salade de fruits, au grand soulagement de Beauvoir, qui considérait néanmoins ce geste avec une certaine suspicion. Qui choisirait des fruits plutôt que de la mousse au chocolat ? À présent, cependant, un terrible dilemme le tenaillait, un « choix de Sophie » culinaire. Une seule mousse : devait-il la prendre ou la laisser à Gamache ?

Il la regarda, puis, levant les yeux, vit Gamache qui regardait lui aussi. Non pas le dessert. C'était lui qu'il regardait. Il avait un très petit sourire sur son visage, et autre chose. Quelque chose que Beauvoir y avait rarement vu.

De la tristesse.

Puis, Beauvoir comprit. Il comprit tout. Il comprit pourquoi Nichol faisait encore partie de l'équipe. Il comprit même pourquoi Gamache allait l'emmener avec lui dans l'après-midi.

Si les officiers restés loyaux à Arnot voulaient des munitions pour abattre Gamache, quelle meilleure façon y avait-il que d'introduire quelqu'un dans son équipe ! Armand Gamache le savait sûrement. Au lieu de la congédier, il avait décidé de jouer un jeu dangereux. Il la gardait. Et plus encore, il la gardait à proximité. Pour pouvoir la surveiller. Et aussi l'écarter des autres membres de l'équipe. Armand Gamache se jetait sur la grenade qu'était Yvette Nichol. Pour eux.

Jean-Guy Beauvoir tendit le bras et, prenant le dessert, posa la mousse au chocolat devant Armand Gamache.

25

Clara Morrow se passa les mains dans les cheveux et regarda longuement le tableau sur le chevalet. Comment était-il si rapidement passé de génial à merdique ? Elle prit de nouveau son pinceau, puis le déposa. Il lui en fallait un plus fin. Lorsqu'elle le trouva, elle le plongea dans la peinture à l'huile verte, ajouta seulement une touche de jaune et s'approcha de la toile.

Mais elle ne pouvait pas. Elle ne savait plus ce qu'elle voulait faire.

De chaque côté de sa tête, des touffes de cheveux se dressaient, striées de bleu et de jaune. Elle aurait pu faire carrière sous le nom de Clara le Clown. Même son visage était bariolé, mais ses yeux auraient fait peur aux enfants qui se seraient approchés.

Des yeux hagards, craintifs. Il ne restait plus qu'une semaine avant le retour de Denis Fortin. Ce matin, il avait appelé pour dire qu'il aimerait venir avec quelques collègues. Ce mot, *collègues*, emballait et intriguait toujours Clara. Les peintres n'ont pas de collègues. C'était tout juste si la plupart avaient des amis. À présent, elle détestait le mot. Elle détestait le téléphone. Elle détestait aussi cette chose posée sur le chevalet, censée la sortir de l'ombre et enfin attirer sur elle l'attention du monde des arts.

Clara recula, effrayée par son œuvre.

– Viens voir.

La tête de Peter apparut à la porte. Elle devrait peut-être la tenir fermée, se dit-elle. Pour ne plus être interrompue. Elle ne l'interrompait jamais, lui, lorsqu'il travaillait, alors pourquoi trouvait-il normal non seulement de lui parler, mais de s'attendre à ce qu'elle sorte de l'atelier ? Pour regarder quoi ? Une tranche de pain avec un trou qui ressemblait à la reine ? Lucy étendue, la tête sous le tapis ? Un cardinal à leur mangeoire ?

N'importe quoi d'insignifiant donnait à Peter une raison suffisante pour interrompre son travail. Mais elle était injuste, elle le savait, car, même s'il ne comprenait pas nécessairement son œuvre, Peter lui apportait son plus grand soutien.

– Allez viens, vite.

Tout excité, il lui fit signe de le suivre, puis disparut.

Clara retira son tablier, en tachant son chemisier, et sortit de l'atelier en s'efforçant d'ignorer le soulagement qu'elle ressentit en éteignant.

– Regarde.

Peter la tira presque jusqu'à la fenêtre.

Dans le parc du village, Ruth parlait. Seulement, elle était seule. Rien d'étrange à cela. Ce qui aurait été bizarre, c'est que quelqu'un reste là à l'écouter.

– Attends…

Peter sentait son impatience.

– Regarde, dit-il d'un ton triomphant.

Ruth dit une dernière chose, puis se tourna et retraversa très lentement le parc en direction de chez elle avec un sac de toile rempli de provisions. On aurait dit qu'elle était suivie par deux pierres. Clara regarda plus attentivement. Les pierres paraissaient duveteuses. Des oiseaux. Probablement les éternelles mésanges. Puis, le premier battit des ailes et se souleva légèrement.

– Des canards, dit Clara en souriant, et la tension disparut pendant qu'elle observait Ruth et ses deux canetons se diriger en file indienne vers la petite maison de l'autre côté du parc.

– Je ne l'ai pas vue aller chez M. Béliveau pour acheter ses provisions, mais Gabri oui. Il m'a appelé et m'a dit de regarder. Apparemment, les petits l'ont attendue à la porte du magasin, puis l'ont suivie jusqu'au parc.

– Je me demande ce qu'elle leur disait.

– Elle leur enseignait probablement des jurons. Peux-tu t'imaginer ? Notre propre petite destination touristique, « le village aux canards parlants ».

– Et qu'est-ce qu'ils diraient ? demanda Clara en regardant Peter d'un air amusé.

– « Connards ! » s'exclamèrent-ils en même temps.

– Seul un poète pourrait avoir un canard qui dirait « connards », dit Clara en riant.

Puis elle remarqua les policiers de la Sûreté qui sortaient du bistro et se dirigeaient vers la vieille gare. Elle songeait à aller leur dire bonjour, et peut-être recueillir des informations, lorsqu'elle vit l'inspecteur Beauvoir prendre à part l'inspecteur-chef Gamache. D'après ce qu'elle pouvait voir, le jeune homme parlait et gesticulait, et l'inspecteur-chef écoutait.

– C'est vraiment ce que vous êtes en train de faire ?

Beauvoir s'efforçait de parler à voix basse. Il plongea la main dans la veste de Gamache et en sortit le journal replié qui dépassait de la poche.

– Ça, ce n'est pas rien. C'est quelque chose, non ?

– Je ne sais pas, avoua Gamache.

– C'est Arnot, non ? Toujours le maudit Arnot.

La voix de Beauvoir devenait plus forte.

– Vous devez me faire confiance à cet égard, Jean-Guy. Cette affaire Arnot dure depuis beaucoup trop longtemps. Il est temps d'y mettre fin.

– Mais vous ne faites rien. Il a contre-attaqué avec ça.

Beauvoir brandit le journal.

De leur fenêtre, Peter et Clara le virent agiter le tabloïd comme une baguette de chef d'orchestre. Clara savait que, si eux observaient la scène, d'autres faisaient de même. Gamache et Beauvoir n'auraient pas pu choisir de lieu plus public pour leur dispute.

– Depuis des mois, même des années, vous savez que ce n'est pas fini, poursuivit Beauvoir. Pourtant, vous avez gardé le silence. On ne vous consulte plus pour des décisions majeures…

– Ça, c'est différent. Ce n'est pas parce que les officiers supérieurs sont du côté d'Arnot. Ils me punissent pour m'être opposé à leur décision. Vous le savez. C'est différent.

– Ce n'est pas juste.

– Vous croyez ? Pensez-vous vraiment que, lorsque j'ai arrêté Arnot, je ne m'attendais pas à ce qui allait se produire ?

Beauvoir cessa de gesticuler et se calma. Gamache parut l'envelopper dans une sorte de bulle. Ses yeux bruns étaient si intenses, sa voix si profonde et ferme. Beauvoir semblait cloué sur place.

– Je savais que cela arriverait. Le conseil supérieur ne pouvait me permettre de désobéir impunément aux ordres. Il m'envoie sa punition. Et c'est juste. Tout comme ce que j'ai fait était juste. Ne confondez pas les deux, Jean-Guy. Que je n'obtienne jamais plus d'avancement, que je ne participe plus aux décisions majeures de la Sûreté, cela n'a aucune importance. J'ai vu venir tout cela.

Gamache tendit le bras, prit le journal de la main de Beauvoir et le tint doucement dans ses grandes mains. Il baissa la voix jusqu'à ce qu'elle devienne presque un murmure. Rien ne bougeait à Three Pines. On aurait pu penser que les écureuils, les tamias et même les oiseaux essayaient de l'entendre. Les gens, eux, s'y efforçaient, il le savait bien.

– Ça, c'est différent.

Il désigna le journal.

– C'est l'œuvre de Pierre Arnot et de ses fidèles. C'est de la vengeance, pas un blâme. Ça ne correspond pas à la politique de la Sûreté.

« Espérons que non », se dit Beauvoir.

– Je ne m'y attendais pas, avoua Gamache en regardant le tabloïd. Pas des années après l'arrestation et le procès. Pas après la révélation des meurtres d'Arnot. On m'avait averti que l'affaire Arnot n'était pas terminée, mais je n'ai pas su apprécier la loyauté qu'il inspire toujours. Je suis étonné.

Il entraîna Beauvoir vers le pont de pierre, au-dessus de la Bella Bella. Lorsqu'ils l'eurent traversé, il s'arrêta et, un moment, observa la ruée des eaux écumantes, les feuilles et les mottes de boue entraînées par la force de la rivière normalement paisible.

– Il vous a pris au dépourvu, monsieur, dit Beauvoir.

– Pas complètement. Mais j'avoue avoir été surpris de voir ceci.

Gamache tapota sa poche où l'article était retourné.

– Je savais qu'il essaierait quelque chose, mais je ne savais pas quoi ni quand. Je croyais que l'attaque serait plus directe. Ceci démontre une subtilité et une patience que je ne lui connaissais pas.

– Mais ce n'est pas Arnot qui a fait ça. Pas directement. Il doit avoir des gens à l'intérieur de la Sûreté. Savez-vous qui ils sont ?

– Je peux deviner.

– Le directeur Francœur ?

– Je ne sais pas, Jean-Guy. Je ne peux pas en parler. Je n'ai que des soupçons.

– Mais Nichol travaillait auparavant avec Francœur aux narcotiques. Francœur et Arnot étaient de grands amis. Lui-même a failli être arrêté pour complicité de meurtre. Tout au moins, il savait sans doute ce que faisait Arnot.

– Nous ne le savons pas, répéta Gamache.

– Et Nichol a travaillé avec lui. C'est lui qui l'a ramenée aux homicides. Je me rappelle, vous vous êtes disputé avec lui à ce sujet.

Gamache s'en souvenait aussi. Cette voix sirupeuse et raisonnable qui dégoulinait au téléphone. Gamache avait compris : si on lui renvoyait Nichol après qu'il l'eut congédiée, c'était pour une raison.

– Elle travaille pour Francœur, non ? dit Beauvoir sur le ton de l'affirmation plutôt que de l'interrogation. Elle vous espionne.

Gamache regarda fixement Beauvoir, tendu.

– Savez-vous ce que veut dire « naître coiffé » ?

– Pardon ?

– Jeanne Chauvet a dit qu'elle était née coiffée et elle croit que vous l'êtes aussi. Savez-vous ce que cela signifie ?

– Je n'en ai pas la moindre idée et je m'en fiche. C'est une sorcière. Allez-vous vraiment l'écouter ?

– J'écoute tout le monde. Soyez prudent, Jean-Guy. Nous avons affaire à des gens dangereux. Nous avons besoin de toute l'aide disponible.

– Même celle des sorcières ?

– Peut-être aussi celle des arbres, répondit Gamache en souriant et en levant les sourcils.

Puis il pointa le doigt vers la rivière tumultueuse, dont le bruit avait empêché les autres d'entendre leur conversation.

– L'eau est notre alliée. Si seulement nous pouvions trouver des pierres parlantes, nous serions invincibles.

Gamache fouilla le sol des yeux. Beauvoir se surprit à regarder aussi. Il prit une pierre réchauffée par le soleil, mais le chef se dirigeait déjà lentement vers le bureau provisoire, les mains confortablement croisées derrière le dos et le visage tourné vers le haut. Beauvoir pouvait imaginer son petit sourire. Il faillit lancer la pierre dans la rivière, mais hésita. Il ne voulait pas la noyer. « Merde, se dit-il en la faisant sauter dans sa main tout en marchant lui aussi en direction du bureau provisoire. Une fois le germe semé, on est foutu. » Comment pourrait-il dorénavant abattre des arbres, ou même tondre la pelouse, s'il avait peur de noyer une pierre ?

Maudite sorcière.

Maudit Gamache.

26

Hazel Smyth s'éloigna de la porte en reculant et en s'essuyant les mains sur son tablier à carreaux.

– Entrez, dit-elle en souriant poliment, sans plus.

Beauvoir et Nichol la suivirent dans la cuisine. Toutes les casseroles étaient sorties, soit en usage, soit dans l'évier. Sur la cuisinière se trouvait un pot en terre cuite muni de deux poignées. Des fèves longuement mijotées avec de la mélasse, de la cassonade et de la couenne de porc. Un plat typiquement québécois. La pièce était remplie d'un arôme riche et suave.

Les fèves au lard exigeaient beaucoup de travail, mais on aurait dit que la drogue favorite de Hazel était devenue le dur labeur. Des plats cuisinés étaient alignés sur le comptoir comme un bataillon de chars d'assaut. Soudain, Beauvoir sut quelle bataille ils menaient. La guerre contre le chagrin. L'effort héroïque et désespéré en vue d'arrêter l'ennemi aux portes. Mais c'était un combat vain. Pour Hazel Smyth, les Wisigoths étaient postés sur la colline, prêts à fondre sur elle, à tout brûler et à tout saccager. Sans relâche et sans merci. Elle pouvait retarder le chagrin, mais pas l'arrêter. Elle pouvait même l'exacerber en fuyant.

Jean-Guy Beauvoir regarda Hazel et sut qu'elle était sur le point d'être vaincue, envahie, mise à mal. Son cœur allait finalement la trahir et laisser le chagrin la submerger. La peine, la perte, le désespoir renâclaient et s'impatientaient, se cabraient et se regroupaient pour l'assaut final. Cette femme survivrait-elle ? se demanda Beauvoir. Certaines n'y arrivaient pas. La plupart étaient changées à jamais. Un certain nombre d'entre elles devenaient plus sensibles, plus compatissantes. Mais beaucoup finissaient par être dures et amères. Elles s'isolaient. Et ne prenaient plus jamais le risque d'une telle perte.

– Un biscuit ?

– Oui, merci.

Beauvoir en prit un et Nichol deux. Les mains de Hazel s'élancèrent vers la bouilloire, le robinet, le bouchon, la théière. Et elle se mit à parler. Un véritable feu roulant de paroles, comme pour se défendre. Sophie s'était tordu la cheville. La pauvre Mme Burton avait besoin qu'on la conduise à sa chimio cet après-midi. Tom Chartrand était souffrant et, bien sûr, ses propres enfants ne viendraient jamais de Montréal pour l'aider. Elle continua ainsi jusqu'à ce que Beauvoir – le chagrin aussi ? – soit sur le point de capituler.

Après avoir déposé le thé sur la table, Hazel se dirigea vers l'escalier avec un plateau qu'elle avait préparé.

– C'est pour votre fille ? demanda Beauvoir.

– Elle est dans sa chambre, la pauvre. Elle ne peut pas bouger très facilement.

– Allez, laissez-moi faire.

Il prit le plateau et grimpa l'escalier étroit décoré de vieux papier peint à motif floral. Arrivé en haut, il se rendit jusqu'à une porte fermée et y frappa du pied. Il entendit deux pas lourds, puis la porte s'ouvrit.

Sophie apparut, un air d'ennui sur le visage, jusqu'à ce qu'elle le voie. Puis elle sourit, pencha légèrement la tête de côté et, très lentement, souleva son pied blessé.

– Mon héros, dit-elle avant de reculer en boitant et en lui faisant signe de déposer le plateau sur une commode.

Il la regarda un moment. Elle était attirante, sans aucun doute. Mince, la peau claire, les cheveux luisants et abondants. Beauvoir fut indigné de la voir assise dans sa chambre, à simuler une blessure en s'attendant à ce que sa mère en peine vienne la servir. Et c'est ce que faisait Hazel. C'était insensé. Quelle sorte de personne, de fille, agissait ainsi ? D'accord, Hazel n'était peut-être pas facile à supporter en ce moment, avec son besoin maniaque de cuisiner et son feu roulant de paroles, mais Sophie ne pouvait-elle pas au moins lui tenir compagnie ? Pas forcément pour l'aider, mais elle n'avait pas non plus à alourdir le fardeau de sa mère.

– Puis-je vous poser quelques questions ?

– Ça dépend.

Elle tenta de rendre sa phrase séduisante. Beauvoir vit en elle l'ingénue qui essayait de charmer avec chaque mot, sans y parvenir.

– Saviez-vous que Madeleine avait eu le cancer du sein ?

Il déposa le plateau sur la commode en poussant un sac de maquillage vers le bord.

– Ouais, mais bon, elle s'en est sortie, hein ? Elle allait bien.

– Vraiment ? Je croyais qu'il faut attendre cinq ans pour être sûr que tout va bien, mais ça ne faisait pas aussi longtemps, n'est-ce pas ?

– Presque. Elle semblait aller bien. Elle nous l'a dit.

– Et ça vous a suffi.

Toutes les filles de vingt et un ans étaient-elles aussi égocentriques ? Aussi insensibles ? Elle ne semblait vraiment pas se soucier du fait qu'une femme qui avait partagé sa maison et sa vie avait été atteinte du cancer et qu'on l'avait tuée brutalement, devant elle.

– Comment c'était, vivre ici après l'arrivée de Madeleine ?

– Je ne sais pas. Je suis partie à l'université. Au début, quand je revenais, Madeleine en faisait tout un plat, mais, après un moment, elle et maman s'en fichaient.

– Je ne peux pas me l'imaginer.

– Eh bien, c'est vrai. Je n'étais même pas censée aller à Queen's. J'avais été acceptée à McGill. Maman voulait que j'y aille. Sauf que Madeleine avait fréquenté Queen's et ne cessait d'en parler. Le magnifique campus, les vieux édifices, le lac. Elle en a fait un portrait tellement romantique. En tout cas, je me suis inscrite sans le dire à personne et j'ai été acceptée. J'ai donc décidé d'aller à Queen's.

– À cause de Madeleine ?

Sophie le fixa, le regard dur, les lèvres blêmes, comme si son visage se changeait en pierre. C'est alors qu'il comprit. Pendant que sa mère menait une lutte désespérée pour garder le chagrin à distance, Sophie livrait une autre bataille, pour le retenir à l'intérieur.

– L'aimiez-vous ?

– Elle ne se souciait pas de moi, pas le moins du monde. Elle faisait seulement semblant. J'ai tout fait pour elle, tout. J'ai même changé d'école, merde. Je suis allée à Kingston. Savez-vous seulement où c'est ? C'est à huit heures de route, merde.

Beauvoir savait que Kingston n'était pas à huit heures de route. Peut-être cinq ou six.

– Il faut une journée pour revenir ici.

Sophie semblait perdre son sang-froid et la pierre se changer en lave en fusion.

– À McGill, j'aurais pu rentrer tous les week-ends. J'ai fini par comprendre. Mon Dieu, j'étais tellement bête.

Sophie se tourna et se frappa le côté de la tête si fort que même Beauvoir en ressentit le coup.

– Je ne comptais pas pour elle. Elle voulait seulement que je débarrasse le plancher. Que je m'en aille loin. Ce n'était pas moi qu'elle aimait. J'ai fini par comprendre ça.

Sophie serra les poings et se donna de grands coups sur la cuisse. Beauvoir s'avança et lui prit les mains. Il se demanda combien de bleus, de blessures, elle cachait.

De la porte, Armand Gamache regarda à l'intérieur de la chambre. À côté de lui, les deux agents étaient mal à l'aise.

Le soleil de l'après-midi s'infiltrait par les fenêtres de la vieille maison des Hadley et semblait s'arrêter en cours de route. Au lieu d'éclairer et même d'égayer l'endroit, les rayons de lumière étaient chargés de poussière. Des mois, des années de négligence et de délabrement y tourbillonnaient, comme s'il s'agissait de quelque chose de vivant. À mesure que les trois policiers s'étaient avancés dans la maison, la pourriture et la poussière, réveillées sous leurs pas, avaient pris de la consistance, jusqu'à ce que la lumière même en soit tamisée.

– Je vous demande d'observer la pièce et de me dire si quelque chose a changé.

Les trois policiers restèrent à la porte, près du ruban jaune en lambeaux qui pendait au chambranle. Gamache en prit un brin. Il n'avait pas été coupé net, mais déchiré et étiré. Quelqu'un ou quelque chose y avait planté ses griffes.

Près de lui, il entendait haleter l'agente Isabelle Lacoste, comme si elle essayait de reprendre son souffle. De l'autre côté, l'agent Robert Lemieux ne cessait de changer de position, s'appuyant sur une jambe puis sur l'autre.

Encadrée par la porte se trouvait la scène du crime. Le lourd ameublement victorien, la cheminée avec sa tablette foncée, le lit à colonnes qui semblait garder les traces récentes d'un dormeur, même si Gamache savait qu'il était vide depuis des années. Toutes ces choses étaient oppressantes, mais naturelles. Puis ses yeux se posèrent sur ce qui ne l'était pas.

Le cercle de chaises. Le sel. Les quatre bougies. Et ce nouvel élément : le petit oiseau, tombé sur le côté, ses ailes minuscules légèrement ouvertes comme s'il avait été terrassé en plein vol. Les pattes relevées sur sa poitrine rougeâtre, les yeux agrandis, le regard fixe. S'était-il tenu sur la cheminée avec ses frères et sœurs, regardant ce vaste monde étalé devant eux, prêt à s'envoler ? Les autres, après avoir vacillé sur le rebord, avaient-ils fini par décoller ? Qu'était-il donc arrivé à ce petit ? Au lieu de voler, était-il tombé ? Aboutit-on fatalement à l'échec, à la chute ?

C'était un merleau. Un symbole du printemps, de la résurrection. Mort.

Mort de peur, lui aussi ? Gamache soupçonnait que oui. Était-ce le sort de tout ce qui entrait dans cette pièce ?

Armand Gamache y pénétra.

Yvette Nichol se mit à marcher dans la cuisine. Elle ne pouvait plus supporter le bavardage incessant de Hazel. Au début, celle-ci s'était assise avec elle à la table en formica, mais avait fini par se lever pour vérifier les biscuits et en ranger dans une boîte en fer-blanc.

– C'est pour Mme Bremmer.

Nichol s'en fichait. Pendant que Hazel parlait et travaillait, elle fit le tour de la pièce en examinant les livres de recettes et la collection d'assiettes blanc et bleu. Puis elle s'arrêta devant le frigo tapissé de photos, principalement de deux femmes : Hazel et une autre. « Madeleine », se dit Nichol, même si la femme souriante et séduisante ne ressemblait pas du tout au monstre hurlant qui reposait à la morgue. Il y avait une accumulation de photographies : devant l'arbre de Noël, au bord d'un lac, en skis de fond, au jardin l'été, en randonnée. Sur chacune, Madeleine Favreau souriait.

Yvette Nichol comprit alors quelque chose que personne d'autre ne verrait, elle en était certaine : Madeleine Favreau était un imposteur, une illusion. Car Nichol savait que personne ne pouvait être aussi heureux.

Elle s'attarda sur une photo prise lors d'une fête d'anniversaire. Hazel Smyth regardait à l'extérieur du cadre et portait un amusant chapeau bleu clair parsemé de paillettes ; Madeleine Favreau, de profil, écoutait, la tête appuyée sur une main. Elle contemplait Hazel avec une adoration évidente. Assise à côté de Madeleine, une jeune femme obèse s'empiffrait de gâteau.

Le téléphone de Nichol vibra. Glissant la photographie dans sa poche, elle entra dans la salle de séjour encombrée de meubles et trébucha contre une patte du canapé.

– Merde. Oui, allô ?

– C'était un juron contre moi, ça ?

– Non, dit-elle aussitôt – comme d'habitude, elle réagissait rapidement au reproche.

– Est-ce qu'on peut parler ?

– Un peu. On est chez un suspect.

– Comment va l'enquête ?

– Lentement. Il est comme ça, Gamache. Il progresse laborieusement.

– C'est bien d'être de nouveau avec lui. Il ne faut pas le perdre de vue. L'enjeu est trop grand.

Nichol détestait ces appels et s'en voulait d'avoir répondu. Elle haïssait encore plus l'emballement que la sonnerie provoquait chez elle. Puis l'inévitable déception. D'être traitée comme une enfant, encore une fois. Pas question pour elle d'avouer qu'elle était avec Beauvoir, en réalité. Elle était censée être avec l'inspecteur-chef, mais, à la dernière minute, les deux hommes étaient entrés dans la petite salle en retrait du bureau provisoire et, lorsqu'ils en étaient ressortis, Beauvoir s'était dirigé vers la porte à grandes enjambées en lui ordonnant de l'accompagner.

Elle se trouvait donc dans ce séjour oppressant, seule. Cette maison lui faisait penser à celles de ses oncles et tantes, bourrées d'objets personnels. « De la mère patrie », disaient-ils. Mais qui pouvait faire sortir en catimini des meubles de salle à manger de Roumanie, de Pologne ou de la République tchèque ? Où pouvait-on cacher les tapis roses pelucheux, les rideaux épais et les tableaux aux couleurs criardes lorsqu'on traversait en douce la frontière ? Ils étaient pourtant arrivés à remplir leurs minuscules maisons d'objets qui étaient devenus leur héritage familial. Des chaises, des tables et des sofas éparpillés comme des déchets, abandonnés sur le plancher comme des mouchoirs en papier. Chaque fois que Nichol rendait visite à ses oncles et tantes, d'autres pièces de l'héritage familial étaient apparues, jusqu'à ce qu'il ne reste presque plus de place pour les humains. C'était peut-être l'intention.

Elle avait la même impression ici. Des objets. Trop d'objets. Mais l'un d'eux attira son regard. Un album de fin d'études, posé sur le canapé. Ouvert.

Une sorte de cri aigu fendit le calme de la pièce. Lacoste se figea. À côté d'elle, l'inspecteur-chef Gamache se retourna vers la source du bruit.

– Désolé.

Lemieux était debout à la porte, l'air penaud, tenant une bande de ruban jaune qu'il avait arrachée du bois.

– J'essaierai d'y aller plus silencieusement.

Isabelle Lacoste secoua la tête et son cœur reprit son rythme normal.

– La pièce a-t-elle changé ? lui demanda Gamache.

Lacoste regarda autour d'elle.

– Elle me semble identique, patron.

– Quelqu'un est entré par effraction. Je ne peux pas imaginer qu'on soit venu dans cet endroit sans but. Mais lequel ?

Du regard, Armand Gamache fit lentement le tour de la pièce maintenant familière, même s'il n'y était pas du tout à l'aise. Manquait-il quelque chose ? Pourquoi avait-on déchiré le ruban de la police pour entrer ? Pour prendre quelque chose ? Ou remettre quelque chose en place ?

Y avait-il une autre raison ?

Le seul détail de toute évidence différent, dans la pièce, c'était l'oiseau. L'avait-on tué volontairement ? S'agissait-il d'un sacrifice rituel ? Pourquoi un oisillon ? N'offrait-on pas en sacrifice des animaux plus gros ? Du bétail, des chiens, des chats ? Il s'aperçut qu'il s'imaginait cela, sans s'y connaître. L'histoire paraissait macabre.

Il s'agenouilla, en piétinant le gros sel sur le tapis, et pencha la tête pour mieux voir l'oiseau.

– Est-ce que je devrais le mettre dans un sac comme pièce à conviction ? demanda Lacoste.

– À un moment donné, oui. Avez-vous des réflexions à partager ?

Gamache savait que si Lacoste était venue, ce matin-là, ce n'était pas pour examiner la scène, mais pour se livrer à son propre rituel.

– L'oiseau paraît terrifié, mais c'est peut-être mon imagination.

– Nous avons une mangeoire sur notre balcon, dit Gamache en se redressant. Lorsqu'il fait beau, nous prenons notre café matinal dehors. Tous les oiseaux qui viennent ont l'air effrayés.

– Eh bien, Mme Gamache et vous êtes assez terrifiants, dit Lacoste.

– Ma femme l'est, en effet, dit-il en souriant. Elle me pétrifie.

– Pauvre homme.

– Malheureusement, je ne pense pas pouvoir me livrer à une interprétation exhaustive de l'expression faciale de cet oiseau mort.

– Heureusement qu'il nous reste les feuilles de thé et les entrailles.

– C'est ce que dit toujours Mme Gamache.

Son sourire s'effaça lorsqu'il baissa les yeux vers l'oiseau recroquevillé à ses pieds, tache sombre sur le sel blanc, avec son œil noir fixe et vide. Il se demanda ce que cet oiseau avait vu en dernier.

Hazel Smyth referma l'album et caressa sa couverture en similicuir, tout en le serrant contre sa poitrine, comme si cela pouvait panser la blessure, arrêter ce qui semblait s'écouler d'elle. Elle se sentait faiblir. L'album dur et anguleux mordait dans ses seins moelleux à mesure qu'elle le pressait de plus en plus fort. Elle ne le serrait plus contre elle, elle s'y accrochait, plantant de plus en plus profondément dans son cœur l'album de leurs rêves de jeunesse. Comme la douleur physique la soulageait, elle aurait aimé que les bords soient plus tranchants, qu'ils l'entaillent au lieu de seulement la meurtrir. Cette douleur physique, elle la comprenait. L'autre était terrifiante. Elle était noire, vide, creuse et infinie.

Combien de temps pourrait-elle vivre sans Madeleine ?

Elle commençait à peine à saisir toute l'horreur de sa perte.

Avec Mado, elle avait connu une vie de gentillesse et de prévenance. Avec Mado, elle était une personne différente. Insouciante, détendue, enjouée. Elle osait exprimer ses opinions. Elle avait bel et bien des opinions, et Madeleine l'écoutait. Sans toujours être d'accord, mais elle l'écoutait toujours. Vue de l'extérieur, leur vie avait dû sembler banale et même ennuyeuse. Mais vue de l'intérieur, c'était un kaléidoscope.

Peu à peu, Hazel était tombée amoureuse de Madeleine. Non pas physiquement. Elle n'avait aucune envie de coucher avec elle, ni même de l'embrasser. Parfois, cependant, lorsque Mado était assise sur le canapé, le soir, en train de lire, et Hazel dans sa bergère avec son tricot, Hazel aurait voulu se lever, aller jusqu'au canapé et poser la tête de Madeleine sur sa poitrine. À l'endroit où se trouvait maintenant l'album. Hazel le caressa en imaginant plutôt cette tête magnifique.

– Madame Smyth.

L'inspecteur Beauvoir interrompit la rêverie de Hazel. Sur sa poitrine, la tête devint froide et dure. Elle devint un album. Et la maison, froide et vide. Une fois de plus, Hazel perdit Madeleine.

– Puis-je le voir ? demanda Beauvoir en tendant la main.

L'agente Nichol, qui avait trouvé l'album ouvert dans la salle de séjour et l'avait apporté dans la cuisine, ne s'était pas attendue à la réaction de Hazel. Personne ne s'y serait attendu.

– C'est à moi ! Donnez-le-moi ! avait rugi Hazel en s'approchant de Nichol avec tant de hargne que la jeune agente le lui avait remis sans hésiter.

Hazel l'avait pris, s'était assise et l'avait serré contre elle. Pour la première fois depuis leur arrivée, la pièce avait été silencieuse.

– Puis-je ?

Beauvoir fit un geste pour le prendre. Hazel parut ne pas comprendre. Elle semblait presque croire qu'il voulait lui arracher le bras. Finalement, elle lui remit l'album.

– C'est l'année de notre remise de diplômes.

Penchée au-dessus de la table en face de Beauvoir, Hazel tourna les pages jusqu'à la section des photos de la cérémonie.

– Voilà Madeleine.

Elle montra une fille heureuse et souriante. Sous sa photo, une mention dactylographiée : « Madeleine Gagnon. Elle finira sûrement à Tanguay. »

– C'était une blague, dit Hazel. C'est certain que Mado n'allait pas aboutir à la prison des femmes. Tout le monde savait qu'elle allait réussir dans la vie. On a seulement voulu se moquer d'elle.

Jean-Guy Beauvoir voulait bien croire que Hazel en était convaincue, mais il savait que la plupart des blagues ont un fond de vérité. Certaines des amies de Madeleine à l'école secondaire décelaient-elles autre chose chez elle ?

– Ça vous ennuierait si on l'emportait ? Vous allez le ravoir.

Évidemment que ça l'ennuyait, mais elle secoua la tête.

L'album rappela à Beauvoir une question que Gamache lui avait demandé de poser à Hazel.

– Que savez-vous de Sarah Binks ?

Il vit à l'expression de Hazel que la question n'avait aucun sens pour elle. « Blabla Blinks ? »

– L'inspecteur-chef a trouvé un livre intitulé *Sarah Binks* dans le tiroir de la table de chevet de Madeleine.

– Vraiment ? C'est étrange. Non, je n'en ai jamais entendu parler. Est-ce que c'était un…

– Un livre cochon ? Je ne pense pas. L'inspecteur-chef l'a lu et a bien ri.

– Désolée, je ne peux pas vous aider.

Elle dit cela poliment, mais Beauvoir décela autre chose. Hazel était déconcertée. Par ce livre ou par le fait que sa meilleure amie ait gardé un secret ?

– Vous nous avez parlé du soir où Madeleine est morte, mais il y avait eu une autre séance, quelques jours plus tôt.

– Vendredi soir, au bistro. Je n'y étais pas.

– Mais Mme Favreau y était. Pourquoi ?

– Je ne vous l'ai pas déjà dit quand vous êtes venu avec l'inspecteur-chef ? demanda Hazel, pour qui tout cela devenait un peu nébuleux.

– Oui, en effet, mais les gens ont parfois l'esprit un peu embrouillé au premier entretien. Il serait bien de réentendre votre version.

Hazel se demanda si c'était vrai. Loin de s'éclaircir, son esprit devenait de plus en plus embrumé.

– Je ne sais pas pourquoi Mado y est allée. Gabri avait affiché une annonce à l'église et au bistro, pour dire à tout le monde qu'une grande médium, Mme Blavatsky, séjournait à son auberge et avait accepté de réveiller les morts. Un soir seulement.

Hazel sourit.

– D'après moi, personne n'a pris cette histoire de séance au sérieux, inspecteur. Sûrement pas Madeleine. Je crois que c'était uniquement pour s'amuser, une façon différente de passer une soirée.

– Mais vous n'approuviez pas ?

– Je pense qu'il y a des choses avec lesquelles il ne faut pas jouer. Au mieux, c'est une perte de temps.

– Et au pire ?

Hazel ne répondit pas tout de suite. Pendant un moment, ses yeux voletèrent autour de la cuisine, comme si elle cherchait un endroit sûr où se poser. Ne trouvant rien, elle revint au visage de Beauvoir.

– C'était le Vendredi saint, inspecteur. Le Vendredi saint.

– Alors ?

– Pensez-y. Pourquoi Pâques est-il la plus importante fête chrétienne ?

– Parce que c'est à cette période de l'année que le Christ a été crucifié.

– Non. Parce que c'est le jour où le Christ est ressuscité.

27

Pendant que Lacoste prenait des photos dans la chambre à coucher de la vieille maison des Hadley et que Lemieux mettait le ruban dans un sac de pièces à conviction, Gamache ouvrait et refermait les tiroirs des commodes, de la table de chevet et de la coiffeuse. Puis il se dirigea vers la bibliothèque.

Qu'est-ce que quelqu'un voulait à tout prix dans cette pièce, au point d'arracher le ruban de la Sûreté ?

Gamache sourit en voyant les ouvrages de Francis Parkman, cette odieuse histoire du Canada qu'on enseignait dans les écoles, un siècle plus tôt, à des élèves suffisamment naïfs pour croire que les autochtones étaient sournois et sauvages et que les Européens avaient apporté la civilisation sur ces rives.

Gamache ouvrit un des volumes au hasard.

« Sous l'aspect de bêtes ou d'autres formes abominables et indiciblement hideuses, la progéniture de l'enfer, enragée et déroutée, hurlait et arrachait les branches de l'habitation sylvestre. »

Gamache referma le livre et regarda de nouveau la couverture, éberlué. S'agissait-il vraiment de l'œuvre de Francis Parkman ? Cet ouvrage desséché, ennuyeux à mourir ? « La progéniture de l'enfer » ? Oui, c'était bien un livre de Parkman. Qu'il avait ouvert à la section sur le Québec.

– Agente Lacoste, voudriez-vous venir ici ?

Lorsqu'elle arriva, il lui tendit le livre.

– Pourriez-vous l'ouvrir, s'il vous plaît ?

– Seulement l'ouvrir ?

– S'il vous plaît.

Isabelle Lacoste prit le volume de cuir craquelé et en écarta lentement les deux couvertures. Les pages fragiles se déployèrent en éventail puis, après un moment d'immobilité, retombèrent et le livre s'ouvrit. Gamache se pencha et lut : « Sous l'aspect de bêtes ou d'autres formes abominables et indiciblement hideuses… »

Le livre s'était ouvert à cette page, précisément.

Gamache le regarda un moment, puis le replaça sur l'étagère et prit le suivant. Une Bible. Il se demanda si c'était une coïncidence ou si la personne qui avait rangé ces livres ensemble savait que l'un avait besoin de l'autre. Mais lequel avait besoin de l'autre ? Il jeta un coup d'œil à la Bible et la glissa dans sa poche. Il savait ce qu'il lui restait à faire, et le moindre élément était utile. La fente sombre dans la bibliothèque, là où la Bible s'était trouvée, révélait la couverture du livre suivant. Un livre dont le dos était dépourvu d'inscription.

Lacoste était retournée à son travail et ne vit pas Gamache glisser le second livre dans sa poche. Lemieux, lui, le remarqua.

Gamache savait qu'il perdait du temps. Le soleil allait bientôt se coucher et il ne voulait certainement pas y aller dans la pénombre.

– Je vais fouiller le reste de la maison. Vous, ça ira ici ?

Lacoste et Lemieux eurent la même expression que ses enfants, Daniel et Annie, lorsqu'il leur avait annoncé qu'il était temps pour eux d'essayer de traverser la baie à la nage sans gilet de sauvetage.

– Vous êtes d'assez bons nageurs.

Malgré ces paroles encourageantes, ils n'arrivaient pas à croire ce qu'il leur demandait.

– Je vais vous suivre en chaloupe.

Il revoyait encore l'hésitation dans les yeux de Daniel. Mais Annie avait plongé. Comme Daniel ne voulait pas être en reste, il avait plongé lui aussi.

Vigoureux et musclé, Daniel avait traversé la baie à la nage sans difficulté. Annie y était arrivée de justesse. Elle était petite et maigre, comme Reine-Marie à son âge. Mais, contrairement à Daniel, elle n'avait pas cédé à la peur. Cependant, si jeune dans une baie si large, elle avait failli ne pas réussir, faisant presque du surplace sur les quelques derniers mètres. Son père n'avait cessé de l'encourager, l'avait pratiquement tirée jusqu'à la rive avec ses mots, comme s'il s'agissait de câbles attachés à ce petit corps tant aimé. Deux fois, il avait été sur le point de la sortir de l'eau, mais il avait attendu et elle avait trouvé la force de continuer.

Les petits corps tout excités furent enveloppés dans des serviettes réchauffées au soleil, et Armand Gamache, tout en frictionnant ses enfants et en les tenant dans ses gros bras forts, s'était demandé s'il avait commis une erreur en encourageant Annie à se lancer en même temps que Daniel. Non pas parce qu'elle avait failli échouer, mais parce qu'elle avait réussi. Il avait senti Daniel essayer de se dégager de ses bras, au début, puis il avait fini par se calmer et accepter d'être pris, réconforté et félicité.

Malgré sa carrure et sa force, Daniel était le plus fragile. Celui qui avait le plus grand besoin d'attention. C'était encore vrai.

Avec Lacoste et Lemieux, il avait la même impression. Mais qui était fort et qui avait besoin d'attention ? Était-ce important ? Comme pour ses enfants, il croyait en l'un comme en l'autre.

– Je peux vous aider ? demanda Lacoste, résolue à accomplir la terrible tâche s'il le lui demandait.

– Vous avez suffisamment à faire, merci. Quand vous aurez terminé, retournez au bureau provisoire. J'espère que la médecin légiste aura des résultats.

Isabelle Lacoste le regarda disparaître dans l'obscurité comme si la maison l'avalait.

Il était parti et elle restait seule. Avec Lemieux. Elle appréciait Robert Lemieux. Il était jeune et enthousiaste. Avec lui, il n'y avait jamais de lutte de pouvoir. À la différence de Nichol, c'était un collaborateur de bonne compagnie. Nichol, elle, était une catastrophe ambulante : suffisante, boudeuse, égocentrique.

Ce qui déroutait Lacoste, c'était que Gamache la garde dans l'équipe. Il l'avait déjà congédiée, mais, lorsque Nichol avait été réaffectée aux homicides, il avait tout simplement cédé. Sans faire d'histoire.

Maintenant, elle était de retour avec eux. Gamache aurait pu l'affecter à d'autres affaires, dans des régions éloignées, ou lui confier des tâches administratives au quartier général. Il l'avait plutôt affectée aux enquêtes les plus difficiles. Avec lui.

« Tout arrive pour une raison, disait Gamache. Tout. » Dans ce cas aussi, Lacoste le savait, mais laquelle ?

– Ça va ? demanda Lemieux.

– J'ai presque fini. Toi ?

– Il me reste une ou deux choses à faire. Tu peux y aller.

– Non, je préfère attendre.

Lacoste ne voulait pas l'abandonner dans cet endroit terrible.

Le téléphone de Lemieux vibrait depuis cinq minutes. Il n'avait qu'une envie : répondre. Pourquoi ne voulait-elle pas partir ?

– Pourquoi ?

– Tu ne le sens pas ?

Il savait qu'il devrait au moins faire semblant d'être mal à l'aise, mais, en vérité, la vieille maison des Hadley ne lui faisait aucun effet. Cependant, il voyait les autres y réagir, même Gamache – surtout lui, peut-être.

– On dirait que quelque chose est ici avec nous, dit Lacoste. En train de nous observer.

Ils restèrent immobiles, Lacoste hypervigilante, attentive à chaque grincement, à chaque recoin, Lemieux obsédé par le téléphone qui vibrait dans sa poche.

– Attention, dit-il. Tu vas te faire mourir de peur.

– Le meurtrier a fait un bon choix. Même le diable aurait peur ici.

– Écoute, tu as pas mal de boulot qui t'attend au bureau provisoire. Je vais me débrouiller. Je te jure.

– Vraiment ? demanda-t-elle, voulant désespérément le croire.

« Va-t'en ! » avait-il envie de hurler.

– Vraiment. Je suis trop stupide pour avoir peur, dit-il en souriant. Je ne crois pas que le diable s'attaque aux imbéciles.

– Je pense qu'il ne s'attaque qu'aux imbéciles, dit Lacoste, qui aurait préféré ne pas parler du diable dans la vieille maison des Hadley. Bon, à plus tard. Tu as ton cellulaire, au cas…

– Au cas ? fit-il en souriant d'un air taquin et en essayant de l'entraîner vers la porte. Oui, je l'ai.

Isabelle Lacoste passa dans le couloir sombre au tapis usé et à l'odeur de moisissure et de pourriture. Dès que Lemieux eut le dos tourné, elle se mit à courir, faillit trébucher dans l'escalier et sortit comme si elle avait été vomie par de sinistres entrailles.

– Vous saviez que Madeleine Favreau avait eu le cancer du sein ? demanda l'inspecteur Beauvoir.

– Bien sûr que oui, dit Hazel, étonnée.

– Mais vous ne nous l'avez pas dit.

– J'ai oublié, je suppose. Je ne l'ai jamais considérée comme une femme qui avait été atteinte du cancer et elle non plus. Elle n'en parlait presque plus. Elle a continué sa vie, tout simplement.

– Elle a dû recevoir un choc en l'apprenant. Elle devait être au début de la quarantaine, n'est-ce pas ?

– Oui. Les femmes l'ont de plus en plus jeunes, on dirait. Mais je ne la fréquentais pas au moment de son diagnostic. Quand elle m'a retrouvée, elle était déjà en traitement. Je pense que ça se produit souvent : les vieux amis prennent plus d'importance. On ne s'était pas revues depuis l'école secondaire, puis, tout à coup, elle m'a appelée et elle est arrivée. On aurait dit que le temps n'avait rien changé. Elle était affaiblie par la chimio, mais toujours aussi ravissante. Elle semblait avoir encore dix-huit ans, sauf qu'elle était chauve, mais ça la rendait d'autant plus belle. C'était étrange. Je me demande parfois si la chimiothérapie n'emmène pas les gens presque dans un autre monde. Beaucoup d'entre eux ont l'air tellement paisibles. Le visage lisse, les yeux brillants. Madeleine rayonnait presque.

– Êtes-vous certaine qu'elle ne subissait pas des traitements de radiothérapie ? demanda Nichol.

– Agente Nichol ! aboya Beauvoir.

Dans sa poche, il sentit la pierre qu'il avait trouvée près de la Bella Bella. Elle mourait d'envie de s'envoler. Pour écraser ce crâne, s'enfoncer dans cette tête jusqu'à ce qu'elle broie ce minuscule cerveau atrophié. Et le remplace. Qui verrait la différence ?

– C'était une remarque déplacée.

– C'était une blague, c'est tout.

– Elle était cruelle, agente Nichol, et vous le savez très bien. Excusez-vous.

Nichol se tourna vers Hazel, le regard dur.

– Excusez-moi.

– Ça va.

Nichol savait qu'elle était allée trop loin. Mais on lui avait dit de le faire : son rôle était d'exaspérer, de contrarier, de déstabiliser l'équipe.

Pour la Sûreté, elle le voulait bien. Pour son patron, qu'elle adorait et détestait. En voyant le beau visage de l'inspecteur Beauvoir congestionné de rage, elle sut qu'elle avait réussi.

– Madeleine est retournée à Montréal pour terminer sa chimio, poursuivit Hazel après un silence gêné. Mais, par la suite, elle venait chaque week-end. Elle n'était pas heureuse dans son mariage. Ils n'avaient pas d'enfants, vous savez.

– Pourquoi était-elle malheureuse ?

– Elle disait qu'elle et son mari s'étaient tout simplement éloignés l'un de l'autre. Elle pensait aussi que son mari acceptait peut-être mal que sa femme ait si bien réussi dans la vie. Elle excellait en tout, vous savez. Comme toujours. C'était Madeleine, elle était comme ça.

Hazel regarda Beauvoir avec la fierté d'une mère. Il se dit qu'elle était sans doute une bonne mère. Gentille et prévenante. Encourageante. Pourtant, elle avait élevé cette enfant gâtée qui se trouvait à l'étage. Certains enfants, il le savait, étaient d'une telle ingratitude.

– Ce doit être difficile, dit Hazel.

– Quoi donc ?

Beauvoir s'était égaré dans ses propres pensées.

– D'être avec quelqu'un qui a toujours du succès. Surtout si on manque d'assurance. Le mari de Mado a dû se sentir menacé, non ?

– Savez-vous comment on peut le trouver ?

– Il habite encore à Montréal. Il s'appelle François Favreau. C'est un homme sympathique. Je l'ai rencontré à quelques reprises. J'ai son adresse et son numéro de téléphone, si vous voulez.

Hazel se leva de la table et se rendit à une commode. Elle ouvrit le tiroir du haut et y fouilla, le dos tourné.

– Pourquoi êtes-vous allée à la seconde séance, madame Smyth ?

– Madeleine me l'avait demandé, dit Hazel en remuant des papiers dans le tiroir.

– Pourtant, elle vous a invitée à la première, mais vous ne l'avez pas accompagnée. Pourquoi aller à la seconde ?

– J'ai trouvé.

Hazel se retourna et tendit un carnet d'adresses à Beauvoir, qui le remit à Nichol.

– Qu'est-ce que vous me demandiez, inspecteur ?

– La seconde séance, madame.

– Ah oui. Eh bien, pour plusieurs raisons, si je me souviens bien. Madeleine semblait s'être amusée à la première. Elle avait trouvé ça ridicule, dans le genre parc d'attractions. Vous vous rappelez comme on se faisait peur dans les montagnes russes et la maison hantée ? Ça paraissait divertissant et je regrettais un peu d'avoir manqué la première.

– Et Sophie ?

– Dans son cas, c'était acquis au départ. « Un peu de piquant dans le patelin », comme elle dit. Sophie a été emballée toute la journée à l'idée de la séance.

Le visage animé de Hazel s'assombrit lentement. Beauvoir y vit les traces de cette soirée, jusqu'à ce que le souvenir de Madeleine passe de la vie à la mort.

– Qui aurait voulu la tuer ? demanda Beauvoir.

– Personne.

– Quelqu'un l'a fait.

Il s'efforça de donner à ses propos un ton doux et gentil, comme Gamache l'aurait fait, mais même à ses propres oreilles les mots semblaient accusateurs.

– Madeleine était… – Hazel remua gracieusement ses mains devant elle, comme si elle dirigeait un orchestre ou fouillait l'air à la recherche de mots appropriés –, elle était la lumière du soleil. Elle illuminait chaque vie. Elle y arrivait sans effort. Moi, je n'ai pas ce talent.

D'une main, Hazel indiqua le régiment de plats cuisinés.

– Je me démène pour essayer d'aider les gens, sans même qu'on me le demande. Je sais, ça peut être agaçant. Madeleine, il lui suffisait de passer du temps avec les gens pour qu'ils se sentent mieux. C'est difficile à expliquer.

« Pourtant, se dit Beauvoir, vous êtes en vie et elle est morte. »

– On pense que quelqu'un a donné l'éphédra à Madeleine au repas du soir. Est-ce qu'elle s'est plainte de la nourriture ?

Hazel réfléchit, puis secoua la tête négativement.

– S'est-elle plainte de quoi que ce soit, ce soir-là ?

– Non. Elle semblait heureuse.

– Il paraît qu'elle fréquentait M. Béliveau. Que pensez-vous de lui ?

– Oh, je l'aime bien. Sa femme était une amie à moi, voyez-vous. Elle est morte il y a presque trois ans. Madeleine et moi avons un peu adopté M. Béliveau par la suite. Le décès de Ginette l'avait démoli.

– Il semble s'être bien rétabli.

– Oui, c'est vrai, dit-elle avec peut-être un peu trop d'effort pour paraître indifférente.

Il se demanda ce qui se passait derrière ce visage placide et un peu triste. Que pensait vraiment Hazel Smyth de M. Béliveau ?

28

Gamache fredonna un peu en traversant la cuisine de la vieille maison des Hadley. Le fredonnement n'était ni assez fort pour effrayer un fantôme ni assez mélodieux pour être réconfortant. Mais il était naturel et humain, et lui tenait compagnie.

Puis, Gamache sortit de la cuisine et du confort. Il trouva une autre porte fermée. Sa carrière de policier aux homicides l'avait incité à demeurer prudent devant des portes closes, au sens propre comme au sens figuré, même s'il savait qu'elles cachaient souvent des réponses.

Mais, parfois, autre chose se tapissait derrière elles. Quelque chose de vieux, de pourri et de tordu par le temps et la nécessité.

Gamache savait que les gens étaient à l'image des maisons. Certains étaient joyeux et lumineux, d'autres lugubres. Certains paraissaient bien de l'extérieur, mais étaient malheureux à l'intérieur. Et certaines des maisons les moins attrayantes au-dehors étaient accueillantes et chaleureuses en dedans.

Il savait aussi que les premières pièces étaient destinées à donner le change. Pour trouver la réalité, il fallait aller plus loin, jusqu'à atteindre, inévitablement, la dernière pièce, celle qu'on garde verrouillée, barricadée, pour que personne ne puisse y entrer, y compris soi-même. Surtout soi-même.

Dans chaque enquête sur un meurtre, c'était cette pièce que cherchait Gamache. C'est là que se cachaient les secrets. C'est là qu'attendaient les monstres.

– Qu'est-ce qui vous a pris autant de temps?

Michel Brébeuf parlait au téléphone, sur un ton frustré et coléreux. Il n'aimait pas attendre. Il n'aimait surtout pas que des subalternes ne répondent pas sur-le-champ à ses appels.

– Vous deviez savoir que c'était moi.

– Je le savais, mais je ne pouvais pas répondre. J'étais coincé.

Le ton de Robert Lemieux avait cessé d'être obséquieux. Depuis ce dernier entretien dans le bureau de Brébeuf, quelque chose avait changé. Le pouvoir s'était déplacé, en quelque sorte, et Brébeuf ne savait pas comment ni pourquoi, ni quoi faire.

– Que ça ne se reproduise pas.

Cela se voulait un avertissement, mais la voix de Brébeuf avait paru irritée et plaignarde. Lemieux raffermit sa position en ne relevant pas le commentaire.

– Où êtes-vous, maintenant ? demanda Brébeuf.

– Dans la vieille maison des Hadley. Gamache est en train de fouiller le reste de la maison et je suis dans la pièce où a eu lieu le meurtre.

– Est-ce qu'il est sur le point de résoudre l'affaire ?

– Vous plaisantez ? Il y a quelques minutes, il essayait de communiquer avec un oiseau mort. L'inspecteur-chef n'est pas près d'élucider ce meurtre.

– Et vous ?

– Quoi, moi ?

– Avez-vous découvert le meurtrier ?

– Ce n'est pas ma mission, vous vous rappelez ?

Il ne faisait même plus semblant de donner le beau rôle à Brébeuf. Même les « monsieur » avaient disparu. Le jeune policier aimable, malléable et ambitieux mais pas très intelligent avait changé.

– Qu'avez-vous à me dire au sujet de l'agente Nichol ?

– Un vrai désastre. Je ne sais pas pourquoi vous nous l'avez envoyée.

– Elle a un rôle à jouer.

Brébeuf sentit retomber ses épaules, qui s'étaient haussées jusqu'à ses oreilles. Il cachait au moins un secret à Lemieux : Yvette Nichol.

– Écoutez, dit Lemieux, il faut que vous m'expliquiez ce qu'elle fait ici.

Puis, après une pause, il ajouta :

– Monsieur.

Brébeuf souriait, maintenant. Heureusement qu'il y avait l'agente Nichol, pitoyable et complètement perdue.

– Est-ce que l'inspecteur-chef a vu le journal ?

Il y eut une pause. Lemieux avait du mal à laisser tomber sa question sur Nichol.

– Oui. Il en a parlé au repas, ce midi.

– Et ?

– Ça ne semblait pas le déranger. Il en riait, même.

« Gamache riait, se dit Brébeuf. On l'a clairement et personnellement attaqué, et il riait. »

– C'est bon. Je m'y attendais, en fait.

C'était vrai. Mais il avait espéré autre chose. Dans ses rêveries, ce visage familier lui était apparu abasourdi et blessé. Il avait même imaginé que Gamache appellerait son meilleur ami pour lui demander son soutien et ses conseils. Et quelle recommandation Michel Brébeuf avait-il préparée et répétée ?

« Ne les laisse pas gagner, Armand. Concentre-toi sur l'enquête et laisse-moi m'occuper du reste. »

Armand Gamache se serait détendu, sachant que son ami le protégerait. Il aurait consacré toute son attention à la chasse au tueur, sans se rendre compte de ce qui s'approchait à pas de loup derrière lui. Dans l'ombre longue et sombre que lui-même créait.

Jusqu'ici, Gamache avait scruté le grenier avec sa lampe de poche, effrayant quelques chauves-souris et se faisant peur à lui-même. Il avait fouillé du regard les chambres, les salles de bains et les placards. Après avoir traversé d'un pas décidé le séjour envahi par les toiles d'araignées, avec son lourd manteau de cheminée et ses moulures, il était arrivé à la salle à manger.

Il se produisit alors une chose étrange. Il sentit soudain l'arôme appétissant d'un repas bien apprêté. On aurait dit un rôti du dimanche, avec de la sauce, des pommes de terre et des panais. Il percevait l'odeur des oignons caramélisés, du pain frais et fumant, et même du vin rouge.

Et il entendait des rires et une conversation. Fasciné, il s'immobilisa dans la salle à manger obscure. La maison essayait-elle de le séduire ? se demanda-t-il. De lui faire baisser sa garde ? Cette maison était vraiment dangereuse si elle savait que la nourriture aurait cet effet sur lui. Pourtant, il garda l'étrange impression d'un souper servi il y a longtemps, à des gens morts et enterrés depuis belle lurette. Des gens qui avaient été heureux ici, jadis. C'était son imagination, bien sûr. Tout simplement.

Gamache avait quitté la salle à manger. Si quelqu'un ou quelque chose se cachait dans cette maison, il savait où le trouver.

Dans la cave.

Il tendit la main vers la poignée en céramique, froide au toucher. La porte s'ouvrit avec un grincement.

– Tu es de retour, dit l'agente Lacoste en saluant Beauvoir et en ignorant Nichol. Comment ça s'est passé ?

– J'ai rapporté ça.

Il jeta l'album sur la table de conférence, puis parla à Lacoste de ses entrevues avec Hazel et Sophie.

– Qu'est-ce que tu en penses ? demanda Lacoste après avoir réfléchi. Est-ce que Sophie aimait Madeleine ou la détestait ?

– Je ne sais pas. Ça semble confus. Ça pourrait être l'un ou l'autre.

Lacoste hocha la tête.

– Bien des filles ont le béguin pour des femmes plus âgées. Des enseignantes, des écrivaines, des athlètes. Moi, c'était Helen Keller.

Beauvoir n'avait jamais entendu parler d'Helen Keller, mais imaginer Lacoste dans une relation torride avec cette Helen lui donna matière à réflexion pendant qu'il enlevait son manteau. Il voyait s'enlacer leurs corps luisants…

– Elle était aveugle et sourde, dit Lacoste, qui le connaissait suffisamment pour deviner sa réaction. Et elle est morte.

Cela changeait certainement l'image qu'il avait à l'esprit. Il cligna des yeux pour l'effacer.

– Le gros lot, quoi.

– Elle était également intelligente.

– Mais morte.

– C'est vrai. Ça a mis fin à la relation, j'en ai bien peur. Mais je l'adore encore. Une femme admirable. Elle a dit : « Tout a ses merveilles, l'obscurité et le silence aussi. » De quoi parlions-nous ?

– De béguins, dit Nichol.

Elle se serait giflée. Elle voulait qu'ils oublient sa présence.

Beauvoir et Lacoste se tournèrent vers elle, étonnés de la voir là, et de l'entendre dire quelque chose d'utile.

– Alors, tu avais vraiment le béguin pour Helen Keller ? dit Nichol. Elle était folle, tu sais. J'ai vu le film.

Lacoste lui lança un regard de rejet total. Pas même de dédain. Son regard fit disparaître Nichol.

« L'obscurité et le silence. Ce n'est pas toujours merveilleux », se dit Nichol.

Beauvoir et l'agente Lacoste lui tournèrent le dos et s'éloignèrent.

– Tu disais qu'il est naturel, pour une fille de l'âge de Sophie, d'avoir les idées embrouillées ? demanda Beauvoir à Lacoste.

– C'est souvent le cas. Les émotions vont dans toutes les directions. Il serait normal qu'elle ait haï Madeleine Favreau après l'avoir aimée. Pour ensuite l'adorer de nouveau. Pense aux relations de la plupart des filles avec leur mère. J'ai appelé le labo. Le rapport sur l'entrée par effraction ne sera pas prêt avant demain matin, mais la médecin légiste a envoyé son rapport préliminaire par courriel, en précisant qu'elle s'arrêterait en rentrant chez elle. Elle veut rencontrer le chef au bistro dans une heure.

– Où est-il ? demanda Beauvoir.

– Encore à la vieille maison des Hadley.

– Seul ?

– Non. Lemieux est là aussi. Il faut que je te parle de quelque chose.

Elle lança un regard vers Nichol, maintenant à son bureau, devant son écran. « Elle fait sûrement une réussite », se dit Lacoste.

– Pourquoi est-ce qu'on n'irait pas marcher ? proposa Beauvoir. Prendre un peu d'air avant la tempête.

– Quelle tempête ?

Elle le suivit jusqu'à la porte. Il l'ouvrit et hocha la tête vers le ciel.

Lacoste ne voyait que du bleu et quelques rares nuages. C'était une journée magnifique. Elle vit Beauvoir, de profil, qui fixait également le ciel, le visage grave. Lacoste regarda un peu plus attentivement. Puis, juste au-dessus de la pinède sombre, sur la crête de la colline, derrière la vieille maison des Hadley, elle l'aperçut : une entaille noire qui s'élevait, comme si le ciel avait été un dôme, gai et lumineux, et artificiel. Ce dôme était en train de s'ouvrir.

– Qu'est-ce que c'est ?

– Seulement une tempête. Elles paraissent plus spectaculaires à la campagne. En ville, avec les édifices, on ne voit pas tout ça.

Il fit un signe désinvolte de la main en direction de l'entaille, comme si toutes les tempêtes ressemblaient à une chose funeste qui approche.

Beauvoir remit son manteau et, une fois dehors, se dirigea vers le pont de pierre pour entrer dans Three Pines, mais Lacoste hésita.

– Ça te dérangerait d'aller marcher par là ?

Elle indiquait la direction opposée. Il vit une jolie route de terre qui serpentait à travers les bois. Au-dessus, les vieux arbres formaient une voûte, en se touchant presque. L'été, il y aurait une ombre douce, mais maintenant, au début du printemps, les branches ne portaient que des bourgeons, comme de minuscules balises lumineuses vertes, entre lesquels le soleil se glissait aisément. Ils pénétrèrent en silence dans un monde de doux arômes et de chants d'oiseaux. Beauvoir se rappela ce que prétendait Gilles Saindon : que les arbres parlaient. Peut-être leur arrivait-il aussi de chanter.

Finalement, Lacoste fut certaine que personne, surtout pas Nichol, ne pouvait les entendre.

– Parle-moi de l'affaire Arnot.

Gamache plongea le regard dans l'obscurité et le silence. Il était déjà venu dans cette cave. Il avait ouvert cette même porte au milieu d'une violente tempête, dans le noir, cherchant désespérément une femme qu'on avait enlevée. Puis, il avait posé un pied dans le vide. C'était comme voir ses pires cauchemars devenir réalité. Il avait franchi le seuil du néant. Pas de lumière, pas d'escalier.

Il était tombé, de même que ceux qui l'accompagnaient. Leurs corps, blessés et ensanglantés, empilés les uns par-dessus les autres sur le sol de la cave.

La vieille maison des Hadley se protégeait. Elle semblait tolérer, de mauvaise grâce, les intrusions mineures. Mais elle devenait de plus en plus malveillante à mesure qu'on s'avançait. D'instinct, il plongea la main dans la poche de son pantalon, puis l'en ressortit, vide.

Il se rappela alors la Bible qu'il avait glissée dans la poche de sa veste et se sentit un peu mieux. Même s'il n'allait pas à l'église, il connaissait la puissance de la foi. Et des symboles. Soudain, il pensa à l'autre livre qu'il avait trouvé et emporté de la scène du crime, et le peu de réconfort qu'il avait pu éprouver s'évapora, comme aspiré de son être pour disparaître dans le vide devant lui.

Il éclaira les marches avec sa lampe de poche. Cette fois, au moins, il y en avait. Posant avec hésitation son grand pied sur la première, il sentit qu'elle soutenait son poids. Puis, il inspira profondément et descendit.

– Pardon ?

– J'ai besoin d'en savoir plus long sur l'affaire Arnot, dit Lacoste.

– Pourquoi ?

Il s'arrêta au milieu de la route de campagne et se tourna vers elle. Elle le regarda droit dans les yeux.

– Je ne suis pas une imbécile. Il se passe quelque chose et je veux le savoir.

– Tu dois l'avoir suivie à la télé ou dans les journaux.

– Oui, en effet. Et, à l'école de police, on ne parlait que de ça.

Beauvoir repensa à cette époque sombre pendant laquelle la Sûreté était déchirée. L'organisation loyale et homogène s'était livrée à une guerre intestine. Avait entrepris de s'autodétruire. C'était affreux. Tous les policiers savaient que la force de la Sûreté reposait sur la loyauté. Leurs vies mêmes en dépendaient. Mais l'affaire Arnot avait tout changé.

D'un côté, le directeur Arnot et ses deux complices, accusés de meurtre. De l'autre, l'inspecteur-chef Gamache. Il serait faux de dire que la Sûreté était scindée en deux. Tous les policiers que Beauvoir connaissait étaient horrifiés, écœurés par les agissements d'Arnot. Mais beaucoup furent aussi consternés par le geste de Gamache.

– Alors, tu sais tout, dit Beauvoir.

– Je ne sais pas tout, et tu le sais bien. Qu'est-ce qui ne va pas ? Pourquoi me tiens-tu à l'écart ? Je sais qu'il se passe quelque chose. L'affaire Arnot n'est pas finie, hein ?

Beauvoir se détourna et se remit à marcher lentement sur la route, s'enfonçant encore plus dans la forêt.

– Alors ? lui lança Lacoste.

Beauvoir resta silencieux. Les mains jointes derrière le dos, il continua de marcher en réfléchissant.

Devait-il tout dire à Lacoste ? Qu'en penserait Gamache ? Était-ce important ? Le chef n'avait pas toujours raison.

Beauvoir s'arrêta et regarda derrière lui vers Isabelle Lacoste, fermement plantée au milieu de la route. Il lui fit signe de s'approcher, puis lui demanda :

– Dis-moi ce que tu sais.

Il fut surpris de s'entendre prononcer cette phrase. C'était celle que Gamache lui répétait continuellement.

– Je sais que Pierre Arnot était un directeur de la Sûreté.

– Il en était le directeur général. Il était monté en grade en passant par les narcotiques et les crimes graves.

– Quelque chose lui est arrivé. Il est devenu insensible, cynique. Ça arrive souvent, je sais. Mais, avec Arnot, il y avait autre chose.

– Tu veux connaître les dessous de l'histoire?

Lacoste répondit d'un signe de tête.

– Arnot était un personnage charismatique. Les gens l'aimaient, l'adoraient même. Je l'ai rencontré à quelques reprises et j'ai eu le même sentiment. Il était grand et fort, rude. On aurait dit qu'il pouvait abattre un ours de ses mains. Il était brillant aussi, d'une intelligence vive.

– C'est ce que tout homme veut voir dans le miroir.

– Exactement. Et il donnait à ses subalternes un sentiment de puissance et de supériorité. De grand pouvoir.

– Étais-tu attiré par lui?

– J'ai voulu me joindre à sa section, mais ma candidature a été refusée.

C'était la première fois qu'il en parlait à qui que ce soit, à part Gamache.

– À l'époque, je travaillais dans le district judiciaire de Trois-Rivières. Quoi qu'il en soit, comme tu en as probablement entendu parler, Arnot inspirait une loyauté presque mythique chez ses subalternes.

– Mais?

– C'était un petit tyran. Il exigeait une conformité absolue. Les bons agents ont fini par quitter sa section et il est resté avec la racaille.

– Avec d'autres tyrans ou avec des agents trop effrayés pour tenir tête à un tyran, dit Lacoste.

– Je croyais que tu ne connaissais pas les dessous de l'histoire.

– Je ne les connais pas, mais j'ai fréquenté des cours de récréation. C'est partout pareil.

– Ce n'était pas une cour de récréation, loin de là. Ça a commencé doucement. La violence non maîtrisée dans les réserves indiennes. Des meurtres non déclarés. Pour Arnot, si les autochtones voulaient se tuer et s'entretuer, c'était une affaire interne dans laquelle il ne fallait pas s'ingérer.

– Mais c'était son territoire, dit Lacoste.

– En effet. Il a ordonné à ses policiers en poste dans les réserves de ne rien faire.

Isabelle Lacoste savait ce que ça voulait dire. Les enfants reniflaient des vapeurs de colle, des chiffons imbibés d'essence, inhalant des substances toxiques jusqu'à ce que leurs jeunes cerveaux soient gelés. Insensibles à la violence, à l'agression, au désespoir. Tout les laissait indifférents. Plus rien ni personne ne les dérangeait. Les garçons se tiraient dessus, se suicidaient. Les filles se faisaient violer et battre à mort. Ils appelaient peut-être le poste de la Sûreté pour demander de l'aide, mais n'obtenaient pas de réponse. Les policiers, presque toujours des débutants, regardaient-ils le téléphone en souriant, avec la certitude d'avoir fait ce qu'on attendait d'eux ? Un sauvage de moins. Ou étaient-ils terrifiés, eux aussi ? De savoir qu'il n'y avait pas seulement de jeunes autochtones qui se faisaient tuer. Eux-mêmes étaient en train de mourir.

– Qu'est-ce qui s'est passé ensuite ?

29

« Tout grince quand on a peur. » Armand Gamache se rappelait ces paroles d'Érasme et se demandait si le grincement qu'il venait d'entendre était réel ou si ce n'était que sa peur. Il dirigea le rayon de sa lampe de poche sur les marches qu'il venait de descendre. Rien.

Il pouvait voir le sol de terre battue bien tassée par le poids des années. Cette cave sentait les araignées, le bois pourri et la moisissure. Elle avait l'odeur de toutes les cryptes dans lesquelles il était allé exhumer des personnes mortes prématurément.

Qu'est-ce qui était enterré ici ? Il y avait quelque chose, il le savait, le sentait. La maison semblait essayer de s'agripper à lui ; on aurait dit qu'elle étouffait, n'en pouvait plus, comme si elle avait un secret, quelque chose de malveillant et cruel, qu'elle se mourait de lui révéler.

Puis il y eut un autre grincement.

Gamache pivota et le faible cercle de lumière de sa lampe de poche fut projeté contre les murs de pierre rugueux, les poutres et les montants, les portes en bois ouvertes.

Son téléphone se mit à vibrer. Il le sortit de sa poche et reconnut le numéro.

– Allô.

– C'est moi, dit Reine-Marie en souriant à une collègue entre deux étagères de livres de la Bibliothèque nationale. Je suis au travail. Et toi ?

– Dans la vieille maison des Hadley.

– Seul ?

– J'espère bien, dit-il en riant.

– Armand, as-tu lu le journal ?

– Oui.

– Je suis vraiment désolée. Mais on savait que ça arriverait. C'est presque un soulagement.

Armand Gamache était plus content que jamais d'avoir épousé cette femme, qui faisait siens ses combats. Elle l'appuyait résolument, même lorsqu'il essayait de monter au front. Surtout dans ces moments-là.

– J'ai tenté de joindre Daniel, mais, comme ça ne répondait pas, j'ai laissé un message.

Gamache n'avait jamais remis en question le jugement de Reine-Marie, ce qui leur permettait d'avoir une relation très harmonieuse. Mais il ne savait pas très bien pourquoi elle avait appelé leur fils à Paris à propos d'un article calomnieux.

– Annie vient tout juste de téléphoner. Elle l'a vu aussi et m'a dit de te transmettre son amour. Elle a dit que, si tu veux qu'elle tue quelqu'un, elle est prête.

– Comme c'est gentil.

– Qu'est-ce que tu vas faire ?

– Franchement, je me suis dit que je n'allais pas en faire de cas, pour ne pas donner de légitimité à ces allégations.

Il y eut une pause.

– Je me demande si tu ne devrais pas parler à Michel.

– Brébeuf ? Pourquoi ?

– En fait, je pensais comme toi après la parution du premier article, mais, maintenant, je me demande si ce n'est pas allé trop loin.

– Le premier ? Qu'est-ce que tu veux dire ?

Sa lampe de poche vacilla. Il la secoua et la lumière revint.

– Le journal de ce soir. La première édition de *Votre journal*. Tu ne l'as pas vu ?

Sa lampe de poche s'éteignit, puis, après un long moment, se ralluma, mais la lumière était faible et instable. Une fois de plus, il entendit le grincement. Derrière lui, cette fois. Il pivota et pointa la lumière pâle vers l'escalier, mais il était vide.

– Armand ?

– Je suis là. Raconte-moi ce que dit le journal, s'il te plaît.

Tandis qu'il écoutait sa femme, le chagrin de la vieille maison des Hadley se rapprocha, se glissa vers lui et avala le reste de sa lumière, jusqu'à ce qu'il se retrouve dans la noirceur complète, dans les entrailles de la vieille maison des Hadley.

– Les autochtones qui s'entretuaient, ce n'était pas suffisant pour Arnot, dit Beauvoir.

Lacoste et lui marchaient côte à côte dans le soleil de fin d'après-midi qui tachetait le chemin de terre devant eux.

– Arnot a ordonné à ses deux plus proches collaborateurs d'aller fomenter des troubles dans les réserves. Des agents provocateurs.

– Et ensuite ?

C'était presque insupportable, mais elle devait savoir. Elle écouta les terribles paroles pendant qu'ils continuaient à marcher dans la forêt tranquille.

– Ensuite, Pierre Arnot a ordonné à ses policiers de tuer.

Beauvoir trouva cela difficile à dire. Il s'arrêta et regarda la forêt et, après quelques instants, le rugissement entre ses oreilles se calma et il perçut de nouveau le chant. Un merle ? Un geai bleu ? Un pin ? Était-ce ce qui faisait la particularité de Three Pines ? Les trois arbres géants du parc du village chantaient-ils parfois en chœur ? Gilles Saindon avait-il raison ?

– Combien de morts ?

– Les hommes d'Arnot n'en ont jamais tenu le compte. Une équipe de la Sûreté essaie encore de trouver tous les restes. Les meurtriers avaient tué tellement de gens qu'ils ne se rappelaient pas où ils avaient mis tous les corps.

– Comment ils ont pu faire ça sans se faire prendre ? Les familles ne portaient pas plainte ?

– À qui ?

Lacoste laissa tomber sa tête et regarda le sol entre ses pieds. La trahison était complète.

– À la Sûreté, dit-elle d'une voix faible.

– Une mère de la nation crie a persévéré. Pendant trois mois, elle a organisé des ventes de pâtisseries et vendu des tuques et des mitaines qu'elle avait tricotées, jusqu'à ce qu'elle ait recueilli assez d'argent pour acheter un billet d'avion. Un aller simple pour Québec, avec une pancarte. Elle voulait protester au siège du gouvernement provincial. Elle a passé toute la journée devant l'Assemblée nationale, mais personne ne s'est arrêté. Personne n'a prêté attention à elle. Des hommes ont fini par la chasser, mais elle est retournée. Chaque jour pendant un mois elle était là, après avoir dormi sur un banc de parc. Et chaque jour on lui disait de partir.

– À l'Assemblée nationale ? Mais ils ne peuvent pas faire ça. C'est une propriété publique.

– Elle n'était pas à l'Assemblée nationale. Elle croyait y être, mais, en fait, elle manifestait devant le Château Frontenac. Personne ne le lui a dit. Personne ne l'a aidée. Les gens se sont contentés de rire.

Lacoste connaissait bien Québec et voyait le majestueux hôtel à tourelles s'élever sur les falaises qui surplombaient le Saint-Laurent. Elle comprenait qu'un nouveau venu pouvait commettre cette erreur, mais il y avait sûrement un panneau. La femme avait certainement dû s'informer, demander son chemin. À moins que…

– Elle ne parlait pas français ?

– Ni anglais. Seulement cri, confirma Beauvoir.

Dans le silence, Lacoste revit le formidable hôtel, et Beauvoir la vieille femme frêle aux traits taillés au couteau et aux yeux brillants. Une mère qui voulait désespérément savoir ce qui était arrivé à son fils, mais qui n'avait pas les mots pour le demander.

– Et alors ?

– Tu ne devines pas ?

Ils s'arrêtèrent de nouveau et Beauvoir regarda le visage troublé de Lacoste. Puis, son expression s'éclaira.

– L'inspecteur-chef Gamache l'a trouvée.

– Il séjournait au Château Frontenac, dit Beauvoir. Il avait vu la femme en sortant un matin et remarqué qu'elle était encore là à son retour. Il lui a parlé.

Isabelle Lacoste imaginait la scène. Le chef, costaud et imposant, qui s'approchait de l'autochtone solitaire. Lacoste voyait la peur dans les yeux noirs de la femme : on venait encore une fois lui dire de s'éloigner, hors de la vue des gens bien. De plus, elle ne comprenait pas l'inspecteur-chef Gamache. Il avait sûrement essayé le français, puis l'anglais, mais elle continuait de le regarder fixement, ratatinée, inquiète. Elle avait compris une chose, cependant : il était aimable.

– Sa pancarte était en cri, évidemment, poursuivit Beauvoir. Le chef l'a laissée un moment et est revenu avec du thé, des sandwichs et un interprète du centre aborigène. C'était le début de l'automne et ils se sont assis à côté de la fontaine, devant l'hôtel. Tu vois où je veux dire ?

– Dans le parc ? Sous les vieux érables ? Je la connais bien. J'y vais chaque fois que je visite le Vieux-Québec. Les amuseurs publics sont juste en bas de la côte, devant les cafés.

– Ils se sont assis là, dit Beauvoir en hochant la tête, à boire du thé en mangeant des sandwichs. D'après le chef, la vieille femme a fait une petite prière avant de manger, pour bénir leur nourriture. De toute évidence, elle mourait de faim, mais elle a pris la peine de prier.

Beauvoir et Lacoste ne se regardaient plus. Ils se faisaient face sur le chemin de terre, au soleil, mais avaient les yeux tournés dans des directions opposées. Ils fixaient les bois, chacun dans ses pensées, en se rejouant la scène du Vieux-Québec dans leur tête.

– Elle lui a dit que son fils avait disparu, et qu'il n'était pas le seul. Elle lui a parlé de son village sur la côte de la baie James, où, jusqu'à l'année précédente, l'alcool était prohibé. Sur décision du conseil de bande. Mais on avait tué le chef, intimidé les aînés, dissous le conseil des femmes. Puis l'alcool était arrivé, par hydravion. Quelques mois plus tard, leur paisible village était en ruine. Mais il y avait pire encore.

– Elle lui a parlé des meurtres. Est-ce qu'il l'a crue ?

Beauvoir fit oui de la tête. Il se demanda, et ce n'était pas la première fois, ce qu'il aurait fait dans la même situation. La vilaine petite réponse lui revint. Il se serait moqué d'elle, comme les autres. À supposer qu'il ait eu la décence de s'approcher d'elle, aurait-il cru à son histoire d'intimidation, de meurtre et de trahison ?

Probablement pas. Ou, pire, il y aurait peut-être cru, mais il lui aurait tourné le dos malgré tout. Il aurait fait semblant de ne pas avoir entendu, de ne pas avoir compris.

Il espérait avoir changé, sans en être certain. Tout ce qu'il savait, c'était que la chance avait tourné pour cette vieille femme crie.

Au début, Gamache n'avait parlé de cette rencontre à personne, pas même à Beauvoir.

Pendant des semaines, il était allé de réserve en réserve, par avion, dans tout le Nord québécois. Lorsque arrivèrent les premières chutes de neige, il avait ses réponses.

Au premier regard échangé dans ce parc du Vieux-Québec, il l'avait crue. Il était dégoûté, horrifié, mais persuadé qu'elle disait la vérité.

Des policiers avaient perpétré ces crimes. Elle avait vu ces hommes emmener les garçons dans les bois. Les garçons n'étaient pas revenus. Son fils, Michael, en faisait partie. Lui qui portait le nom d'un archange avait péri dans les bois et elle l'avait cherché, sans arrêt, sans succès.

En revanche, elle avait trouvé Armand Gamache.

– Qui est là ?

Gamache resta cloué sur place. Les yeux adaptés à l'obscurité, les oreilles aux aguets.

Le grincement devint plus fort tout en se rapprochant. Gamache s'efforça de ne pas penser à ce que Reine-Marie venait de lui dire, mais plutôt de focaliser son attention sur le son, qui semblait omniprésent.

Finalement, quelque chose d'un peu plus foncé sortit de l'une des portes de la cave. L'extrémité d'une chaussure noire.

Puis, lentement, une jambe s'avança. Il vit clairement la jambe, la main, le revolver.

Gamache ne bougea pas. Debout au beau milieu de la pièce, il attendit.

Ils se faisaient face, maintenant.

– Agent Lemieux, dit doucement Gamache.

Il avait su que c'était lui en voyant le revolver, mais le danger n'en était pas atténué pour autant. Dès qu'une arme est dégainée, le tireur est engagé dans une ligne de conduite. Une frayeur soudaine, et sa main peut s'agiter.

Mais l'agent Lemieux ne tremblait pas le moins du monde. Bien campé sur ses jambes dans la pièce rectangulaire, il avait l'arme à la taille, pointée sur l'inspecteur-chef.

Puis, lentement, le canon s'abaissa.

– C'est vous, monsieur? Vous m'avez fait peur.

– Vous ne m'avez pas entendu crier?

– C'était vous? Je ne distinguais pas les mots. On aurait dit un gémissement. Je crois que cette maison me trouble.

– Avez-vous une lampe de poche? La mienne s'est éteinte, dit Gamache en se dirigeant vers lui.

Un rayon lumineux apparut aux pieds de Gamache.

– Est-ce que votre arme est dans son étui, maintenant?

– Oui, monsieur. Attendez que les gens apprennent que je l'ai braquée sur vous, dit Lemieux avec un petit rire forcé.

Gamache ne riait pas. Il continuait de fixer Lemieux. Puis il parla enfin, d'une voix sévère.

– Ce que vous venez de faire est un motif de licenciement. Vous ne devez jamais, jamais dégainer votre arme, à moins de devoir l'utiliser. Vous le savez, mais vous avez choisi de ne pas tenir compte de votre formation. Pourquoi?

L'intention de Lemieux était d'épier Gamache, mais le chef avait une trop bonne ouïe. Même si l'effet de surprise était gâché, il pouvait peut-être en retirer quelque chose. Puisque Gamache était secoué par la maison, pourquoi ne pas l'ébranler un peu plus? Il se demanda comment réagirait Brébeuf s'il le débarrassait du problème «Gamache» en provoquant une crise cardiaque fatale. En lançant de petites pierres, il avait vu Gamache pivoter brusquement. En traînant un bout de corde pour donner l'impression que quelque chose se déplaçait en glissant sur le sol, il avait vu Gamache reculer. Il avait fini par dégainer son arme.

Mais Gamache l'avait appelé par son nom, comme s'il avait su que c'était lui. L'avantage était perdu. Pire encore, l'inspecteur-chef Gamache semblait avoir pris du volume. Il restait absolument immobile devant Lemieux, dégageant non pas de la rage, ni même de la peur, mais de la puissance. De l'autorité.

– Je vous ai posé une question, agent Lemieux. Pourquoi avez-vous dégainé ?

– Je suis désolé, bafouilla Lemieux en faisant appel à la recette éprouvée de la contrition et de la confession. J'avais peur, ici tout seul.

– Vous saviez que j'étais là.

Gamache n'était pas impressionné par ce minable étalage de sentiments.

– Je vous cherchais, monsieur. J'ai entendu quelque chose. Des voix. Comme je savais que vous n'aviez personne à rencontrer, je me suis dit qu'il y avait quelqu'un d'autre. Peut-être la personne qui a déchiré le ruban de police. Vous aviez sans doute besoin d'aide. Je sais, ajouta Lemieux en secouant sa tête baissée, ce n'est pas une excuse. J'aurais pu vous tuer. Voulez-vous mon arme ?

– Je veux la vérité. Ne me mentez pas, mon ami.

– Je ne vous mens pas, monsieur, je vous l'assure. Ça peut paraître pitoyable, mais j'ai tout simplement eu peur.

Gamache demeura silencieux. « Est-ce que ça va foirer ? » se demanda Lemieux.

– Oh, mon Dieu, quel gaffeur je suis. D'abord l'éphédra, et maintenant ça.

– C'était une erreur, dit Gamache, la voix encore dure, mais un ton plus bas.

Il avait gagné. Qu'est-ce que Brébeuf avait dit ? « Tout le monde adore les fautifs, Gamache plus que quiconque. Il est sûr de pouvoir sauver la personne en train de se noyer. Votre tâche consiste à vous noyer. »

Et c'est ce qu'il avait fait. Il avait délibérément laissé l'indice sur l'éphédra sur l'ordinateur de Gabri, pour se faire prendre puis pardonner, et maintenant il s'était de nouveau fait prendre. Dégainer était une erreur stupide, qu'il avait transformée en avantage. Et Gamache, le faible et pitoyable Gamache, lui pardonnait. C'était sa drogue favorite, son point faible : il adorait pardonner.

– Avez-vous trouvé quelque chose, monsieur ?

– Rien. Cette maison n'est pas prête à dévoiler ses secrets.

– Des secrets ? La maison a des secrets ?

– Les maisons sont comme les gens, agent Lemieux. Elles ont des secrets. Je vais vous révéler une chose que j'ai apprise.

Armand Gamache baissa la voix et l'agent Lemieux dut faire un effort pour l'entendre.

– Savez-vous ce qui nous rend malades, agent Lemieux ?

Lemieux fit non de la tête. Puis, du silence de l'obscurité, lui parvint la réponse.

– Ce sont nos secrets qui nous rendent malades.

Derrière lui, un léger grincement rompit le silence.

30

– Qu'est-ce qui s'est passé, ensuite ? demanda Lacoste.

Ils revenaient vers le bureau provisoire. Une fois éloignés de la zone boisée, ils virent le nuage de tempête qui cachait maintenant le quart du ciel. Sa progression était lente, mais constante.

– Pardon ? demanda Beauvoir, distrait par la vue du nuage.

– L'inspecteur-chef ? Il avait des preuves contre Arnot et les autres, qu'est-ce qu'il en a fait ?

– Je ne sais pas.

– Allons donc. Tu dois le savoir. Il t'a dit tout le reste. L'histoire de la femme crie n'a jamais été révélée au procès.

– Non. Ils ont décidé de rester discrets là-dessus, au cas où elle deviendrait une cible. Tu ne dois en parler à personne.

Lacoste faillit protester en disant que tous les gens pour qui ç'aurait pu être important se trouvaient en prison, mais elle se rappela l'article de journal. Pour quelqu'un, cela comptait encore.

– Je ne dirai rien.

Beauvoir fit un petit signe de tête et continua de marcher.

– Il y a autre chose, reprit Lacoste en courant pour le rattraper. Qu'est-ce que c'est ?

– L'agente Nichol.

– Quoi, l'agente Nichol ?

Beauvoir savait qu'il avait trop parlé. Il s'exhorta à la prudence. Mais les mots s'échappèrent, à la recherche d'un complice, d'une oreille qui comprendrait.

– Elle a été envoyée par le directeur Francœur pour espionner l'inspecteur-chef.

Les mots eux-mêmes puaient.

– Merde! dit Lacoste.

– Merde, en effet, approuva Beauvoir.

– Non, vraiment. De la merde, là.

Lacoste pointa le doigt vers le sol. En effet, il y avait un énorme tas de merde fumant près de la route. Beauvoir tenta de s'en écarter, mais parvint tout de même à y mettre le pied.

– Mon Dieu, c'est dégoûtant!

Il souleva son pied chaussé de cuir italien, maintenant couvert de merde molle et puante.

– Les gens ne pourraient pas ramasser les excréments de leur chien?

Il racla le côté de sa chaussure sur le chemin, ajoutant ainsi de la terre à la merde.

– Ce ne sont pas des excréments de chien, dit une voix autoritaire.

Beauvoir et Lacoste regardèrent autour d'eux, sans voir personne. Beauvoir scruta la forêt. L'un des arbres avait-il cessé de chanter pour se mettre à parler? Était-il possible que les tout premiers mots qu'il entende un arbre prononcer soient «Ce ne sont pas des excréments de chien»? En se retournant, il vit Peter et Clara Morrow se diriger vers eux. «J'imagine que non», se dit Beauvoir en se demandant depuis combien de temps ils étaient là et ce qu'ils avaient entendu.

Peter se pencha pour examiner le tas de déjections. «Seuls les ruraux ont une fascination pour la merde, se dit Beauvoir. Les ruraux et les parents.»

– Un ours, dit Peter en se redressant.

– On est passés ici il y a seulement quelques minutes. Vous voulez dire qu'un ours se trouvait derrière nous?

«Ils plaisantent?» se demanda Beauvoir. Mais le couple avait l'air parfaitement sérieux. Peter Morrow tenait un journal roulé très serré.

– L'inspecteur-chef est-il dans les environs?

– Non, désolé. Je peux vous aider ?

– Il le verra bien tôt ou tard, dit Clara à Peter.

Peter hocha la tête et tendit le journal à Beauvoir.

– On l'a lu ce matin, dit Beauvoir en voulant le remettre à Peter.

– Regardez encore.

Beauvoir soupira et ouvrit le journal. C'était *Votre journal*. Pas *La Journée*, comme il s'y attendait. La une montrait une grande photo de l'inspecteur-chef et de son fils Daniel dans un édifice en pierre. On aurait dit une crypte. Gamache était en train de donner une enveloppe à Daniel. La légende disait : « Armand Gamache remettant une enveloppe à un inconnu. »

Beauvoir parcourut l'article, puis dut revenir au début pour le lire plus lentement. Il était si furieux qu'il pouvait à peine en saisir le sens. Les mots embrouillés dansaient, noyés dans un flot de colère. Haletant, il finit par abaisser le journal et vit Armand Gamache traverser le pont avec Robert Lemieux. Leurs regards se croisèrent et Gamache sourit chaleureusement. Mais, lorsqu'il vit le journal et l'expression de son jeune inspecteur, le sourire s'effaça.

– Bonjour, dit Gamache en serrant la main de Peter et en s'inclinant légèrement devant Clara. Je vois que vous avez vu les dernières nouvelles.

Il hocha la tête en direction du journal que tenait Beauvoir.

– Et vous ? demanda Beauvoir.

– Non, mais Reine-Marie m'a lu l'article.

– Qu'allez-vous faire ?

On aurait dit que les autres avaient disparu et que Beauvoir voyait uniquement l'inspecteur-chef et l'impressionnant nuage de tempête derrière lui.

– Je vais réfléchir pendant quelque temps.

Gamache salua les autres de la tête, puis se retourna et se dirigea vers le bureau provisoire.

– Attendez, dit Beauvoir en courant pour le rattraper.

Il se planta devant Gamache juste avant qu'il ouvre la porte.

– Vous ne pouvez pas les laisser dire ces choses. C'est de la diffamation, tout au moins. Mon Dieu, est-ce que Mme Gamache vous a tout lu ? Écoutez ceci.

Beauvoir ouvrit le journal en le faisant claquer et se mit à lire.

– « De toute façon, la Sûreté du Québec doit des explications aux citoyens. Comment un policier corrompu peut-il demeurer en poste, surtout à un poste stratégique ? Il était clair, pendant l'enquête sur l'affaire Arnot, que l'inspecteur-chef Gamache était impliqué et avait une vendetta personnelle contre son supérieur. Mais maintenant il semble travailler pour son propre compte. Qui est l'homme à qui il remet une enveloppe, que contient-elle et pourquoi l'homme a-t-il été engagé ? »

Beauvoir froissa le journal et regarda Gamache droit dans les yeux.

– C'est votre fils. Vous tendez une enveloppe à Daniel. C'est de la merde, tout ça, c'est sans fondement. Voyons donc. Vous n'avez qu'à appeler le rédacteur en chef, pour lui expliquer ce que vous faisiez.

– Pourquoi ? demanda Gamache d'une voix calme, le regard clair et dépourvu de colère. Pour qu'ils puissent fabriquer d'autres mensonges ? Pour qu'ils sachent qu'ils m'ont blessé ? Non, Jean-Guy. Je peux répondre à cette accusation, mais rien ne m'y oblige. Faites-moi confiance.

– Vous dites toujours ça, comme s'il fallait que vous me le rappeliez, répliqua Beauvoir, qui ne se souciait plus de ce que les autres pouvaient entendre. Combien de fois dois-je vous le prouver pour que vous arrêtiez de me dire de vous faire confiance ?

– Je suis désolé, répondit Gamache, qui parut affligé pour la première fois. Vous avez raison. Je ne doute pas de vous, Jean-Guy. Je n'ai jamais douté de vous. Je vous fais confiance.

– Moi aussi, je vous fais confiance, dit Beauvoir, le calme revenu dans sa voix, son agitation envolée, dissipée, emportée par le vent.

Un moment, il se dit que c'était plus que de la confiance, que c'était de l'amour, mais il savait que sa phrase suffisait. Il regarda cet homme costaud qui, devait-il reconnaître, n'avait encore jamais fait de faux pas. Ce n'était certainement pas Gamache qui avait de la merde sur ses souliers de cuir italien.

– Faites ce que vous voulez. Je vais vous appuyer.

– Merci, Jean-Guy. À présent, je dois téléphoner à Daniel. Il se fait tard à Paris.

– Chef, dit Lacoste, jugeant qu'elle pouvait maintenant s'approcher, la médecin légiste veut vous parler. Elle dit qu'elle vous rencontrera à dix-sept heures au bistro.

Gamache regarda sa montre.

– Avez-vous trouvé quelque chose dans la pièce qui pourrait expliquer l'entrée par effraction ?

– Rien. Et vous ?

Que devait-il répondre ? Qu'il avait trouvé le chagrin, la terreur et la vérité ? « Ce sont nos secrets qui nous rendent malades », avait-il dit à Lemieux. Gamache était ressorti de cette cave maudite avec un secret à lui.

Gilles Saindon se mit à caresser le pied qu'il étreignait. De sa main rude, en un va-et-vient de haut en bas, avec une insoutenable lenteur. Chaque fois, sa main montait un peu plus haut.

– Quelle douceur, dit-il en soufflant sur le pied pour le débarrasser de minuscules particules. Attends que je te fasse un traitement à l'huile de bois de Chine.

– À qui tu parles ?

Odile était appuyée contre le chambranle de la porte. Le contenu de son verre et l'atelier de Gilles se mirent à tournoyer. Normalement, elle changeait sa colère en vin et la ravalait, mais, ces derniers temps, cela n'avait pas très bien fonctionné.

Gilles leva les yeux en sursautant, comme s'il avait été surpris à faire un geste humiliant et intime. Le carré de papier de verre, fin et usé, voltigea jusqu'au plancher. Il sentit l'odeur du vin. Dix-sept heures. Ce n'était peut-être pas si mal. La plupart des gens prennent un verre ou deux à cette heure. Après tout, il y avait la belle tradition québécoise du cinq à sept.

– Je parlais au pied.

C'était la première fois qu'il trouvait cela ridicule.

– C'est pas un peu ridicule, non?

Il regarda le pied, destiné à une jolie table. Franchement, il ne lui était jamais venu à l'esprit que c'était ridicule. Il n'était pas fou et savait que la plupart des gens ne parlent pas aux arbres, mais il se disait que c'était leur affaire.

– J'ai terminé un poème. Tu veux l'entendre?

Sans attendre la réponse, Odile se redressa et marcha lentement, avec précaution, jusqu'au comptoir de leur boutique. Elle revint avec son cahier.

– Écoute:

Comme l'homme-cheval devient vite morose,
Et fait grand bruit d'une négligeable quantité,
Il jonche d'épines son chemin de roses
Et des clous rouillés, il en a toute une flopée.

Elle s'affaissa contre l'encadrement de la porte au moment où il lui tourna le dos.

– Attends, c'est pas fini. Et tu pourrais pas lâcher ça, merde?

Il baissa les yeux et s'aperçut qu'il était en train d'étrangler le pied de ses doigts blancs et crispés, comme si le sang avait reflué de sa main vers le bois. Après un moment d'hésitation, il déposa soigneusement le pied sur le plancher en prenant soin de le mettre sur un lit de copeaux.

Ce n'est pas pour lui que chante le moineau,
Ni que le ouaouaron coasse dans le ruisseau,
Ni qu'on voit, non plus, le héron essuyer
Sur sa plume son bec plein de majesté.

Odile abaissa son cahier et coula un regard entendu à Gilles. Secouant la tête à quelques reprises, elle le referma, puis, en se concentrant bien, retourna à la boutique. Gilles l'observa en se demandant ce qu'elle voulait lui dire. Comment pouvait-il comprendre les arbres, mais pas Odile?

Soudain, il se sentit mal, comme si des fourmis grouillaient sous sa peau. Il porta la patte en bois à son visage, inspira profondément et fut transporté dans la forêt. La forêt tendre et attentive. Rassurante. Pourtant, même là ses pensées le pourchassaient.

Que savait Odile ? Une plume servait à écrire, non ? Avait-elle l'intention d'écrire quelque chose de moins obscur à son sujet ? Lui avait-elle lancé un avertissement ? Dans ce cas, il fallait l'en empêcher.

Tout en réfléchissant, il marqua un rythme en tapant dans sa paume avec l'exquise patte en bois.

À son bureau, Armand Gamache lissa le journal froissé. Jusqu'à maintenant, on lui en avait seulement fait la lecture, ce qui était déjà bouleversant. Mais son cœur se serra lorsqu'il vit la photo. La main de Daniel sur l'enveloppe qu'il l'avait obligé à prendre, la veille. Daniel, le beau Daniel, une pièce d'homme. Ne pouvait-on pas voir qu'ils étaient père et fils ? Les responsables du journal étaient-ils délibérément aveugles ? Mais Gamache connaissait la réponse. Quelqu'un obscurcissait leur raison.

Il prit le téléphone et appela Daniel.

La Dre Sharon Harris gara sa voiture au bord du trottoir. Elle s'apprêtait à entrer au bistro. À travers les fenêtres, elle pouvait voir les Morrow et quelques autres personnes qu'elle connaissait un peu. Elle voyait le feu flamboyer dans l'âtre. Gabri tenait un plateau de verres et racontait une histoire à un groupe de villageois amusés. D'une main experte, Olivier prit le plateau pour l'apporter à un autre groupe. Gabri s'assit, croisa ses jambes imposantes et poursuivit son récit. Sans en être certaine, elle crut le voir prendre une gorgée du whisky de quelqu'un. Elle se retourna et regarda le village. Des lumières commençaient à apparaître et la douce odeur des feux de bois flottait dans l'air. Les trois pins géants du parc projetaient maintenant sur le sol leurs longues ombres du soir. Elle regarda le ciel. La nuit approchait, mais autre chose aussi. Dans la voiture, elle avait entendu le bulletin de la météo et même Environnement Canada s'étonnait de l'apparition soudaine d'un système atmosphérique d'envergure. Que contenait-il ? Les météorologues ne le savaient pas. À ce moment de l'année, cela pouvait être de la pluie, de la neige fondue ou même carrément de la neige.

Puisqu'elle ne voyait pas l'inspecteur-chef Gamache dans le bistro, la Dre Harris décida de s'asseoir sur le banc du parc et de prendre l'air. Lorsqu'elle se pencha pour s'asseoir, quelque chose attira son regard sous le banc. Elle le prit, l'examina et sourit.

De l'autre côté du chemin, la porte de chez Ruth Zardo s'ouvrit et la femme âgée sortit. Elle resta là un moment et la Dre Harris eut l'impression de la voir parler à une personne invisible. Puis, d'un pas lourd, Ruth descendit les marches et, au bas, lança d'autres mots dans l'air.

« Elle a fini par perdre la boule, se dit la Dre Harris. Elle est devenue folle à force de poésie et d'autres choses, pires encore. »

Ruth se retourna et fit un geste qui terrifia la Dre Harris, qui connaissait un peu la misanthrope. Ruth sourit et lui fit un signe de la main. La Dre Harris lui renvoya sa salutation et se demanda quel plan malveillant rendait Ruth si heureuse. Puis, elle vit de quoi il retournait.

Derrière Ruth qui traversait le chemin en boitillant, deux oisillons suivaient en formant une sorte de petite traîne. L'un d'eux déployait ses ailes et voletait, l'autre boitillait et traînait la patte. Ruth s'arrêta, attendit, puis reprit sa marche, plus lentement.

– Quelle famille, dit Gamache en s'assoyant sur le banc à côté de la Dre Harris.

– Regardez ce que j'ai trouvé.

La Dre Harris ouvrit la main. Dans sa paume reposait un œuf minuscule. Bleu comme un œuf de merle, bien que ce n'en fût pas un. Il avait également du vert et du rose, et le motif était si complexe et délicat que Gamache dut mettre ses lunettes pour l'apprécier.

– Où avez-vous trouvé cela ?

– Juste ici, sous le banc. Incroyable, non ? Il est en bois, je pense.

Elle le lui tendit. Il le rapprocha de son visage en le fixant, jusqu'à ce qu'il louche.

– Magnifique. Je me demande d'où il vient.

La Dre Harris secoua la tête.

– Quel endroit étonnant… Comment expliquer un village comme Three Pines où les poètes promènent des canards et où l'art semble tomber du ciel ?

Tous deux levèrent alors les yeux et regardèrent le nuage sombre qui couvrait maintenant presque la moitié du ciel.

– Je ne m'attendrais pas à voir tomber des Rembrandt de cela, dit Gamache.

– Non. De l'abstraction plutôt que de la peinture classique, je pense.

Gamache se mit à rire. Il aimait bien la Dre Harris.

– Pauvre Ruth. Vous savez qu'elle vient de me sourire.

– Elle vous a souri ? Croyez-vous qu'elle soit mourante ?

– Non, mais je pense que le petit l'est.

La Dre Harris désigna le plus petit des deux canards, qui se débattait pour traverser l'herbe jusqu'à l'étang. Assis sur leur banc, Gamache et la docteure observaient la scène. Ruth revint vers le traînard et l'accompagna en marchant très lentement, les deux boitant comme une mère et son enfant.

– Qu'est-ce qui a tué Madeleine Favreau, docteure ?

– De l'éphédra. Il y avait dans son organisme cinq ou six fois la dose recommandée.

Gamache hocha la tête.

– C'est ce que disait le rapport de toxicologie, bien sûr. Lui en aurait-on donné au repas du soir ?

– Sans doute. Cette substance agit assez rapidement. D'après moi, on peut en glisser sans problème dans n'importe quel plat.

– Mais il y a davantage, n'est-ce pas ? Ceux qui meurent d'une trop forte dose d'éphédra n'ont pas tous cette expression d'horreur sur la figure.

– C'est vrai. Vous voulez savoir ce qui l'a vraiment tuée?

Gamache fit un signe affirmatif.

Sharon Harris détacha son regard du visage calme de Gamache et montra la colline.

– C'est ça qui l'a tuée. La vieille maison des Hadley.

– Allons, docteure. Les maisons ne tuent pas.

Gamache s'efforça de se donner un ton de voix convaincant.

– Peut-être pas, mais la peur, si. Croyez-vous aux fantômes, inspecteur-chef?

Comme il restait silencieux, elle poursuivit.

– Je suis médecin, je suis une scientifique, mais je suis entrée dans des maisons qui m'ont donné la frousse. J'ai été invitée à des fêtes dans des endroits très bien, des maisons neuves, même, et j'ai été terrifiée. J'ai senti une présence.

Pendant tout le trajet jusqu'à Three Pines, elle s'était interrogée à ce sujet. Devait-elle tout lui dire? Lui avouer cela? Elle savait que oui, en fait. Pour trouver un tueur, il fallait se livrer. Elle savait cependant que jamais elle n'avouerait de telles choses à un autre policier de la Sûreté.

– Croyez-vous aux maisons hantées? demanda Gamache.

Soudain, la Dre Harris se retrouva à l'âge de onze ans. Elle marchait à pas de loup dans la pinède, vers la maison des Tremblay, enfouie dans les bois, abandonnée, sombre, menaçante.

« Quelqu'un a déjà été tué, là-dedans, lui avait soufflé son amie à l'oreille. Un enfant, étranglé et poignardé. »

Selon les uns, il avait été battu à mort par son oncle, selon d'autres, il était mort de faim.

De toute façon, il était encore là. Il attendait. Il voulait s'emparer du corps d'un autre enfant. Reprendre vie et venger sa mort.

Elles s'étaient avancées avec précaution jusqu'à quelques mètres de la maison des Tremblay. C'était le soir, et les bois sombres semblaient les envelopper. Tout ce qui était familier et réconfortant pendant le jour prenait une allure étrange. Des branches craquèrent et des pas s'approchèrent, quelque chose grinça et la petite Sharon Harris s'enfuit en courant dans la forêt, trébuchant entre les arbres aux branches tendues qui lui égratignaient le visage. Derrière elle, elle entendait des halètements. Était-ce son amie, qu'elle avait abandonnée ? Ou le garçon mort, qui essayait de la rattraper ? Sur ses épaules, elle sentait ses mains glaciales qui cherchaient désespérément à s'emparer d'une vie.

Plus elle courait, plus sa terreur s'amplifiait. Elle avait finalement émergé des bois, en sanglots et pétrifiée par la peur, et seule.

Encore aujourd'hui, quand elle se penchait vers le miroir, elle pouvait voir les minuscules cicatrices laissées par les arbres et par sa propre terreur. Elle se rappelait ce soir où elle avait abandonné sa meilleure amie à son sort. Bien sûr, l'amie avait jailli d'entre les arbres un instant plus tard, en sanglotant elle aussi. Toutes deux avaient alors su que le garçon mort leur avait volé quelque chose : leur confiance mutuelle.

Sharon Harris croyait que les maisons pouvaient être hantées, mais elle était certaine que les gens, eux, l'étaient.

– Si je crois aux maisons hantées, inspecteur-chef ? Vous me demandez vraiment ça ? À moi, médecin et scientifique ?

– En effet, dit-il avec un sourire.

– Vous, y croyez-vous ?

– Vous me connaissez, docteure. Je crois à tout.

Après avoir hésité un moment, elle se dit : « Oh, et puis zut, pourquoi pas ? »

– Cet endroit est hanté.

Elle n'eut pas à déplacer son regard, ils savaient tous deux de quoi elle parlait.

– Par quoi ? Je ne sais pas. Madeleine Favreau le sait, mais elle a dû mourir pour l'apprendre. Moi ? Je ne veux pas le savoir à ce point.

Ils demeurèrent un moment en silence sur le banc, en plein centre du paisible village. Autour d'eux, pendant qu'ils parlaient de fantômes, de démons et de mort, des gens promenaient leur chien, bavardaient ou jardinaient. Gamache attendait que la

Dre Harris continue. Il vit Ruth essayer d'encourager les minuscules boules de duvet à plonger dans l'étang.

– Cet après-midi, j'ai fait un peu de recherche sur l'éphédra. Il provient – elle sortit un bloc-notes de sa poche – d'un arbuste du type gymnosperme.

– C'est une herbe médicinale, non ?

– Vous le saviez ?

– L'agent Lemieux me l'a dit.

– Il en pousse partout. C'est un remède de grand-mère contre le rhume et un antihistaminique. Les Chinois le connaissent depuis des siècles. Ils l'appellent *ma huang*. Puis, l'industrie pharmaceutique s'en est emparée et a commencé à fabriquer l'éphédrine.

– Vous dites qu'il en pousse partout…

– Vous vous demandez s'il en pousse ici ? Oui, j'en ai vu par là.

Elle désigna un immense arbre sur une pelouse. Gamache se leva, s'en approcha et se pencha pour cueillir une feuille brune parcheminée, tombée à l'automne.

– Cet arbre est un ginkgo, dit la Dre Harris en le rejoignant et en ramassant elle aussi une feuille.

Elle avait une forme inhabituelle, en éventail, et des nervures saillantes comme des tendons.

– Il fait partie de la famille des gymnospermes.

– Quelqu'un pourrait-il en extraire de l'éphédra ? demanda Gamache en lui montrant sa feuille.

– Je ne sais pas si ça vient de la feuille, de l'écorce ou d'autre chose. Ce que je sais, cependant, c'est que, même si cet arbre appartient à la même famille, il ne contient pas nécessairement d'éphédra. Mais, comme je le disais, la combinaison d'éphédra et de frayeur n'était pas suffisante.

Ils retournèrent vers le banc. Gamache frottait la feuille entre ses doigts, la palpait.

– Il fallait autre chose ?

– Oui, il fallait autre chose, répondit la Dre Harris en hochant la tête.

– Quoi ? demanda Gamache en espérant qu'elle n'allait pas dire « un fantôme ».

– Il fallait que Madeleine Favreau ait une maladie cardiaque.

– En avait-elle une ?

– Oui. Selon l'autopsie, elle avait une lésion cardiaque assez grave, sans doute depuis son cancer du sein.

– Le cancer du sein provoque des lésions au cœur ?

– Pas le cancer, mais le traitement. La chimio. Le cancer du sein chez les jeunes femmes peut être extrêmement virulent et les médecins prescrivent de fortes doses de chimio pour le combattre. Normalement, on prévient les femmes au préalable, mais l'équation est simple. Ou elles se sentent mal pendant des mois, perdent leurs cheveux et risquent d'avoir un problème cardiaque, ou elles meurent presque certainement du cancer du sein.

– Seigneur, murmura Gamache.

– Eh oui.

– Vous semblez très sérieux, dit Ruth Zardo qui s'était approchée de leur banc. Vous êtes en train de bousiller l'affaire Favreau ?

– Probablement, dit Gamache en se levant et en s'inclinant devant la vieille poète. Connaissez-vous la Dre Harris ?

– Je ne l'ai jamais rencontrée.

Elles se serrèrent la main. C'était environ la dixième fois qu'on présentait Sharon Harris à Ruth.

– Nous admirions votre famille, dit Gamache en faisant un signe de tête vers l'étang.

– Est-ce qu'ils ont des noms ? demanda la Dre Harris.

– La plus grosse s'appelle Rose et la petite Lys. Elles ont été trouvées au milieu des fleurs, près de l'étang.

– Magnifique, dit la Dre Harris en regardant Rose plonger dans l'étang.

Lys fit un pas et trébucha. Ruth, dos aux oiseaux, sentit que quelque chose ne tournait pas rond et fila en boitant vers l'étang, puis souleva la petite, trempée mais vivante.

– Sauvée de justesse, dit Ruth en épongeant doucement la tête du caneton avec sa manche.

Sharon Harris hésita à parler. Ruth avait sûrement remarqué la fragilité de Lys.

– L'orage est presque arrivé, dit la Dre Harris en regardant le ciel. Je ne veux vraiment pas être au volant quand il éclatera. Mais j'ai une autre information qui vous sera utile.

– Laquelle ?

Gamache la raccompagna jusqu'à sa voiture et Ruth retourna chez elle, Lys dans la paume de sa main et Rose qui cancanait derrière.

– Je ne crois pas que ça ait contribué à sa mort, en tout cas pas directement, mais c'est étrange. Le cancer du sein de Madeleine Favreau était réapparu. Tumeur maligne. Elle avait des lésions au foie, pas très importantes, mais je dirais qu'elle ne se serait pas rendue jusqu'à Noël.

Gamache prit le temps de digérer cette information.

– Le savait-elle, d'après vous ?

– Je ne sais pas. Il est possible que non. Mais, honnêtement ? Les femmes que je connais et qui ont eu un cancer du sein sont tellement à l'écoute de leur corps que c'en est presque médiumnique. C'est un lien fort. Descartes avait tort, vous savez. Il n'y a aucune séparation entre l'esprit et le corps. Ces femmes le savent. Non pas au moment du diagnostic initial, mais lors de rechute, elles le savent.

Lorsque Sharon Harris monta dans sa voiture et démarra, les premières grosses gouttes de pluie commençaient à tomber, le vent se levait et le ciel au-dessus du petit village s'empourprait. Armand Gamache arriva au bistro avant le déluge. S'installant dans une bergère, il commanda un scotch et une réglisse en forme de pipe. Puis, en regardant par la fenêtre la tempête se rapprocher de Three Pines, il se demanda qui donc avait voulu tuer une mourante.

31

– C'est un bon bouquin ?

Myrna se pencha par-dessus l'épaule de Gamache. Captivé par son ouvrage, il ne l'avait pas vue arriver.

– Je ne sais pas, avoua-t-il en le lui tendant.

Il avait vidé ses poches. Avec tous ces livres, il avait l'impression d'être une bibliothèque ambulante. Tandis que d'autres enquêteurs collectionnaient empreintes et pièces à conviction, lui rassemblait des ouvrages. Certains pouvaient douter de la pertinence d'une telle habitude.

– Quelle terrible tempête ! s'exclama Myrna en s'affalant devant lui dans un grand fauteuil avant de commander un verre de rouge. Dieu merci, je n'ai pas à sortir. En fait, si je voulais, je ne sortirais plus. J'ai tout ce qu'il me faut, ici.

Elle ouvrit les bras d'un air heureux, son cafetan coloré tendu sur les accoudoirs.

– De quoi manger chez Sarah et chez M. Béliveau, de la compagnie et du café ici…

– Votre vin rouge, Altesse, dit Gabri en déposant le verre ballon sur la table en bois foncé.

– Vous pouvez disposer, dit Myrna en inclinant la tête avec une étonnante majesté. J'ai du vin, du scotch et tous les livres que je pourrais vouloir lire.

Elle leva son verre et Gamache le sien.

– Santé.

Ils se sourirent et sirotèrent leur boisson, tout en regardant la pluie torrentielle ruisseler sur les vitres au plomb.

– Alors, qu'est-ce que c'est ? dit Myrna en mettant ses verres de lecture et en examinant le petit volume relié cuir que Gamache lui avait donné. Où l'avez-vous trouvé ? finit-elle par demander en laissant tomber ses lunettes au bout de leur cordon sur son buste généreux.

– Dans la pièce où Madeleine est morte. Il était dans la bibliothèque.

Myrna déposa immédiatement le livre entre eux deux, comme si la méchanceté était contagieuse. Sa couverture simple et frappante montrait une petite main au contour tracé en rouge. On aurait dit du sang, mais Gamache avait vérifié : c'était de l'encre.

– Un livre de magie, dit Myrna. Je n'ai pas vu de nom d'éditeur ni d'ISBN. Probablement un petit tirage à compte d'auteur.

– Avez-vous une idée de la date de publication ?

Myrna se pencha, tout en évitant de le toucher de nouveau.

– Le cuir est un peu craquelé au dos et quelques pages semblent s'être détachées. La colle a dû sécher. Je dirais qu'il date d'avant la Première Guerre mondiale. Est-ce qu'il y a une dédicace ?

Gamache fit signe que non.

– Avez-vous déjà vu quelque chose de semblable à votre librairie ?

Myrna fit mine de réfléchir, mais connaissait la réponse. Elle se serait souvenue d'un ouvrage aussi macabre. Elle adorait les livres. En tous genres. Elle en avait sur l'occultisme et la magie. Mais, s'il lui en arrivait un comme celui-là, elle en ferait rapidement don. À quelqu'un qu'elle n'aimait pas.

– Non, jamais.

– Et celui-ci ?

Gamache plongea la main dans sa poche intérieure et en sortit celui qu'il venait de lire au complet et dont il ne voulait surtout pas se séparer.

Il s'était attendu à un regard poli et curieux, peut-être même amusé, entendu, mais il n'anticipait pas une expression d'horreur.

– Où l'avez-vous trouvé ?

Elle le lui arracha et le fourra entre le coussin et le fauteuil.

– Qu'y a-t-il ? demanda Gamache, étonné de sa réaction.

Myrna ne l'écoutait pas. Elle parcourait la salle du regard. Puis ses yeux se posèrent sur M. Béliveau, qui se tint un moment à la porte, l'air troublé, avant de s'éloigner.

Elle ressortit le livre et le mit sur la table. Il y en avait maintenant une petite pile. L'étrange volume relié cuir avec la main rouge, une Bible, et celui-ci, à la couverture comique, qui avait créé un tel émoi.

– Qui est Sarah Binks ? demanda Gamache en donnant une petite tape sur le dessus du livre.

– C'est le Suave Sansonnet de Saskatoon, répondit Myrna, comme si c'était une explication.

Après une simple recherche en ligne sur Sarah Binks, Gamache savait que le livre était un prétendu hommage au poète le plus nul de l'histoire. C'était un ouvrage généreux, chaleureux et drôle, que Madeleine avait caché.

– Je l'ai trouvé au fond d'un tiroir dans la chambre de Madeleine.

– C'est elle qui l'avait ?

– Vous vous attendiez à ce que ce soit quelqu'un d'autre ?

– Je perds la trace des livres que je vends. Les gens se les prêtent. Une calamité pour les libraires. Au lieu d'acheter, ils empruntent.

Elle paraissait vraiment contrariée, mais ce n'était probablement pas à cause de livres errants, se dit-il. Soudain nerveuse et mal à l'aise, elle balayait la salle du regard.

– Qu'avez-vous ? demanda-t-il, puis il obtint la réponse.

Le regard de Myrna avait cessé de courir et s'était de nouveau posé sur l'homme émacié, assis au comptoir. M. Béliveau semblait triste et perdu.

– Il est toujours comme ça.

En prenant une poignée de noix de cajou, elle en répandit quelques-unes sur la table. Gamache s'en empara distraitement et se les envoya dans la bouche.

– Que voulez-vous dire ?

Myrna hésita un moment.

– Il a une raison, je sais bien. Sa femme a longtemps été malade avant de mourir. Puis maintenant il y a le décès de Madeleine. Pourtant, il est capable d'aller travailler, d'ouvrir le magasin et de fonctionner comme si de rien n'était.

– Il est peut-être habitué à la peine. Pour lui, c'est peut-être devenu un état normal.

– Supposons. Si vous perdiez votre femme, iriez-vous travailler le lendemain ?

– Madeleine n'était pas sa femme, dit Gamache en se hâtant d'écarter l'image de Reine-Marie morte.

– Ginette l'était et il a ouvert son magasin le jour suivant. Est-ce de la bravoure ou une manifestation du proche ennemi ?

– De quoi ?

– Le proche ennemi. C'est un concept en psychologie. Deux émotions qui paraissent identiques sont en réalité des contraires. L'une se fait passer pour l'autre, est prise pour l'autre, mais l'une est saine et l'autre malade, tordue.

Gamache déposa son verre. La condensation rendait ses doigts légèrement humides. Ou bien était-ce la sueur qui était soudainement apparue sur ses paumes ? Tous les bruits s'estompèrent : l'orage, la pluie et la grêle qui martelaient frénétiquement la fenêtre, les rires et les conversations du bistro.

Il se pencha et parla à voix basse.

– Pouvez-vous me donner un exemple ?

– Il y a trois associations, dit-elle en se penchant elle aussi et sans savoir pourquoi elle murmurait. L'attachement se fait passer pour de l'amour, la pitié pour de la compassion et l'indifférence pour de la sérénité.

Armand Gamache resta silencieux un moment, les yeux dans ceux de Myrna, essayant de deviner la signification profonde de ce qu'elle venait de dire. Il y en avait une, il le savait. Il venait d'entendre quelque chose d'important.

Mais il ne l'avait pas très bien compris. Son regard glissa vers la cheminée, tandis que Myrna, appuyée au dossier de son fauteuil bien rembourré, faisait tournoyer son vin rouge dans le verre ballon.

– Je ne comprends pas, finit par avouer Gamache en ramenant les yeux vers elle. Pouvez-vous m'expliquer ?

Myrna hocha la tête en signe d'assentiment.

– La pitié et la compassion sont les plus faciles à comprendre. La compassion suppose de l'empathie. On considère la personne affligée comme un égal. Avec la pitié, ce n'est pas le cas. Si on prend quelqu'un en pitié, c'est qu'on se sent supérieur.

– Mais les deux sont difficiles à distinguer.

– Exactement. Même pour la personne qui éprouve le sentiment. Presque tout le monde affirmerait être rempli de compassion. C'est l'une des émotions les plus nobles. En réalité, c'est de la pitié que les gens ressentent.

– Alors, la pitié est le proche ennemi de la compassion, dit lentement Gamache en y réfléchissant.

– C'est ça. Elle ressemble à de la compassion, elle a le même effet, mais, en réalité, c'est son opposé. Tant qu'on ressent de la pitié, il n'y a pas de place pour la compassion. Elle détruit, élimine l'émotion noble.

– Parce qu'on se fait croire que l'on éprouve l'une, tandis qu'en fait c'est l'autre.

– On le fait croire à soi et aux autres.

– Et dans le cas de l'amour et de l'attachement ? demanda Gamache.

– Les mères et les enfants nous fournissent des exemples classiques. Certaines mères considèrent que leur tâche consiste à préparer leurs enfants à vivre dans le monde. À être indépendants, à se marier et à avoir des enfants à leur tour. À vivre là où ils veulent et à faire ce qui les rend heureux. Ça, c'est de l'amour. D'autres s'accrochent à leurs enfants. Elles vont habiter dans la même ville, le même quartier. Elles vivent par procuration, grâce à eux. Elles les étouffent, les manipulent, les culpabilisent, les inhibent.

– Les inhibent ? Comment ?

– En ne leur enseignant pas à être indépendants.

– Cela ne se limite pas aux mères et aux enfants.

– Non, en effet. Ça affecte les amitiés, le mariage. Toute relation intime. L'amour réconforte, mais l'attachement prend des otages.

Gamache hocha la tête affirmativement. Il l'avait constaté assez souvent : les otages n'ont pas le droit de s'échapper et, s'ils essaient, une tragédie survient.

– Et le dernier ? Qu'est-ce que c'était ? dit-il en se penchant de nouveau.

– La sérénité et l'indifférence. Je pense que c'est le pire des proches ennemis, le plus corrosif. La sérénité, c'est l'équilibre. Quand arrive un bouleversement, on le ressent fortement, mais on peut aussi le surmonter. Vous l'avez sûrement vu. Des gens qui, tant bien que mal, survivent à la perte d'un enfant ou d'un conjoint. En tant que psychologue, j'ai vu cela très souvent. Malgré une peine et un chagrin incroyables, les gens trouvent une force essentielle au fond d'eux-mêmes : la sérénité. C'est la capacité d'accepter et de passer à autre chose.

Gamache approuva d'un signe de tête. Il avait été profondément touché de voir des familles surmonter le meurtre d'un proche. Certaines avaient même été capables de pardonner.

– En quoi ressemble-t-elle à de l'indifférence ?

– Pensez-y. Tous ces gens stoïques, flegmatiques, qui restent calmes devant la tragédie. Certains font réellement preuve de bravoure, mais d'autres – elle baissa encore la voix – sont psychotiques et ne ressentent aucune douleur. Savez-vous pourquoi ?

Gamache resta silencieux. À côté de lui, l'orage se ruait contre la fenêtre, comme s'il cherchait désespérément à interrompre leur conversation. La grêle martelait la vitre et la neige qui s'y collait masquait le village, donnant l'impression que Myrna et lui se trouvaient dans un univers à part.

– Ils sont indifférents aux autres. Ils ne ressentent pas d'émotions comme tout le monde. Ils sont comme l'Homme invisible : sous des signes extérieurs d'humanité, c'est le vide.

Gamache sentit sa peau se refroidir et la chair de poule parcourir ses bras sous les manches de sa veste.

– Le plus difficile est de faire la distinction entre les deux, murmura Myrna en s'efforçant de garder l'épicier à l'œil. Les gens qui sont sereins sont d'une bravoure incroyable. Ils acceptent la douleur, la ressentent pleinement, puis la laissent aller. Et vous savez quoi ?

– Quoi ? chuchota Gamache.

– Ils ressemblent en tous points aux gens insouciants et indifférents. Calmes et sereins. On a le plus grand respect pour cela. Mais qui est le brave et qui est le proche ennemi ?

Gamache s'appuya au dossier de son fauteuil réchauffé par le foyer. L'ennemi, sut-il alors, était proche.

Les agents Lacoste et Lemieux étaient partis pour la journée et l'inspecteur Beauvoir était seul au bureau provisoire. Mis à part Nichol. Penchée sur son ordinateur, elle avait le teint terreux, comme si elle était morte.

L'horloge indiquait dix-huit heures. L'heure de partir. Il prit sa veste de cuir et ouvrit la porte. Et la referma rapidement.

– Merde !

– Quoi ? dit Nichol en s'approchant.

Beauvoir recula et l'invita à ouvrir la porte. Elle le regarda avec suspicion, puis le fit en vitesse.

Elle reçut une rafale de pluie glaciale, avec autre chose. Elle fit un saut en arrière et vit rebondir quelque chose. De la grêle. « Quoi, de la grêle ?! » La porte battait au vent, à présent, et, en s'avançant pour la refermer, elle vit également de la neige tourbillonner dans la lumière.

« Ah non, pas de la neige aussi ? »

De la pluie, de la grêle et de la neige ? Quoi d'autre, des grenouilles ?

À ce moment-là, un téléphone sonna. C'était le petit son métallique d'un cellulaire. Une mélodie familière, mais que Beauvoir n'arrivait pas à identifier. Ce n'était sûrement pas son téléphone. Il regarda Nichol, qui avait pris des couleurs. Elle paraissait avoir été maquillée par un entrepreneur de pompes funèbres rancunier, les joues et le front couverts de grandes taches rouges. Le reste demeurait cireux.

– Ton téléphone sonne, je pense.

– C'est pas le mien. Lacoste a dû oublier le sien.

– Oui, c'est le tien, dit Beauvoir en s'avançant vers elle.

Il devinait assez bien qui se trouvait à l'autre bout du fil.

– Réponds.

– C'est un faux numéro.

– Si tu ne réponds pas, je vais le faire.

Il s'approcha encore et elle recula.

– Non. Je réponds.

Elle ouvrit lentement l'appareil, espérant de toute évidence que la sonnerie cesserait avant qu'elle ait le temps d'appuyer sur le bouton. Cependant, le téléphone continuait de sonner. Beauvoir s'avança. Nichol recula d'un bond, mais pas suffisamment vite. En un éclair, Beauvoir s'empara du téléphone.

– Allô.

La communication fut coupée.

Le bistro était presque vide. Le feu qui crépitait doucement dans l'âtre lançait une lueur ambrée et cramoisie dans la salle. Chaude et confortable, celle-ci était tranquille, sauf quand une bourrasque particulièrement violente produisait un coup sourd.

Beauvoir tira un livre de son sac à bandoulière.

– Ah, excellent, dit Gamache en prenant l'album de diplômés.

Il s'appuya au dossier de sa chaise, mit ses lunettes, prit son vin rouge – et disparut. Beauvoir n'avait jamais vu son patron aussi heureux que lorsqu'il avait un livre entre les mains.

Beauvoir prit une tranche de baguette croustillante, y étendit une épaisse couche de pâté et l'entama. Dehors, le vent hurlait. À l'intérieur, c'était le calme et la détente.

Quelques minutes plus tard, la porte s'ouvrit et Jeanne Chauvet entra, poussée par le vent, les cheveux et un air ahuri plaqués sur son visage. Gamache se leva et s'inclina légèrement devant elle. Elle choisit une table à bonne distance des deux hommes.

– Voulez-vous parier que c'est Nichol qui l'a chassée hors du gîte et forcée à courir dans la tempête? Elle est la seule à pouvoir faire peur à une femme qui gagne sa vie en ressuscitant les morts.

Leurs entrées arrivèrent. Gabri déposa une bisque de homard devant Gamache et une soupe à l'oignon gratinée devant Beauvoir.

Les deux hommes poursuivirent leur conversation en mangeant. C'était l'aspect d'une enquête que Beauvoir préférait: réfléchir avec l'inspecteur-chef. Échanger des observations, des idées. Rien d'officiel, aucune prise de notes. Réfléchir à haute voix, tout simplement. En mangeant et en buvant.

– Qu'est-ce qui vous a frappé? demanda Gamache en donnant une petite tape sur l'album.

Son potage velouté avait un riche goût de homard et une légère saveur de cognac.

– Je me suis dit que la légende de sa photo pourrait avoir de l'importance.

– Cette remarque sur la prison Tanguay. Oui, j'ai vu, moi aussi.

Gamache revint aux photos des diplômés, regardant celle de Hazel, cette fois. De toute évidence, elle était allée au salon de beauté juste avant la séance de photos. Elle avait les cheveux gonflés et ses yeux globuleux étaient trop soulignés de noir. Sa légende disait: «Hazel aime le sport et le club de théâtre. Jamais elle ne se met en colère: il y a une certaine ado qu'elle ne veut pas se mettre à dos.»

Gamache s'attarda à ce dernier commentaire: «Jamais elle ne se met en colère: il y a une certaine ado qu'elle ne veut pas se mettre à dos», en se demandant si c'était un exemple d'indifférence ou de sérénité. Qui voudrait se mettre quelqu'un à dos?

Il passa à la page du groupe de théâtre et vit Hazel, souriante, le bras autour de la taille d'une actrice fortement maquillée. Sous la photo était écrit: «Madeleine Gagnon dans le rôle de Rosalinde, dans *Comme il vous plaira*.» Suivait une description de la pièce de fin d'année, une réussite exceptionnelle, rédigée par sa productrice, Hazel Lang.

– Je me demande comment Madeleine trouvait le temps de faire tout ça, dit Beauvoir. Du sport, du théâtre. Elle était même meneuse de claque.

Il feuilleta l'album jusqu'à la page qu'il cherchait.

– Ici, vous voyez ? C'est elle.

En effet, c'était Madeleine, tout sourire, cheveux brillants même en noir et blanc. Toutes les filles portaient des jupes courtes et de petits pulls moulants. Elles étaient jeunes, ravissantes, radieuses. Gamache lut les noms des équipières : Monique, Joan, Madeleine, Georgette. Et une qui manquait. Une certaine Jeanne. Jeanne Potvin.

– Avez-vous remarqué le nom de la meneuse de claque manquante ? demanda Gamache. Jeanne.

Il retourna le livre vers Beauvoir, puis regarda la femme solitaire à sa table.

– Vous ne pensez tout de même pas..., dit Beauvoir en secouant la tête de ce côté.

– Il s'est déjà produit des choses plus étranges.

– Comme des séances de spiritisme et des fantômes ? Vous pensez que, par magie, la jolie meneuse de claque s'est transformée en ça ?

Les deux hommes regardèrent la femme effacée vêtue d'un pull beige et d'un pantalon.

– « J'ai vu des fleurs pousser parmi les galets / Et des gestes de bonté faits par des hommes laids », dit Gamache en regardant Jeanne Chauvet.

Au même moment, Olivier apparaissait avec leurs plats. Beauvoir était doublement content. Non seulement il allait pouvoir manger, mais le chef arrêterait de réciter de la poésie. Beauvoir n'en pouvait plus de faire semblant de comprendre ce qui le dépassait. Le coq au vin de Gamache remplit la table d'un riche arôme légèrement terreux et d'un soupçon inattendu de parfum d'érable. De jeunes haricots verts et des minicarottes glacées avaient leur propre assiette de service. Devant

Beauvoir fut déposé un énorme steak grillé au feu de bois et recouvert d'oignons sautés avec, dans un autre plat, une montagne de frites.

Beauvoir aurait pu mourir heureux sur-le-champ, mais il aurait manqué la crème brûlée au dessert.

– Qui l'a fait, d'après vous ? demanda Beauvoir en dévorant des frites à belles dents.

– Pour le meurtre d'une femme si appréciée, on ne semble pas manquer de suspects, répondit Gamache. Elle a été tuée par quelqu'un qui avait de l'éphédra sous la main et qui était au courant de la séance. Mais le meurtrier connaissait probablement un autre élément.

– Lequel ?

– Le problème cardiaque de Madeleine Favreau.

Gamache parla à Beauvoir du rapport de la médecin légiste.

– Personne ne nous en a parlé, dit Beauvoir après une gorgée de bière. Le meurtrier ne savait peut-être pas qu'elle était cardiaque. Il a pu penser que lui donner de l'éphédra et l'amener à la vieille maison des Hadley suffiraient.

– C'est possible, reconnut Gamache en essuyant la sauce avec un bout de pain chaud et moelleux.

– Mais si Madeleine avait un problème cardiaque, pourquoi l'aurait-elle gardé secret ?

Quels autres secrets Madeleine aurait-elle voulu emporter dans la tombe ?

– Le meurtrier a peut-être eu de la chance, tout simplement, ajouta Beauvoir.

Cependant, les deux hommes savaient que ce meurtre n'avait rien à voir avec la chance.

32

Assise dos à la salle, Jeanne Chauvet essayait de faire semblant d'aimer être seule, d'être fascinée par le feu vif et ardent, de ne pas se sentir blessée, giflée par les regards froids des villageois, presque aussi violents que la tempête. Elle essayait de faire semblant d'être à sa place. À Three Pines.

Elle s'était tout de suite sentie chez elle quand sa voiture avait emprunté la rue du Moulin, quelques jours auparavant. Le village baignait dans la lumière éclatante du soleil, les arbres étaient couverts de bourgeons d'un vert chartreuse, les gens se saluaient avec un sourire, parfois même avec une révérence élégante et courtoise, comme Gamache venait de le faire. Cela ne semblait exister que dans cette vallée magique.

Jeanne Chauvet savait reconnaître un lieu magique, en ce monde ou ailleurs. Three Pines en était un. Elle avait l'impression de voir apparaître une île après avoir passé sa vie à nager. Cette nuit-là, étendue dans le lit du gîte, emmitouflée dans la literie propre et fraîche, elle s'était laissé bercer par le chant des grenouilles de l'étang. Elle avait senti s'envoler des années de fatigue. Non pas d'épuisement, mais de lassitude, comme si ses os s'étaient fossilisés, pétrifiés, et l'entraînaient vers le fond herbeux.

Mais ce soir-là, dans le lit, elle avait su que Three Pines l'avait sauvée. Comme elle avait osé l'espérer dès l'instant où elle avait reçu le prospectus par la poste.

Puis elle avait vu Madeleine à la séance du vendredi, et son île avait coulé, comme l'Atlantide. Une fois de plus, elle s'était sentie engloutie, dépassée.

Elle prit une gorgée du café riche et corsé d'Olivier, auquel la crème donnait une couleur caramel, et fit comme si les villageois, si sympathiques à son arrivée, n'étaient pas devenus froids, durs, impitoyables. Elle pouvait presque les voir s'approcher résolument avec des flambeaux, le regard terrifié.

Tout cela à cause de Madeleine. Certaines choses sont immuables. Jeanne n'avait toujours voulu qu'une chose : trouver sa place, avoir un sentiment d'appartenance, et Madeleine n'avait fait que le lui enlever.

– Pouvons-nous nous joindre à vous ?

Jeanne sursauta et leva les yeux. Armand Gamache et Jean-Guy Beauvoir la regardaient. Gamache avec un sourire chaleureux et des yeux bienveillants. L'autre avec un air maussade.

« Il n'a pas envie de se trouver ici avec moi, celui-là », se dit Jeanne, tout en sachant qu'elle n'avait pas besoin d'être médium pour le deviner.

– Je vous en prie.

Elle leur indiqua, de part et d'autre de l'âtre, des fauteuils moelleux aux tissus fanés, réchauffés par le feu.

– Avez-vous l'intention de changer encore de place ? demanda Gabri d'un ton vexé.

– On a toute la soirée devant nous, patron, répondit Gamache en souriant. Puis-je vous offrir quelque chose, madame ?

– J'ai mon café, merci.

– Nous allions commander des liqueurs. Ce serait approprié, avec un temps pareil.

Il jeta un coup d'œil à la fenêtre, dans laquelle se reflétait l'intérieur chaleureux du bistro. Les vieux carreaux tremblèrent sous une autre bourrasque et un léger crépitement leur indiqua qu'il grêlait toujours.

– Mon Dieu, soupira Gabri, comment pouvons-nous vivre dans un pays pareil ?

– Je prendrais bien un expresso et un verre de Brandy & Bénédictine, dit Beauvoir.

Gamache se tourna vers Jeanne. Pour une raison quelconque, elle avait l'impression de se trouver en compagnie de son père, ou peut-être de son grand-père, même si l'inspecteur-chef ne pouvait pas avoir plus de dix ans de plus qu'elle. Il y avait chez lui quelque chose de suranné, comme s'il était d'une autre époque. Elle se demanda s'il avait de la difficulté à vivre en ce monde. Et se dit que non.

– Oui, s'il vous plaît, je voudrais un…

Elle réfléchit un moment, puis se tourna vers les bouteilles de liqueurs alignées sur une étagère au fond du bar. Tia Maria, crème de menthe, cognac. Elle se retourna vers Gabri.

– Un Cointreau, s'il vous plaît.

Gamache commanda un cognac, puis, jusqu'à l'arrivée de leurs verres, les trois parlèrent de la météo, des Cantons-de-l'Est et de l'état des routes.

– Avez-vous toujours été médium, madame Chauvet? demanda Gamache lorsque Gabri fut parti, à regret.

– Je crois bien que oui, mais c'est seulement vers l'âge de dix ans que j'ai compris que tous les gens ne voyaient pas le monde de la même façon que moi.

Elle approcha de son nez le verre minuscule et huma. C'était orangé, sucré, chaud. L'odeur la fit larmoyer. Elle approcha ensuite le Cointreau de ses lèvres et les trempa dans le liquide sirupeux. Puis elle abaissa le verre et se pourlécha. Elle voulait que cela dure. Le goût, les arômes, la vue. La compagnie.

– Comment l'avez-vous découvert?

Elle n'en parlait presque jamais, mais les gens ne posaient pas souvent la question. Elle hésita et fixa Gamache pendant un long moment avant de répondre.

– À la fête d'anniversaire d'une amie. En regardant tous les cadeaux emballés, j'ai su exactement ce qu'il y avait dedans.

– Eh bien, du moment que vous n'avez rien dit, commenta Gamache, puis il la regarda plus attentivement. Mais vous avez parlé, n'est-ce pas?

Beauvoir était un peu vexé par cet aspect médiumnique que prenait le chef. Après tout, c'est lui qui était censé être né coiffé. Après le départ subit de Nichol, il avait passé du temps à fouiller le Web à la recherche de l'expression « naître coiffé ». Il lui avait fallu un moment pour écarter une foule d'informations sur l'entretien des cheveux des nouveau-nés.

Ensuite, quelque chose de macabre était apparu sur son écran.

– Oui, avoua Jeanne. J'avais déjà révélé le contenu de la moitié des cadeaux lorsque la fille dont c'était l'anniversaire a éclaté en larmes. Je me rappelle encore la scène. Toutes les petites filles, mes amies, me dévisageaient d'un air sévère, en colère. Et leurs mères, derrière elles, d'un air effrayé. Par la suite, je n'ai plus jamais été la même. J'avais probablement toujours vu des choses, mais je tenais pour acquis que tout le monde les voyait. J'entendais des voix, je voyais des esprits. Je savais ce qui allait arriver. Pas tout. C'était pas constamment, mais suffisant.

Sa voix était enjouée, mais Gamache savait que cela n'avait pas dû être facile. Derrière elle, les villageois mangeaient à leurs tables, calmes et détendus. Personne, cependant, ne s'était approché de Jeanne. La folle, la médium. La sorcière. Ils étaient gentils, il le savait. Mais même la gentillesse ne met pas à l'abri de la peur.

– Ce devait être difficile, dit le chef.

– La vie est beaucoup plus difficile pour d'autres. Croyez-moi, je le sais. Je ne suis la victime de personne, inspecteur-chef. D'ailleurs, je n'ai jamais perdu mes clés. Pouvez-vous en dire autant ?

Elle fixait Gamache en disant cela, mais son grand sourire s'estompa lorsqu'elle se tourna vers Jean-Guy Beauvoir, avec un air si compréhensif, si bienveillant qu'il faillit avouer que lui non plus n'avait jamais égaré ses clés.

Il était né coiffé. Il avait appelé sa mère pour le lui demander et, après un moment d'hésitation, elle l'avait confirmé.

– Maman, pourquoi ne pas me l'avoir dit ?

– J'étais trop gênée. C'était une honte à l'époque, Jean-Guy. Même les religieuses de l'hôpital étaient troublées.

– Pourquoi donc ?

– Un bébé né coiffé est soit maudit, soit béni. Ça veut dire que tu vois des choses, que tu sais des choses.

– Est-ce que j'en voyais, des choses ?

Il se sentait ridicule de le demander. Après tout, il aurait dû le savoir.

– Je ne sais pas. Chaque fois que tu disais quelque chose d'étrange, on t'ignorait. Après un moment, tu as arrêté. Je suis désolée, Jean-Guy. On a peut-être eu tort, mais je ne voulais pas qu'une malédiction s'abatte sur toi.

« Sur moi ou sur toi ? » faillit-il dire.

– Mais j'étais peut-être béni, maman.

– Ça aussi, c'est une malédiction, mon beau.

Quand sa mère avait accouché, il avait la tête entièrement recouverte d'un voile. Une coiffe qui s'interposait entre lui et le monde. Cette membrane aurait dû rester dans le ventre maternel, mais, pour une raison quelconque, elle était sortie avec lui. C'était rare et perturbant, et même aujourd'hui, avait-il découvert en ligne, on croit que les gens nés coiffés sont destinés à une vie inhabituelle. Une vie habitée par les esprits, les morts et les mourants. Et le don de prémonition.

Était-ce pour cela qu'il s'était retrouvé aux homicides ? Qu'il avait choisi de passer son temps avec des gens qui venaient de mourir, et à chasser ceux qui créaient des fantômes ? Pendant plus de dix ans, il s'était moqué du chef, l'avait taquiné et critiqué pour s'être si souvent fié à l'intuition. Celui-ci s'était contenté de sourire tout en continuant comme avant, tandis que Beauvoir s'était incliné devant la perfection des faits, des choses tangibles, visibles, audibles. À présent, il ne savait plus trop quoi penser.

– Qu'est-ce qui vous a amenée ici ? demandait Gamache à Jeanne Chauvet.

– J'ai reçu un dépliant par courrier. Cet endroit paraissait merveilleux et j'avais besoin de repos. Je pense vous l'avoir déjà dit.

– C'est fatigant, d'être médium ? demanda Beauvoir, soudainement intéressé.

– C'est fatigant d'être réceptionniste chez un concessionnaire de voitures. J'avais besoin de repos et ça semblait parfait, ici.

Devait-elle leur révéler le reste ? La mention au haut du dépliant ? Celle qui manquait à l'exemplaire qu'elle avait vu dans le vestibule du gîte. Quelqu'un s'était-il vraiment donné la peine d'ajouter cette phrase étrange à son dépliant uniquement pour l'attirer à Three Pines ? Ou bien était-elle parano ?

– Vous êtes originaire de quel endroit ? demanda Gamache.

– De Montréal. J'y suis née et j'y ai grandi.

Gamache lui tendit l'album.

– Ça vous paraît familier ?

– C'est un album de diplômés. J'en ai un aussi de mon école. Je ne l'ai pas ouvert depuis des années. Je l'ai probablement égaré.

– Je croyais que vous ne perdiez jamais rien, dit Beauvoir.

– Rien de ce que je ne veux pas perdre, répondit-elle en souriant et en rendant le livre à Gamache.

– À quelle école secondaire êtes-vous allée ? demanda Gamache.

– À l'école Gareth James, à Verdun. Pourquoi ?

– J'essaie seulement d'établir des liens, répondit-il en faisant lentement tournoyer son cognac dans son verre. On tue rarement des gens qu'on ne connaît pas. Cette affaire a quelque chose de particulier.

Il laissa la phrase en suspens, ne ressentant pas le besoin d'expliquer. Au bout d'un moment, Jeanne prit la parole.

– Elle a quelque chose d'intime, dit-elle doucement. Non, pas seulement ça. Elle est pleine de monde, on dirait.

Gamache hocha la tête affirmativement, le regard encore plongé dans sa liqueur ambrée.

– À Pâques, le passé a rattrapé Madeleine Favreau, dans la vieille maison des Hadley. Vous avez ressuscité quelque chose.

– Ce n'est pas juste. On m'a invitée à mener la séance. Ce n'était pas mon idée.

– Vous auriez pu refuser, ajouta-t-il. Vous venez de dire que vous savez, sentez, voyez des choses. N'avez-vous rien vu venir ?

Dehors, le vent hurlait pendant que Jeanne Chauvet repensait à cette soirée dans ce même bistro. Quelqu'un avait suggéré une seconde séance. Dans la vieille maison des Hadley. À ce moment-là, quelque chose avait changé. Elle l'avait senti. Un effroi s'était insinué dans ce cercle heureux et joyeux.

À la dérobée, elle avait regardé Madeleine, la jolie et charmante Madeleine, qui semblait fatiguée et nerveuse. Madeleine ne l'avait même pas reconnue.

Jeanne avait alors vu la révulsion à peine masquée de Mado à la seule idée de tenir une séance à la vieille maison des Hadley. Cela avait été suffisant. Un camion aurait pu être en train de foncer sur eux, tout ce que Jeanne voyait était un moyen de faire mal à Madeleine.

Jamais il ne lui était venu à l'esprit de refuser d'animer cette seconde séance.

33

– Tu ne devrais pas être dans ton atelier ? demanda Peter en se versant un autre café avant de retourner à la longue table en pin de leur cuisine.

Il s'était juré de ne rien dire. Sûrement pas de rappeler à Clara que le temps filait. Car elle ne voulait surtout pas entendre dire que Denis Fortin allait arriver dans quelques jours et qu'il verrait une œuvre inachevée.

– Il sera là dans moins d'une semaine, s'entendit-il dire.

Quelque chose semblait s'être emparé de lui.

Clara avait les yeux rivés sur le journal du matin. La une montrait les ravages de la tempête qui avait abattu des arbres, coupé des routes et causé des pannes dans tout le Québec, puis avait disparu.

Lorsque le jour s'était levé, le temps était couvert et bruineux, un jour d'avril normal. La neige et la grêle avaient fondu et il ne restait de la tempête que de petites branches cassées et des fleurs écrasées.

– Je sais que tu peux y arriver, dit Peter en s'assoyant à côté de Clara, qui paraissait épuisée. Mais tu as peut-être besoin d'une petite pause. Arrête de penser au tableau.

– T'es cinglé ? fit-elle en le regardant.

Ses yeux bleu foncé étaient injectés de sang et il se demanda si elle avait pleuré.

– C'est ma grande chance. Il ne me reste plus de temps.

– Mais si tu vas tout de suite dans ton atelier, tu pourrais faire un peu plus de gâchis.

– Un peu plus ?

– Je ne voulais pas dire ça. Je suis désolé.

– Bon sang, qu'est-ce que je dois faire ?

Elle passa la main sur ses yeux fatigués. Elle n'avait presque pas dormi de la nuit. Étendue dans le lit, elle avait d'abord essayé de se rendormir, mais elle était restée obsédée par le tableau. Elle ne savait plus quoi en faire.

Était-elle si bouleversée par la mort de Madeleine qu'elle ne pouvait suffisamment se libérer l'esprit pour créer ? La pensée était commode et réconfortante.

En prenant ses petites mains, Peter remarqua qu'elles étaient tachées de bleu. Avait-elle négligé de bien les nettoyer hier, ou s'était-elle déjà rendue à l'atelier ce matin ? Instinctivement, il passa son pouce sur la couleur et l'étala. Elle datait du jour même.

– Écoute, on pourrait organiser un petit souper entre amis, inviter Gamache avec d'autres. Je parie qu'il aimerait bien prendre un repas maison.

En prononçant ces mots, il fut frappé de leur cruauté. C'était exactement ce que Clara ne devait pas faire : se laisser distraire. Elle avait besoin de résoudre sa peur dans le calme de son atelier. Dans les circonstances, un souper entre amis aurait un effet désastreux.

« Il est fou ou quoi ? » se demanda Clara. Le tableau était un gâchis et Peter lui suggérait d'organiser une fête ? Cependant, même si elle semblait avoir perdu son talent, sa muse, son inspiration, son courage, elle gardait la certitude que Peter voulait son bien.

– Bonne idée, dit-elle en essayant de sourire.

Paniquer, découvrait-elle, était épuisant. Elle regarda l'horloge de la cuisinière. Sept heures trente. Elle agrippa sa tasse de café, appela Lucy, leur golden retriever, mit un manteau, des bottes en caoutchouc et un chapeau, et sortit.

L'air avait une odeur fraîche et propre, ou, du moins, naturelle – celle de la terre. Il sentait les feuilles, le bois et la terre. Et l'eau. Et la fumée de bois. La journée qui commençait avait une odeur merveilleuse, mais on voyait partout les signes d'un massacre. Toutes les jeunes tulipes et jonquilles avaient été renversées par la tempête. En se penchant, Clara en souleva une pour qu'elle se redresse, mais elle retomba aussitôt.

Comme elle canalisait toutes ses énergies créatrices dans son art, Clara n'avait jamais vraiment pris goût au jardinage. Heureusement, Myrna adorait s'y adonner, d'autant plus qu'elle n'avait pas de terrain.

En échange de repas et de films, Myrna avait transformé le modeste jardin de Clara et Peter en jolies platebandes de roses et de pivoines, de delphiniums et de digitales pourprées. Mais, à la fin avril, seuls les bulbes printaniers osaient fleurir, et on voyait ce qui leur était arrivé.

Armand Gamache fut réveillé par de légers coups à sa porte. Son réveil indiquait six heures dix. Une lumière blafarde pénétrait dans sa chambre confortable. Il écouta et on frappa de nouveau. Se glissant hors du lit, il mit sa robe de chambre et ouvrit la porte. Devant lui se trouvait Gabri, son épaisse chevelure noire dressée d'un côté, ce qui le faisait ressembler à Gumby. Il n'était pas rasé et portait une robe de chambre miteuse et des pantoufles molletonnées. On aurait dit que plus Olivier devenait élégant et sophistiqué, plus Gabri se laissait aller. L'univers en équilibre.

Olivier devait être particulièrement magnifique aujourd'hui, se dit Gamache.

– Désolé, chuchota Gabri.

Il leva la main et Gamache vit un journal. Son cœur se serra.

– Il vient d'arriver. Je me suis dit que vous aimeriez le voir avant tout le monde.

– Tout le monde ?

– En fait, je l'ai vu, Olivier aussi. Mais personne d'autre.

– Vous êtes très gentil, Gabri. Merci.

– Je prépare du café. Descendez quand vous serez prêt. Au moins, la tempête est passée.

– Vous croyez ? dit Gamache en souriant.

Il referma la porte, posa le journal sur le lit, prit sa douche et se rasa. Rafraîchi, il regarda le tabloïd, tache noire et grise contre les draps blancs. Il tourna rapidement les pages avant que son courage fléchisse.

Et voilà. C'était pire que ce qu'il avait anticipé.

Sa mâchoire se referma, il serra et desserra les molaires. Plus il regardait la photo, plus il suffoquait. Sa fille Annie. Annie avec un homme. Qu'elle embrassait.

« Anne-Marie Gamache avec son amant, Me Paul Miron, du bureau du procureur. »

Gamache ferma les yeux. Lorsqu'il les rouvrit, la photo était encore là.

Il lut l'article, le relut. S'obligea à ralentir. Pour mastiquer, avaler et digérer les mots répugnants. Puis, il s'assit en silence et réfléchit.

Quelques minutes plus tard, il réveilla Reine-Marie en l'appelant.

– Bonjour, Armand. Quelle heure est-il ?

– Presque sept heures. As-tu bien dormi ?

– Pas vraiment. Sommeil agité. Et toi ?

– Même chose, avoua-t-il.

– J'ai de mauvaises nouvelles. Henri a mangé tes pantoufles préférées. Une, en tout cas.

– Vraiment ? Il n'a jamais fait ça. Je me demande pourquoi soudainement il le ferait.

– Tu lui manques, comme à moi. Il ne t'aime que trop, mais ne sait pas aimer sagement.

– Tu n'as pas mangé mon autre pantoufle, j'espère ?

– J'en ai seulement grignoté le bord. Ça se remarque à peine.

Il y eut une pause, puis Reine-Marie dit :

– Qu'y a-t-il ?

– Un autre article.

Il la voyait dans leur lit en bois avec son simple duvet, ses oreillers de plumes et ses draps blancs et propres. Elle avait deux oreillers derrière le dos et les draps montés autour de sa poitrine, couvrant son corps nu. Non pas par honte ou timidité, mais pour se garder au chaud.

– Est-ce très mauvais ?

– Plutôt. C'est à propos d'Annie.

Il crut l'entendre retenir son souffle.

– La photo la montre en train d'embrasser un homme identifié comme étant Me Paul Miron. Un procureur de la Couronne. Marié.

– Tout comme elle, dit Reine-Marie. Oh, pauvre David. Pauvre Annie. Tout est faux, bien entendu. Annie ne ferait jamais ça à David. Ni à personne d'autre. Jamais.

– Je suis d'accord. Selon l'article, si j'ai évité d'être accusé de meurtre avec Arnot, c'est parce que j'ai demandé à Annie de coucher avec le procureur.

– Armand ! Mais c'est épouvantable. Comment osent-ils ? Je ne comprends pas qu'on puisse faire ça.

Gamache ferma les yeux et sentit un trou béant dans sa poitrine, là où Reine-Marie aurait dû se trouver. Il aurait voulu de tout son cœur être avec elle, pour pouvoir la tenir, l'envelopper de ses bras forts. Et pour qu'elle l'enlace, lui.

– Armand, qu'est-ce qu'on va faire ?

– Rien. On tient bon. Je vais appeler Annie. J'ai parlé à Daniel hier soir. Il semble aller bien.

– Que veulent ces gens ?

– Ma démission.

– Pourquoi ?

– Pour venger Arnot. Je suis devenu un symbole de la honte infligée à la Sûreté.

– Non, ce n'est pas ça, Armand. C'est plutôt parce que tu es devenu trop puissant.

Après avoir raccroché, il appela sa fille et la réveilla, elle aussi. Elle se glissa dans une autre pièce pour parler. Puis elle entendit David remuer.

– Papa, il faut que je lui parle. Je te rappelle.

– Annie, je suis désolé.

– Ce n'est pas ta faute. Mon Dieu, il descend chercher le journal. J'y vais !

Pendant un moment, Armand Gamache imagina la scène dans leur maison du Plateau-Mont-Royal. David, ébouriffé et abasourdi. Si amoureux d'Annie. Annie, impétueuse, ambitieuse, pleine de vie. Si amoureuse de David.

Il fit un autre appel. À son ami et supérieur, Michel Brébeuf.

– Oui, allô, dit la voix familière.

– Je te dérange ?

– Pas du tout, Armand, dit la voix chaleureuse et agréable. J'allais te téléphoner. J'ai vu les journaux d'hier.

– As-tu vu celui de ce matin ?

Il y eut une pause, puis Michel cria :

– Catherine, est-ce que le journal est arrivé ? Oui ? Voudrais-tu me l'apporter ? Juste un moment, Armand.

Gamache entendit le froissement des pages du journal que tournait Brébeuf, puis ce fut le silence.

– Mon Dieu, Armand, c'est terrible. C'est trop. As-tu parlé à Annie ?

Elle était la filleule de Michel, sa préférée.

– Juste à l'instant. Elle ne l'avait pas vu. Elle parle à David. Ce n'est pas vrai, bien entendu.

– Tu plaisantes ? Parce que j'y crois, moi, dit Brébeuf. Évidemment que ce sont des mensonges. Nous savons qu'Annie n'aurait jamais d'aventure. Armand, ça devient dangereux. Quelqu'un va croire ces conneries. Tu devrais peut-être t'expliquer.

– À toi ?

– Non, pas à moi, mais aux reporters. La première photo te montrait en train de parler à Daniel. Pourquoi n'appelles-tu pas tout simplement le rédacteur en chef pour rectifier les faits ? Et je suis sûr que tu as une explication pour l'enveloppe. Qu'est-ce qu'elle contenait, au fait ?

– Celle que j'ai donnée à Daniel ? Rien d'important.

Il y eut une pause, puis Brébeuf reprit, d'un ton sérieux :

– Armand, est-ce que c'était une crêpe ?

Gamache se mit à rire.

– Comment as-tu deviné, Michel ? C'est exactement ça. Une vieille crêpe de ma grand-mère, un souvenir de famille.

Brébeuf rit, puis devint silencieux.

– Si tu n'arrêtes pas ces insinuations, elles ne feront qu'empirer. Convoque une conférence de presse, dis à tout le monde que Daniel est ton fils. Dis-leur ce qu'il y avait dans l'enveloppe. Parle-leur d'Annie. Qu'est-ce qu'il y a de mal à ça ?

Qu'est-ce qu'il y avait de mal ?

– Les mensonges ne finiront jamais, Michel. Tu le sais. C'est une hydre. Tranche une tête et il en surgit d'autres, plus fortes et plus méchantes. Si nous réagissons, ils sauront qu'ils nous ont eus. Je ne le ferai pas, et je ne démissionnerai pas.

– Tu parles comme un enfant.

– Les enfants peuvent être sages.

– Les enfants sont têtus et égoïstes, rétorqua Brébeuf d'un ton brusque.

Il y eut un silence. Michel Brébeuf s'obligea à faire une pause. À compter jusqu'à cinq. Pour donner l'impression qu'il était en train de réfléchir profondément. Puis, il parla.

– Bon, d'accord, mais m'autorises-tu à travailler en coulisse ? J'ai des contacts aux journaux.

– Merci, Michel. Je l'apprécierais.

– Bien. Va travailler, concentre-toi sur l'enquête. Garde l'œil sur ton objectif et ne t'en fais pas pour ces choses-là. Je m'en occupe.

Armand Gamache s'habilla et descendit, en se laissant imprégner de plus en plus par l'arôme du café fort. Pendant quelques minutes, il sirota son expresso, mangea un croissant croustillant et parla avec Gabri. En jouant avec l'anse de sa tasse, l'homme débraillé lui parla de son *coming out*, de la révélation faite à sa famille, à ses collègues de la société d'investissement. Gamache voyait que Gabri comprenait comment il se sentait : mis à nu, à découvert, accablé de honte pour quelque chose qui n'était pas honteux. D'une façon discrète et insolite, Gabri lui disait qu'il n'était pas seul. En le remerciant, Gamache enfila ses bottes en caoutchouc et sa veste Barbour en coton huilé, et partit marcher. Il avait besoin de réfléchir longuement et savait qu'aucun tracas ne résiste à une promenade.

Il bruinait légèrement et toutes les joyeuses fleurs printanières étaient affalées comme de jeunes soldats massacrés sur un champ de bataille. Pendant une vingtaine de minutes, il marcha, les mains derrière le dos. En faisant quelques tours du petit village, il le vit graduellement s'animer : des lumières apparaissaient aux fenêtres, on laissait sortir les chiens, on allumait les foyers. C'était paisible et calme.

– Bonjour vous, s'écria Clara Morrow.

Elle était dans son jardin, une tasse de café à la main, un imperméable par-dessus sa chemise de nuit.

– Je suis venue évaluer les dommages. Voulez-vous venir souper ce soir ? On a pensé inviter quelques personnes.

– Cela serait merveilleux, merci. Accepteriez-vous de vous joindre à moi ? demanda Gamache en faisant un geste de la main pour indiquer une promenade autour du parc.

– Bien sûr.

– Où en est votre toile ? J'ai entendu dire que Denis Fortin allait bientôt vous rendre visite.

En voyant son expression, il comprit qu'il venait de mettre les pieds dans quelque chose de gluant et de puant.

– J'aurais peut-être dû me taire ?

– Non, non. Je me pose des questions, c'est tout. Ce qui était si clair il y a quelques jours est soudainement devenu obscur et confus. Voyez-vous ?

– Je vois, dit-il d'un air piteux.

Elle le regarda. Elle se sentait souvent idiote, mal outillée par rapport aux autres. Auprès de Gamache, elle se sentait entière.

– Que pensiez-vous de Madeleine Favreau ?

Clara s'arrêta un moment pour rassembler ses pensées.

– Je l'appréciais. Beaucoup. Je ne la connaissais pas très bien, cependant. Elle venait de se joindre aux femmes de l'église anglicane. Hazel a eu de la chance.

– Comment donc ?

– Elle était censée prendre la relève de Gabri à la présidence, en septembre, mais Madeleine s'est proposée.

– Cela n'a pas contrarié Hazel ?

– On voit bien que vous n'avez jamais été une femme de l'église anglicane.

– Je ne suis pas anglican.

– C'est très amusant. On organise de petites fêtes à l'église, des thés et, deux fois par année, une vente d'articles. Mais c'est l'enfer à coordonner.

– C'est donc cela, l'enfer, dit Gamache en souriant. Seuls ceux qui commettent des péchés mortels dirigent l'association ?

– Absolument. Notre punition consiste à passer l'éternité à supplier les gens de faire du bénévolat.

– Alors Hazel était heureuse de s'en sortir ?

– Ravie, je pense. D'ailleurs, c'est probablement pour ça qu'elle y a emmené Madeleine. Elles formaient une bonne équipe, malgré leurs différences.

– Comment donc ?

– Eh bien, Madeleine vous mettait toujours à l'aise. Elle riait beaucoup et savait écouter. Elle était très drôle. Mais si vous étiez malade ou dans le besoin, c'était Hazel qui se présentait.

– Madeleine était-elle superficielle, d'après vous ?

Clara hésita.

– Je pense que Madeleine était habituée à obtenir ce qu'elle voulait. Pas parce que c'était une personne avide, mais parce que c'est ce qui se produisait toujours.

– Saviez-vous qu'elle avait eu le cancer ?

– Oui. Le cancer du sein.

– Savez-vous si elle était en bonne santé ?

– Madeleine ? dit Clara en riant. En meilleure santé que vous ou moi. Elle était en grande forme.

– Avait-elle changé au cours des dernières semaines ou des derniers mois ?

– Changé ? Je ne pense pas. Elle me semblait la même.

Gamache hocha la tête, puis continua.

– Nous pensons que la substance qui l'a tuée a été glissée dans sa nourriture au souper. Avez-vous vu ou entendu quelque chose d'étrange ?

– Dans notre groupe, tout ce qui est normal paraît suspect. Mais vous dites que quelqu'un présent à notre souper l'a tuée ? En lui donnant de l'éphédra ?

Gamache fit un signe de tête affirmatif.

Clara réfléchit, en se rejouant le souper dans sa tête. La nourriture qui arrivait, qu'on faisait réchauffer, qu'on préparait, qu'on mettait sur la table. Les gens qui s'assoyaient et se passaient les plats.

Non, tout semblait normal. Il était affreux de penser que l'un d'entre eux, autour de cette table, avait empoisonné Madeleine, mais ce n'était pas une surprise, à vrai dire. Si c'était un meurtre, l'un d'entre eux l'avait commis.

– On a tous mangé les mêmes plats, en nous servant nous-mêmes. Le poison pouvait-il être destiné à quelqu'un d'autre ?

– Non, répondit Gamache. Nous avons fait analyser les restes et il n'y avait aucune trace d'éphédra dans les différents plats. De plus, vous vous êtes tous servis vous-mêmes, n'est-ce pas ? Pour s'assurer que la personne visée recevrait l'éphédra, le meurtrier a donc dû en donner directement à Madeleine. Dans son assiette.

Clara hocha la tête. Elle voyait la main, le geste, mais pas la personne. Elle pensa aux gens présents au souper. M. Béliveau ? Hazel et Sophie ? Odile et Gilles ? Bon, Odile assassinait la poésie, mais sûrement rien d'autre.

Ruth ?

Peter disait toujours que, parmi les personnes qu'il connaissait, Ruth était la seule capable de tuer. Et si c'était elle ? Mais elle n'avait même pas assisté à la séance. En revanche, ce n'était peut-être pas indispensable.

– La séance avait-elle quelque chose à voir avec le meurtre ? demanda-t-elle.

– Nous pensons que c'était un élément. Comme l'éphédra.

Tout en marchant, Clara buvait son café maintenant refroidi.

– Ce que je ne comprends pas, c'est pourquoi le meurtrier a décidé de tuer Madeleine ce soir-là.

– Que voulez-vous dire ?

– Pourquoi lui avoir donné l'éphédra en plein repas ? S'il lui fallait une séance, il aurait pu le faire le vendredi soir.

C'était une question qui hantait Gamache : pourquoi avoir attendu au dimanche ? Pourquoi ne pas l'avoir tuée le vendredi ?

– Il a peut-être essayé, dit-il. Avez-vous remarqué quelque chose d'étrange, vendredi ?

– Plus étrange que de contacter des morts ? Pas que je me souvienne.

– Avec qui Madeleine a-t-elle pris son repas du soir ?

– Avec Hazel, j'imagine. Non, attendez, Madeleine n'est pas rentrée à la maison. Elle est restée ici.

– Elle a soupé au bistro ?

– Non, avec M. Béliveau.

Elle tourna la tête en direction de sa demeure, une grande maison en bois en face du parc.

– Je l'aime bien. Comme la plupart des gens.

– La plupart, mais pas tous ?

– Vous ne laissez rien passer, hein ? dit-elle en riant.

– Quand je rate des choses ou les laisse passer, elles s'empilent, puis se réveillent et tuent quelqu'un. Alors, j'essaie de ne pas le faire.

Il sourit.

– J'imagine que non. La seule personne que j'aie jamais vue s'en prendre à M. Béliveau, c'est Gilles Saindon. Mais Gilles est tout un personnage. Le connaissez-vous ?

– Il travaille dans la forêt, non ?

– Il fabrique des meubles extraordinaires, mais je pense qu'il y a une raison pour laquelle il travaille avec les arbres plutôt qu'avec les gens.

– Que dit de lui M. Béliveau ?

– Oh, je crois qu'il ne se rend même pas compte des affronts. C'est un homme si doux et gentil. S'il est allé à la séance, c'est uniquement pour tenir compagnie à Mado, vous savez. Il n'aimait pas ça du tout. Probablement à cause de sa défunte épouse.

– Il avait peur de la voir revenir ?

– Peut-être, dit Clara en riant. Ils formaient un couple très uni.

– D'après vous, s'attendait-il à ce qu'elle apparaisse ?

– Ginette, sa femme morte ? Aucun d'entre nous ne s'attendait à rien. Pas ce premier soir au bistro, en tout cas. C'était pour rigoler. Tout de même, je pense que ça l'a troublé. Il a dit qu'il n'a pas bien dormi, cette nuit-là.

– La séance suivante était différente, dit Gamache.

– On était fous d'aller là-bas.

Elle tournait le dos à la vieille maison des Hadley, mais se sentait observée par elle.

Gamache se retourna. Il sentait un frisson émanant de l'intérieur et qui s'amplifiait pour entrer en contact avec l'air moite et glacial sur sa peau. Cette épée de Damoclès, sur la colline, attendait le bon moment pour s'abattre sur eux. Mais non, se dit Gamache. La vieille maison des Hadley ne se précipiterait pas de là-haut, elle ramperait. Lentement. Sans se faire remarquer, jusqu'à ce qu'on se réveille, un matin, avalé par son désespoir et son chagrin.

– Pendant qu'on montait la colline ce soir-là, poursuivit Clara, quelque chose d'un peu bizarre s'est produit. Au début, on était tous ensemble, en groupe, à parler, mais, à mesure qu'on s'est rapprochés, on a arrêté de parler et on s'est éloignés les uns des autres. Je pense que cette maison provoque l'isolement. J'étais presque la dernière. Madeleine marchait derrière moi.

– M. Béliveau n'était pas avec elle ?

– Non, étrangement. Il parlait avec Hazel et Sophie. Il n'avait pas vu Sophie depuis un bon moment. Je crois qu'ils sont amis, parce que Sophie tenait à s'asseoir à côté de lui au souper. En marchant, j'ai dépassé Odile. Puis, j'ai entendu Odile et Madeleine discuter derrière moi.

– Était-ce inhabituel?

– Ça s'était déjà produit, mais je ne pense pas qu'elles aient eu beaucoup en commun. Je ne me rappelle pas exactement ce qu'elles se racontaient, mais j'ai l'impression qu'Odile essayait de flatter Mado: elle lui disait à quel point elle était jolie et appréciée, quelque chose du genre. Curieusement, ça semblait irriter Madeleine. J'avoue avoir essayé d'en entendre plus, mais je n'ai pas pu.

– Que pensez-vous d'Odile?

Clara rit, puis s'arrêta.

– Désolée, ce n'était pas très charitable, mais, chaque fois que je pense à Odile, je pense à sa poésie. Je ne peux pas voir pourquoi elle en écrit. Pensez-vous qu'elle se croie bonne?

– Ce doit être difficile à savoir, répondit Gamache.

Clara sentit de nouveau la peur se glisser comme un serpent dans son cœur et sa tête. La peur de s'illusionner autant qu'Odile. Supposons que Fortin se mette à rire? Il avait vu quelques-unes de ses œuvres, mais il était peut-être ivre, ou n'avait pas toute sa raison. Il avait peut-être vu celles de Peter en pensant que c'était celles de Clara. Ce devait être ça. Il n'était pas possible que le grand Denis Fortin aime vraiment son œuvre. D'ailleurs, quelle œuvre? Cette misérable imposture inachevée dans son atelier?

– Odile et Gilles sont-ils ensemble depuis longtemps? demanda Gamache.

– Quelques années. Ils se connaissent depuis toujours, mais sont en relation seulement depuis qu'il a divorcé.

Clara resta silencieuse, à réfléchir.

– Qu'y a-t-il?

– Je pensais à Odile. Ce doit être difficile.

– Quoi?

– J'ai l'impression qu'elle fait énormément d'efforts. Comme une alpiniste, voyez-vous? Mais qui ne serait pas très bonne. Qui se cramponnerait pour sauver sa peau, en essayant de ne pas montrer sa frayeur.

– Elle se cramponne à quoi ?

– À Gilles. Elle s'est mise à écrire de la poésie quand ils ont commencé à vivre ensemble. Je pense qu'elle veut faire partie de son monde. Le monde de la créativité.

– À quel monde appartient-elle ?

– Je pense qu'elle appartient au monde rationnel. Celui des faits et des chiffres. Elle a beaucoup de talent pour gérer la boutique. Elle l'a remise sur pied pour lui. Mais elle ne veut pas qu'on la félicite pour ça. Elle veut seulement entendre dire qu'elle est une grande poète.

– Il est intéressant qu'elle ait choisi la poésie alors que l'un des plus grands poètes canadiens est une de ses voisines, dit Gamache en regardant Ruth descendre les marches de sa galerie, faire une pause, se retourner, se pencher, puis se redresser.

– J'ai épousé l'un des plus grands artistes du Canada, dit Clara.

– Vous vous identifiez à Odile ? demanda-t-il, renversé.

Elle resta silencieuse.

– Clara, j'ai vu vos tableaux.

Il s'arrêta et la regarda droit dans les yeux, et, pendant un instant, tandis qu'elle était plongée dans ses yeux brun foncé, le serpent battit en retraite, le cœur de Clara se dilata et son esprit s'éclaircit.

– Vos œuvres sont brillantes et empreintes de passion, elles vous mettent à nu. Elles sont remplies d'espoir, de conviction, de doute. De peur.

– Ah ça, j'en ai tout plein à vendre. Vous en voulez ?

– Je suis plutôt comblé sur ce plan, présentement, merci. Mais vous savez quoi ? dit-il en souriant. Tout ira pour le mieux si nous faisons de notre mieux.

Ruth était debout sur sa pelouse, le regard baissé. En s'approchant, ils aperçurent les deux oisillons.

– Bonjour, dit Clara en faisant un signe de la main.

Ruth leva les yeux et grogna.

– Comment vont les bébés ? demanda Clara, puis elle les vit.

La petite Rose cancanait bruyamment en se pavanant. Lys, immobile, regardait droit devant. Elle paraissait effrayée, comme cet oisillon dans la vieille maison des Hadley. Gamache se demanda si elle était née coiffée.

– Ils sont parfaits, répondit Ruth d'un ton brusque, comme pour les mettre au défi de la contredire.

– On reçoit des gens à souper. Tu veux venir ?

– J'avais l'intention d'y aller de toute façon. Je n'ai plus de scotch. Vous serez là ? demanda-t-elle à Gamache, qui fit un signe de tête affirmatif.

– Bien. Vous êtes comme une tragédie grecque. Je pourrai prendre des notes et écrire un poème. Votre vie finira par avoir un sens, après tout.

– Vous me soulagez, madame.

Gamache lui fit une petite révérence, puis, reprenant sa promenade avec Clara, dit :

– J'aimerais que vous invitiez quelqu'un d'autre. Jeanne Chauvet.

Clara continua à marcher, le regard fixe.

– Qu'y a-t-il ? demanda Gamache.

– Elle me fait peur. Je ne l'aime pas.

Il avait rarement entendu Clara prononcer ces mots. Au-dessus de lui, la vieille maison des Hadley semblait prendre du volume.

34

L'agente Isabelle Lacoste en avait assez d'attendre au labo. Le rapport sur les empreintes était prêt, à ce qu'on lui avait dit. Seulement, on ne le trouvait pas.

Elle était déjà allée interroger François Favreau, le mari de Madeleine. Il était superbe. Comme un mannequin dans la cinquantaine de la revue *GQ*. Grand, beau et intelligent. Suffisamment intelligent pour répondre sans ambages à ses questions.

– Bien sûr, j'ai entendu dire qu'elle était morte. Mais on n'était plus en contact depuis un moment, et je ne voulais pas déranger Hazel.

– Pas même pour lui témoigner de la sympathie ?

François déplaça sa tasse de café d'un centimètre vers la gauche. Elle remarqua que la peau autour de ses ongles était arrachée. L'inquiétude trouve toujours moyen de faire surface.

– Je déteste ce genre de chose. Je ne sais jamais quoi dire. Tenez, regardez ça.

Il sortit des feuilles de papier d'un bureau et les lui tendit. Il y avait griffonné :

« Je suis si désolé pour vous, elle doit avoir laissé un grand... »

« Hazel, je voudrais... »

« Madeleine était une personne si adorable, cela doit... »

Et ainsi de suite, sur trois pages. Des phrases inachevées, des sentiments affectés.

– Pourquoi ne pas tout simplement lui dire comment vous vous sentez ?

Il la regarda fixement. Elle connaissait cette expression : son mari l'utilisait aussi. C'était de l'agacement. Visiblement, il était si facile pour elle d'éprouver des sentiments et de les exprimer. Et impossible pour lui.

– Qu'est-ce qui vous est venu à l'esprit en apprenant le meurtre ?

Lacoste savait que, si les gens ne peuvent pas exprimer leurs sentiments, ils peuvent au moins parler de leurs pensées, et que, souvent, les deux se rejoignent, unis dans un lien de connivence.

– Je me suis demandé qui avait fait ça, qui pouvait la détester autant.

– Que ressentez-vous par rapport à elle, à présent ?

Elle garda un ton doux et raisonnable. Cajoleur.

– Je ne sais pas.

– C'est vrai ?

Le silence s'étira. Elle le vit vaciller au bord de l'émotion, mais il se retenait et tentait de s'accrocher à la paroi rationnelle de son cerveau. Cependant, celle-ci finit par le trahir et il s'effondra avec elle.

– Je l'aime. Je l'aimais.

Il posa doucement sa tête entre ses mains, comme pour se bercer, et ses longs doigts minces émergèrent de sa chevelure noire.

– Pourquoi avez-vous divorcé ?

Il se frotta le visage et la regarda, les yeux soudain larmoyants.

– C'était son idée, mais je pense l'y avoir incitée. J'étais trop lâche pour prendre l'initiative.

– Pourquoi vouliez-vous divorcer ?

– Je n'en pouvais plus. Au début, c'était merveilleux. Elle était si magnifique, chaleureuse et affectueuse. Et talentueuse. Tout lui réussissait. Elle était resplendissante. C'était comme vivre trop près du soleil.

– Il aveugle et brûle, dit Lacoste.

– Oui, répondit Favreau qui semblait soulagé d'avoir trouvé des mots. Ça faisait mal d'être aussi près de Madeleine.

– Vous demandez-vous vraiment qui l'a tuée ?

– Oui, mais…

Lacoste attendit. Armand Gamache lui avait enseigné la patience.

– Je crois que je n'étais pas si étonné que ça. Même si elle ne voulait pas blesser les gens, c'est ce qui arrivait. Et quand on est suffisamment blessé…

Il n'était pas nécessaire de terminer la phrase.

Comme Robert Lemieux s'était arrêté au Tim Hortons de Cowansville en cours de route, des cafés – deux crèmes, deux sucres – étaient entassés au milieu de la table de conférence, ainsi que des boîtes de beignes aux couleurs gaies.

– Ça, c'est un ami, s'exclama Beauvoir en lui donnant une tape dans le dos.

Lemieux s'était fait bien voir encore en allumant l'antique poêle de fonte qui trônait au milieu de la pièce.

La salle sentait le carton et le café, les beignes sucrés et la douce odeur de fumée.

L'inspecteur Beauvoir annonça le début de la réunion du matin au moment même où l'agente Nichol arrivait, en retard et débraillée, comme d'habitude. Ils présentèrent leurs rapports, l'inspecteur-chef Gamache finissant par celui de la médecin légiste.

– Donc, Madeleine Favreau avait un problème cardiaque, résuma l'agent Lemieux. Le meurtrier devait être au courant.

– Probablement. Selon la médecin légiste, il fallait que trois facteurs coïncident.

Beauvoir s'était approché d'un chevalet muni de grandes feuilles blanches. Brandissant un marqueur comme si c'était une baguette de chef d'orchestre, il écrivit à mesure qu'il parlait.

– Un : mégadose d'éphédra. Deux : terreur à la séance, et trois : problème cardiaque.

– Alors pourquoi on ne l'a pas tuée à la séance du vendredi soir ? demanda Nichol. Les trois éléments étaient en place, du moins deux sur trois.

– C'est ce que j'essaie de découvrir, répondit Gamache.

Il avait écouté en sirotant son café. Il avait les doigts légèrement collants après avoir pris un beigne glacé au chocolat. Il les essuya avec la minuscule serviette en papier et se pencha en avant.

– La séance du Vendredi saint était-elle une répétition générale ? Un prélude ? Madeleine a-t-elle dit ou fait quelque chose qui a entraîné son meurtre deux jours plus tard ? Les deux séances sont-elles liées ?

– La coïncidence semble trop forte pour qu'elles ne le soient pas, dit Lemieux.

– Ah non, pas de léchage de bottes, dit Nichol en agitant la main en direction de Gamache.

Lemieux resta silencieux. On lui avait donné l'ordre d'en faire. C'était sa spécialité, et il était convaincu d'y mettre beaucoup de subtilité, mais à présent cette garce le trahissait en pleine réunion. Sa façade de patience et de rationalité se lézardait sous les railleries de Nichol. Il la méprisait et, s'il n'avait pas eu d'ambition supérieure, il se serait occupé d'elle.

– Écoutez, poursuivit Nichol en ignorant Lemieux. C'est tellement évident. Il ne s'agit pas de déterminer en quoi elles sont liées, mais en quoi elles ne le sont pas. Quelles sont les différences entre les deux séances ?

Elle s'appuya au dossier de sa chaise, triomphante.

Étrangement, personne ne se hâta de la féliciter. Le silence s'étira. Puis, l'inspecteur-chef Gamache se leva lentement et se dirigea vers Beauvoir.

– Puis-je ?

Il prit le marqueur, se tourna et se mit à écrire sur une feuille vierge : « Quelles sont les différences entre les deux séances ? »

Nichol eut un petit sourire satisfait et Lemieux hocha la tête, mais, sous la table, il serra les poings.

Isabelle Lacoste s'était rendue directement de chez François Favreau à l'école secondaire de Notre-Dame-de-Grâce. Ce grand édifice en brique était orné d'une pierre qui indiquait la date de la construction, 1867. L'immeuble ne ressemblait en rien à sa propre école secondaire, qui avait été moderne, vaste et française. Mais, dès qu'elle entra dans la vieille bâtisse, elle se retrouva immédiatement dans les corridors bondés de son école. À essayer de se rappeler la combinaison de son cadenas de casier, de se lisser les cheveux ou de les remonter, selon le goût du jour. À faire des efforts constants, tel un kayakiste qui descend des rapides et se sent en retard d'un coup de pagaie.

Les sons étaient familiers, des voix rebondissaient sur le métal et le béton, des chaussures crissaient sur les planchers durs, mais ce qui l'avait ramenée dans le passé, c'étaient les odeurs : de livres et de produits d'entretien, de lunchs languissant et pourrissant dans des centaines de casiers. Et de peur. Par-dessus tout, c'était ce que sentait l'école secondaire, encore plus que les pieds en sueur, le parfum bon marché et les bananes pourries.

– J'ai rassemblé un dossier pour vous, dit Mme Plante, la secrétaire de l'école. Je ne travaillais pas ici quand Madeleine Gagnon était une élève. En fait, il ne reste aucun des enseignants ni des membres du personnel de l'époque. C'était il y a trente ans. Mais, comme toutes nos archives sont maintenant informatisées, je vous ai imprimé ses bulletins scolaires et j'ai trouvé d'autres choses qui pourraient vous intéresser. Comme celles-ci.

Elle posa la main sur une pile d'albums de diplômés, la bible de l'école laïque.

– C'est très gentil, mais je crois que les bulletins scolaires suffiront.

– Écoutez, j'ai passé la moitié de la journée d'hier dans l'entrepôt pour les trouver.

– Alors, merci. Je suis sûre qu'ils seront utiles.

L'agente Lacoste les hissa dans ses bras, puis sortit du bureau en maintenant le dossier en équilibre précaire sur la pile.

– Nous avons des photos d'elle sur les murs, vous savez.

Mme Plante marcha devant elle. Les corridors commençaient à se remplir et l'endroit résonnait des cris inintelligibles de jeunes qui se saluaient et se chamaillaient.

– Par là-bas. Il y a toutes sortes de photos. Je dois retourner au bureau. Vous pourrez vous débrouiller ?

– Vous avez été très aimable. Merci, ça ira.

Pendant quelques minutes, Lacoste parcourut lentement le long corridor en béton en regardant, accrochées au mur, de vieilles photographies d'équipes scolaires victorieuses et de conseils étudiants. Elle vit la jeune Madeleine Favreau, née Gagnon. Souriante, en pleine santé, s'attendant certainement à une vie longue et passionnante. Bousculée par les élèves qui s'entassaient dans les corridors, l'agente Lacoste se demanda ce que Madeleine avait pensé de cette école secondaire. Sentait-elle aussi la peur ? Elle ne paraissait pas effrayée, mais c'est souvent le cas chez les gens les plus craintifs.

Gamache retourna à sa place et prit son café. Tous regardèrent la nouvelle liste. Sous le titre « Quelles sont les différences entre les deux séances ? », il avait écrit :

Hazel
Sophie
Repas entre amis
Vieille maison des Hadley
Jeanne Chauvet plus sérieuse

Quand il l'avait interrogée, expliqua Gamache, la médium avait déclaré qu'elle n'était pas prête la première fois – une petite surprise de la part de Gabri – et qu'elle n'avait pas pris l'affaire au sérieux. Pour elle, il ne s'agissait que de villageois qui s'ennuyaient et cherchaient à se distraire. Elle leur avait donc offert la version hollywoodienne, banale, d'une séance. Un mélodrame ridicule. Plus tard, cependant, quand quelqu'un lui avait parlé de la vieille maison des Hadley, puis que l'idée d'y contacter les morts avait été proposée, elle avait pris cela au sérieux.

– Pourquoi ? demanda Lemieux.

– C'est pas possible d'être aussi débile, rétorqua Nichol. La vieille maison des Hadley est censée être hantée. La médium gagne sa vie en contactant les fantômes. Allume!

Ignorant Nichol, Beauvoir se leva et écrivit:

Bougies
Sel

– Quoi d'autre? demanda-t-il.

Il aimait écrire au tableau. Depuis toujours. Il aimait l'odeur du marqueur, son grincement. Et l'ordre qu'il mettait dans les idées lancées au hasard.

– Ses incantations, dit Gamache. Elles sont importantes.

– Ouais, bien sûr, fit Nichol en roulant les yeux.

– Pour créer une ambiance, ajouta Gamache. C'est une différence majeure. Selon ma compréhension, la séance du Vendredi saint avait suscité une certaine frayeur, mais celle du dimanche soir était terrifiante. Le meurtrier a peut-être essayé de tuer Madeleine le vendredi soir, sauf que la séance n'était pas assez terrorisante.

– Alors qui a suggéré la vieille maison des Hadley? demanda Lemieux en fusillant Nichol du regard pour la mettre au défi de se moquer encore de lui.

Elle se contenta d'un sourire méprisant et d'un hochement de tête. Il sentit la rage monter de sa poitrine, bouillonner et écumer jusque dans sa gorge. Les railleries, les insultes et les accusations de flagornerie, passe encore. Mais être rejeté comme un moins que rien, c'était bien pire.

– Je ne sais pas, dit Gamache. Nous l'avons demandé et personne ne s'en souvient.

– Mais si on pense que la décision de tenir la seconde séance dans la vieille maison des Hadley constitue un élément clé, ça élimine Hazel et Sophie, dit Beauvoir.

– Pourquoi? demanda Lemieux.

– Parce qu'elles n'étaient pas là pour le suggérer.

Il y eut une pause.

– Mais Sophie est la seule personne qui n'est pas liée aux deux séances, intervint Nichol. D'après moi, le meurtre n'était pas prévu à la première. Quelqu'un y a pensé seulement plus tard. Et c'est parce que cette personne n'était pas présente à la première séance.

– Sophie n'est pas la seule, précisa Lemieux. Sa mère aussi est seulement allée à la seconde.

– Mais elle aurait pu se trouver à la première. Elle y était invitée. Si elle avait voulu tuer Madeleine, elle y serait allée.

– C'est peut-être pour ça qu'elle a assisté à la seconde, dit Gamache. Comme la première n'avait pas fonctionné, elle devait s'assurer que la seconde serait efficace.

– En y emmenant sa propre fille? Voyons donc.

Nichol ouvrit son carnet et en sortit la photo qu'elle avait prise sur la porte du frigo, chez les Smyth.

– Regardez ça.

Elle la jeta sur la table. Beauvoir la poussa vers Gamache, qui l'examina un long moment. La photo montrait trois femmes. Au centre et de profil, Madeleine regardait Hazel, souriante et coiffée d'un chapeau ridicule, avec une expression de grande et indéniable affection. Heureuse et ravie, cette dernière avait elle aussi un air affectueux. Elle aussi était de profil, le regard détourné de l'objectif. Dans l'autre coin était assise une jeune femme grassouillette portant à sa bouche un morceau de gâteau. Au premier plan, on voyait un gâteau d'anniversaire.

– Où avez-vous trouvé cela?

– Chez les Smyth, sur le frigo.

– Pourquoi l'avez-vous prise? Qu'est-ce qui vous intéresse, sur cette photo?

Gamache se pencha en avant et regarda Nichol intensément.

– C'est le visage. Il dit tout.

Nichol attendit pour voir si les autres allaient comprendre. Quand donc verraient-ils que Madeleine Favreau, si jolie, souriante et prévenante, était une simulatrice? Personne ne pouvait vraiment être aussi heureux. Elle faisait sûrement semblant.

– Vous avez raison, dit Gamache, en se tournant ensuite vers Beauvoir. Voyez-vous, ici ? ajouta-t-il en approchant son gros doigt de la photo.

Beauvoir se pencha pour étudier l'image, puis ses yeux s'ouvrirent tout grands.

– C'est Sophie. La fille au morceau de gâteau, c'est Sophie.

– Plus grosse, dit Gamache en hochant la tête.

Il retourna la photo. Au dos figurait la date de la prise de vue. C'était deux ans plus tôt.

Sophie Smyth avait perdu dix ou douze kilos en seulement deux ans ?

Le téléphone de Gamache sonna au moment même où la réunion prenait fin.

– Chef, c'est moi, dit l'agente Lacoste. J'ai enfin reçu le rapport sur les empreintes. On sait qui est entré par effraction dans la pièce de la vieille maison des Hadley.

Hazel Smyth semblait avoir de la difficulté à fonctionner, maintenant. Comme un jouet électrique aux contacts défectueux, elle passait de la vitesse grand V à l'arrêt, puis repartait à fond de train.

– Nous avons des questions, madame Smyth, dit Beauvoir, et nous devons effectuer une perquisition complète. Des policiers arriveront bientôt du poste de Cowansville. Nous avons un mandat.

Il mit la main dans sa poche, mais elle fila à toute allure en disant :

– Pas nécessaire, inspecteur. Sophie ! Soooophieeee !

– Quoi ? fit une voix irritée.

– Des visiteurs. C'est encore la police, répondit-elle en chantonnant presque.

Sophie descendit bruyamment l'escalier avec ses béquilles, la jambe maintenant enveloppée d'un bandage de contention. La blessure semblait empirer, à en juger par ses grimaces de douleur. Après tout, son entorse était peut-être réelle, pensa Beauvoir.

Il sortit la photo et la montra aux deux femmes.

– Ça vient du frigo, dit Hazel en regardant en direction de celui-ci.

L'énergie de nouveau en baisse, elle semblait à peine pouvoir parler. Elle avait la tête inclinée, comme si elle était devenue trop lourde, et, lorsqu'elle respirait, sa tête se relevait légèrement, puis s'affaissait de nouveau.

– Elle a été prise quand ? demanda Beauvoir.

– Oh, ça fait une éternité, répondit Sophie en tendant le bras pour la prendre.

Il l'éloigna d'elle.

– Au moins cinq ou six ans.

– Sûrement pas, Sophie, dit Hazel comme si chaque mot lui demandait un effort. Madeleine a les cheveux longs, ils avaient repoussé. C'était il y a seulement un ou deux ans.

– C'est vous ? fit Beauvoir en désignant la fille grassouillette.

– Je ne pense pas, répondit Sophie.

– Laissez-moi voir, dit Hazel.

– Non, m'man, pas la peine. Ma cheville me fait vraiment mal. J'ai dû me la cogner sur les marches en descendant.

– Pauvre toi.

Hazel retrouva son énergie. Elle se précipita vers une armoire de la cuisine. Beauvoir aperçut tout un assortiment de flacons de remèdes. Il la rejoignit et l'observa pendant qu'elle écartait la première rangée de pilules pour prendre quelque chose au fond. Puis, il lui saisit la main.

– Vous permettez ?

– Attendez, Sophie a besoin d'une aspirine.

Il prit une bouteille sur l'étagère : de l'aspirine à faible dose. Il jeta un coup d'œil à Hazel qui le regardait avec anxiété. « Elle sait. Elle sait que sa fille simule ses blessures et c'est pour ça qu'elle a acheté la faible dose. » Il tendit un comprimé à Hazel, puis enfila ses gants, fins comme des membranes. Quelque chose lui disait que ce fouillis de pilules contenait plus que de l'aspirine. Puisqu'il était né coiffé, il avait décidé de faire confiance à son instinct.

Dix minutes plus tard, il était entouré de flacons. Des pilules pour le mal de tête, le mal de dos, les crampes menstruelles, la candidose. Des vitamines. Même des *jelly beans.*

– Des pilules pour les enfants lorsqu'ils viennent en visite, expliqua Hazel.

Le seul médicament qui n'était pas dans l'armoire, c'était l'éphédra.

L'équipe du bureau local de la Sûreté était arrivée et avait commencé la perquisition. Hélas, il aurait sans doute fallu dix fois plus d'hommes pour faire honneur à ce dépotoir, un foutoir pire que ce que Beauvoir avait imaginé – et il était pourtant un expert quand il s'agissait d'envisager le pire.

Deux heures plus tard, l'équipe semblait avoir perdu deux de ses hommes. On les découvrit en train de tourner en rond au sous-sol. Beauvoir fit une pause et s'assit dans la salle à manger, sur un canapé coincé contre un buffet-vaisselier, lui-même tassé contre un autre canapé. Dès qu'il y atterrit, le canapé le rejeta, l'expulsa. Il s'y posa de nouveau, avec moins de force. Il sentit les ressorts métalliques et eut l'impression qu'ils se détendaient pour l'éjecter de nouveau. Il était devenu un numéro de cirque.

Un agent l'appela à l'étage et, en arrivant, il vit le policier avec une bouteille de médicaments à la main.

– Où était-elle ? demanda Beauvoir.

– Dans la trousse de maquillage.

L'agent indiqua la chambre de Sophie. Derrière lui, Beauvoir entendit le bruit sourd des béquilles de Sophie dans l'escalier, puis le bruit s'arrêta et il entendit monter des pieds agiles, deux marches à la fois.

– C'est quoi ? demanda Hazel, dont la voix venait de l'autre direction.

Beauvoir montra le flacon aux deux femmes.

– Éphédra, lut Hazel sur l'étiquette. Sophie, tu m'avais promis.

– Tais-toi, maman. Ce n'est pas à moi.

– On l'a trouvé dans votre trousse, dit Beauvoir.

– Je ne sais pas d'où ça vient. Ce n'est pas à moi.

Elle avait peur, il le voyait. Mais disait-elle la vérité ?

En entrant dans la maison, Gamache sentit une odeur de pain grillé et de café. La demeure donnait une impression de calme et de bien-être. Les parquets de bois à larges planches étaient ambre foncé. Il n'y avait pas de feu dans l'âtre, mais Gamache y vit de la cendre et une bûche presque entièrement consumée. La pièce était gaie et lumineuse, même par ce temps gris, avec de grandes fenêtres et des portes coulissantes menant à un jardin à l'arrière. Le mobilier était vieillot et confortable, et les murs ornés de paysages de la région et de quelques portraits. Entre les tableaux se trouvaient des bibliothèques.

Dans d'autres circonstances, Gamache aurait adoré passer du temps dans cette pièce.

– Il y a deux jours, quelqu'un s'est introduit par effraction dans la chambre où Madeleine a été tuée. Nous savons que c'était vous.

– Vous avez raison. C'était moi.

– Pourquoi ?

– Je voulais que la maison me prenne, moi aussi, dit M. Béliveau.

Il raconta son histoire avec clarté, en frottant ses mains sèches l'une contre l'autre comme si elles avaient besoin de contact humain.

– C'était le lendemain de la mort de Madeleine. Je ne sais pas si vous avez déjà perdu un être cher, inspecteur-chef, mais c'est comme si tout ce qui était familier avait changé. La nourriture n'a plus le même goût, on ne se sent plus chez soi à la maison, même les amis ont changé. Ils ont beau vouloir vous soutenir, ils ne peuvent pas partager votre douleur. Tout semblait si lointain, si étouffé. Je ne comprenais même pas ce que disaient les gens.

Il eut un sourire inattendu.

– Pauvres Peter et Clara. Ils m'ont invité à souper. Je pense qu'ils étaient inquiets pour moi et je n'ai rien fait pour les rassurer. Ils voulaient que je sache que je n'étais pas seul, mais je l'étais quand même.

Ses mains cessèrent de se frotter et, à présent, l'une tenait l'autre.

– Vers le milieu du repas, j'ai eu envie de mourir. C'était trop douloureux. Pendant que Peter et Clara parlaient de jardinage, de cuisine et des événements de la journée, j'ai passé en revue les façons de me tuer. Puis soudain j'ai su ce que je devais faire : retourner là-haut, m'asseoir tout seul dans cette pièce et attendre.

Rien ne bougeait. Même l'horloge marine posée sur la tablette de la cheminée parut silencieuse, comme si le temps s'était arrêté.

– Je savais que si j'attendais assez longtemps dans le noir, ce qui habitait dans cette maison allait me trouver. Et ce fut le cas.

– Que s'est-il passé ?

– La chose qui a tué Madeleine est arrivée.

Il prononça ces mots sans aucune gêne, les assumant pleinement. C'était un simple fait. Quelque chose d'un autre monde était entré dans le sien, pour l'emporter de force.

– Il y a eu des pas dans le couloir. J'entendais le bruit de griffes, des raclements. J'étais dans l'obscurité totale, dos à la porte, mais je savais que cette chose était là. Puis, elle a hurlé, comme ce soir-là : un cri perçant dans mon oreille. J'ai voulu la repousser.

Il agita autour de sa tête ses bras minces dans leur pull de laine grise, comme s'il se revoyait dans cette pièce.

– Ensuite je me suis enfui, en courant et en hurlant.

– Vous avez choisi la vie, dit Gamache.

– Non. J'avais trop peur de mourir, c'est tout. De cette façon-là, en tout cas.

Il se pencha en avant, son regard intensément fixé sur Gamache.

– Il y a quelque chose dans cette maison. Quelque chose qui m'a attaqué.

– Plus maintenant, monsieur. Vous l'avez tué.

– Moi ?

Il se redressa vivement, comme s'il avait été ébranlé par cette pensée inattendue.

– C'était un merleau, probablement aussi effrayé que vous.

Il fallut à M. Béliveau un moment pour comprendre.

– J'avais raison, alors. Ce qui apporte la mort se trouvait dans cette pièce. C'était moi.

35

– J'adore la façon dont vous avez aménagé cet endroit, dit Olivier en plaçant les serviettes de table et les bols à la vieille gare.

En posant la soupière sur le classeur, sous la liste des personnes soupçonnées du meurtre, il fut heureux de constater que son nom n'y figurait pas, et encore plus d'y voir celui de Gabri. « Attends que je lui dise ça. Il va complètement flipper. »

Un ragoût de poulet fumant avec des dumplings fut placé au milieu de la table de conférence.

L'inspecteur-chef s'était arrêté au bistro pour demander à Olivier de leur apporter un repas.

– Comment va M. Béliveau ? avait demandé Olivier.

Il avait vu Gamache revenir de chez lui en contournant le parc.

– Il s'est déjà trouvé mieux, j'imagine, avait répondu Gamache.

– Et plus mal. Je me rappelle sa tristesse après la mort de Ginette. Dieu merci, il y avait Hazel et Madeleine. Elles l'ont sorti de son abattement. Elles l'ont invité à toutes les fêtes, surtout les plus importantes, comme Noël. Ça lui a sauvé la vie.

En se dirigeant vers le bureau provisoire, Gamache s'était demandé si Béliveau les remercierait pour cela. Il avait également pensé à Hazel, maintenant seule aussi, et s'était demandé s'ils finiraient par être attirés l'un vers l'autre.

À la vieille gare, Gamache fut accueilli par Beauvoir, tout juste revenu de sa perquisition chez Hazel. Quelques minutes plus tard, l'agente Lacoste arriva de Montréal et ils se rassemblèrent autour de la table de conférence. La réunion battait son plein lorsque Olivier vint livrer le repas.

Il prenait son temps, mais eux ne disaient pas un mot. L'inspecteur Beauvoir le fit sortir et referma énergiquement la porte derrière lui. Pendant un moment, Olivier appuya l'oreille contre le métal froid, mais n'entendit rien.

En fait, il n'y avait rien à entendre, sauf des cuillers de service sur de la porcelaine pendant que l'on se partageait une soupe aux lentilles rouges et pommes au cari, et le ragoût. On ouvrait aussi des boissons gazeuses, et Beauvoir prit une bière.

– Les rapports, dit Gamache.

– On a trouvé l'éphédra, dit Beauvoir en posant le flacon sur la table. On a pris des empreintes et on les a transmises à Montréal.

Il avait déjà fait son rapport à Gamache, mais, à présent, parlait de sa perquisition et de sa découverte au reste de l'équipe.

– Sophie Smyth nie que ce soit à elle, poursuivit-il, mais c'était prévisible. Elle a admis avoir éprouvé des sentiments profonds, peut-être obsessionnels, pour Madeleine. En plus, elle est menteuse. J'avais des doutes à propos de sa blessure à la jambe, mais, quand ç'a été nécessaire, elle a couru sur sa cheville pas mal vite. Vous auriez dû voir l'air de sa mère.

– Elle était fâchée à cause de la fausse foulure ? demanda Lemieux.

– Franchement, c'est pas croyable d'être aussi débile, lança Nichol.

Lemieux lui jeta un regard nettement haineux.

– Agente Nichol, je vous avertis…, dit Gamache.

– Non mais, vraiment, t'es pas possible. Hazel Smyth était renversée de voir la bouteille d'éphédra parmi les objets de sa fille, continua Nichol, très lentement, en dévisageant Lemieux, qui serrait le bord de la table. C'est une enquête sur un meurtre. Pas un bureau de médecin. On s'en fout de sa cheville. Seul un crétin en parlerait.

– Ça suffit. Venez avec moi.

Gamache se dirigea vers la porte avec le flacon de médicament. Nichol accrocha le regard de Lemieux et indiqua Gamache de la tête.

– C'est à toi qu'il parle, espèce de nouille.

Lemieux s'apprêta à se lever.

– Agente Nichol! s'écria Gamache, d'une voix glaciale et tonnante.

Nichol fit un petit sourire narquois à l'adresse de Lemieux et secoua la tête en se levant, murmurant « Maudit imbécile » en passant à côté de lui.

– Qu'est-ce qu'il y a, monsieur? demanda-t-elle lorsqu'ils furent arrivés à la porte.

Son effronterie avait disparu en même temps que son public. Ils étaient seuls, à présent.

– Vous allez trop loin. Vous devez partir.

– Vous me congédiez?

– Pas encore. Je vous envoie à Kingston, pour vous renseigner à propos de Sophie Smyth à l'Université Queen's.

– Kingston? C'est à une demi-journée d'ici. Je n'y arriverai pas avant la noirceur.

– Même plus tard. En passant par Montréal, vous devez déposer ceci au labo. Je veux les résultats demain matin.

Nichol le fixa un instant, puis finit par parler, à voix basse.

– Je pense que vous êtes en train de commettre une erreur, monsieur.

Gamache la regarda dans les yeux. Puis, il parla d'une voix calme et posée, mais dont l'intensité fit reculer Nichol d'un demi-pas.

– Je sais ce que je fais. Vous devez partir. Maintenant.

De la porte, il la regarda s'en aller. Pas plus gracieuse que d'habitude, l'agente Nichol traversa le pont d'un pas traînant et donna un coup de pied à une pierre.

Gamache retourna à la réunion. Sans l'agente Nichol, l'atmosphère semblait plus décontractée. Lemieux paraissait se détendre et Gamache s'en réjouit.

Olivier avait également apporté le dessert, une assiette de brownies et de carrés aux dattes. En prenant le café, ils parlèrent de M. Béliveau.

– Il est allé là-bas pour mourir ? dit l'agente Lacoste en déposant son brownie. C'est tellement triste.

« Triste. Voilà ce mot qui revient, se dit Gamache. Le pauvre M. Béliveau, si triste. » Pourtant, ce qui lui vint spontanément à l'esprit, ce n'était pas le vieil épicier fatigué, mais l'oisillon. Son cri perçant amplifié par la peur. Tué pour avoir cherché de la compagnie.

Ce fut ensuite au tour de Lacoste de faire rapport sur son voyage à Montréal.

– La secrétaire de l'école m'a donné ça.

Elle déposa deux dossiers sur la table de conférence.

– Les bulletins scolaires de Madeleine et de Hazel. Je n'ai pas fini de les parcourir. Madeleine semble avoir été une sorte de légende dans cette école.

Pendant que Beauvoir prenait les dossiers, Lacoste se pencha de nouveau sous la table et en remonta une pile d'albums de diplômés.

– Je voulais m'en tirer, mais elle m'a aussi donné ça.

Elle déposa les albums sur la table et reprit son brownie. Il était riche, de confection maison, et, au lieu d'être glacé, il était recouvert d'une épaisse couche de guimauve, moelleuse et grillée.

– Vous avez parlé à l'ex-mari de Madeleine? demanda Gamache.

– François Favreau n'avait pas grand-chose à dire. C'est Madeleine qui a demandé le divorce, mais il avoue l'y avoir obligée par son mauvais comportement. Il avoue aussi qu'il l'aime encore, mais il a dit que le fait de vivre avec elle, c'était comme vivre trop près du soleil. C'était magnifique, mais pénible.

Ils restèrent assis en silence, à manger et à réfléchir. Lacoste pensait à cette femme tuée parce qu'elle était brillante, Lemieux à tuer Nichol, Beauvoir à Sophie qui avait sans doute tué celle qu'elle aimait ; et Armand Gamache songeait à Icare.

*

Pendant que Jean-Guy Beauvoir conduisait, Armand Gamache regardait par la fenêtre en tentant de ne pas remarquer les nids-de-poule, les ornières et les gouffres de la route. Certains auraient pu contenir des villes entières.

Il se concentra de nouveau sur l'affaire.

Sophie Smyth possédait de l'éphédra. Elle était allée à la seconde séance mais pas à la première, ce qui expliquerait pourquoi le meurtre avait eu lieu ce soir-là. Elle admettait aussi avoir éprouvé des sentiments intenses pour Madeleine. Et il y avait un autre élément, quelque chose que Clara lui avait dit ce matin-là et auquel Gamache n'avait pas accordé d'attention, mais qui incriminait encore davantage Sophie. Une question l'embêtait depuis le début : comment le meurtrier avait-il mis l'éphédra dans la nourriture de Madeleine ? Selon Clara, Sophie s'était empressée de prendre la place à côté de celle de M. Béliveau. Or cela la plaçait aussi à côté de Madeleine. Sophie s'était délibérément assise entre eux.

Pourquoi ?

Deux raisons possibles. Pour s'interposer entre eux, littéralement, par jalousie. Ou pour donner de l'éphédra à Madeleine.

Ou les deux.

Elle avait eu à la fois un motif et l'occasion de commettre le crime.

Après le dîner, Gamache avait ordonné qu'une voiture de patrouille surveille la maison des Smyth, mais il n'allait pas agir avant d'avoir eu la preuve que le flacon appartenait à Sophie. Ils procéderaient à une arrestation le lendemain matin.

Entre-temps, il lui fallait des réponses à d'autres questions.

Il regarda sa montre.

– Les premiers exemplaires du journal sortiront dans une heure, dit Beauvoir. M. Béliveau nous en gardera un.

– Merci.

– Je suis content que vous ayez envoyé Nichol ailleurs. Ce sera plus facile.

Comme Gamache ne répondit pas, Beauvoir poursuivit.

– Vous ne m'avez jamais raconté ce qui était arrivé quand vous avez découvert les agissements d'Arnot. Il y a eu des révélations en cour, bien sûr, mais je sais qu'il s'est passé autre chose.

Gamache voyait défiler la campagne. Les arbres reprenaient vie. C'était comme assister à l'apparition de la vie sur terre.

– On a convoqué d'urgence une réunion du conseil supérieur, dit Gamache, dont les yeux ne voyaient plus le miracle du renouveau, mais la salle de conférence austère du quartier général de la Sûreté.

Les officiers étaient arrivés. À part Brébeuf et lui, personne ne connaissait l'objet de la réunion. Pierre Arnot souriait courtoisement et riait avec le directeur Francœur pendant que les deux hommes prenaient des chaises pivotantes côte à côte.

– J'ai baissé les lumières et projeté des photos sur le mur. Des photos de garçons provenant d'albums de fin d'année scolaire. Puis les photos de leurs cadavres, l'une après l'autre. Ensuite, j'ai lu les rapports des témoins et ceux du labo. Tous les officiers étaient troublés, perplexes. Ils essayaient de saisir où je voulais en venir. Puis un à un ils se sont tus et sont restés parfaitement immobiles. Sauf Francœur. Et Arnot.

Il revoyait ses yeux bleus, froids comme des billes. Et il imaginait le cerveau en ébullition qui sautait d'un fait à un autre et aurait tant voulu les réfuter. Au début, Arnot avait été détendu, convaincu de sa supériorité, certain que jamais personne ne triompherait de lui. Mais, à mesure que la réunion se déroulait, il était devenu nerveux, agité.

Gamache s'était bien préparé. Il avait enquêté sur l'affaire pendant presque un an, discrètement, dans ses temps libres et pendant ses congés. Jusqu'à ce qu'il ne reste aucune échappatoire possible à Arnot, que toutes les portes de sortie aient été verrouillées, barricadées, bloquées, puis verrouillées de nouveau.

Gamache savait que cette réunion était la seule chance qu'il aurait. Si Arnot sortait de la pièce un homme libre, Gamache et plusieurs autres, y compris Brébeuf, étaient foutus.

Il avait rassemblé ses faits, mais il savait qu'Arnot allait utiliser une arme puissante : la loyauté. Les policiers préféraient mourir plutôt que d'être déloyaux, les uns envers les autres et envers la Sûreté. Arnot inspirait une grande loyauté chez ses subalternes.

Et Arnot avait gagné.

Ne pouvant nier les faits, il avait avoué les crimes d'incitation au meurtre et de meurtre. Mais il avait réussi à persuader le conseil de tenir compte de son grade et de ses années de service, et de lui permettre, ainsi qu'aux deux policiers impliqués avec lui, de ne pas être arrêté. Pas encore. Ils mettraient de l'ordre dans leurs affaires, prépareraient leurs testaments, feraient leurs adieux, puis iraient au camp de chasse d'Arnot en Abitibi. Pour se suicider.

Pour éviter la honte d'un procès et épargner l'humiliation publique à la Sûreté.

Gamache avait férocement contesté cette folie, mais n'était pas parvenu à convaincre un conseil qui craignait à la fois Arnot et le public.

Au grand étonnement de Gamache, Pierre Arnot était resté en liberté. Du moins temporairement. Mais un homme pareil peut faire beaucoup de tort en très peu de temps.

– C'est à ce moment-là qu'on s'est occupés de l'affaire de Mutton Bay ? demanda Beauvoir.

– Le plus loin possible de Montréal, oui, admit Gamache.

Il avait demandé à Reine-Marie de quitter leur maison et à son ami Marc Brault, de la police de Montréal, d'affecter des policiers à la protection de ses enfants. Il avait ensuite pris un avion à skis en direction de Québec, puis vers Baie-Comeau, puis Natashquan, Harrington Harbour et, enfin, le minuscule village de pêcheurs de Mutton Bay. Il cherchait un meurtrier, mais en fin de compte c'est lui-même qu'il trouva sur la côte rocheuse, dans un petit restaurant miteux qui sentait le poisson, frais et frit. Assis seul à une banquette, un pêcheur dépenaillé, au visage rugueux comme les rochers, lui avait fait un sourire inattendu et si rayonnant que Gamache avait su immédiatement ce qu'il devait faire.

– C'est alors que vous êtes parti, dit Beauvoir. Vous êtes retourné à Montréal. Puis tout d'un coup Pierre Arnot et les deux autres faisaient la une de tous les journaux.

« Quelle ironie », se dit Gamache, en essayant de ne pas regarder de nouveau sa montre.

Gamache s'était rendu en voiture jusqu'en Abitibi pour empêcher le suicide. Pendant tout le trajet du retour, les deux autres policiers avaient pleuré, ivres et fous de soulagement. Mais pas Arnot : assis entre les deux, droit comme un *I*, il dévisageait Gamache dans le rétroviseur. En entrant dans la cabane, Gamache avait su qu'Arnot n'avait aucune intention de se suicider. Les autres, oui, mais pas Arnot. Pendant six heures, dans une tempête de neige, Gamache avait enduré son regard.

Même si les médias l'avaient acclamé comme un héros, Armand Gamache savait qu'il n'en était pas un. Un héros n'aurait pas hésité. Un héros n'aurait pas fui.

– Quelle a été la réaction à la Sûreté quand vous êtes arrivé avec Arnot et les deux autres ? demanda Beauvoir.

– Aussi cordiale qu'on pouvait s'y attendre, répondit Gamache en souriant. Le conseil était furieux. Je n'avais pas tenu compte de sa décision. On m'a accusé d'avoir été déloyal, avec raison.

– Ça dépend à quoi on veut être loyal. Pourquoi l'avez-vous fait ?

– Pourquoi j'ai empêché les suicides ? Les mères méritaient plus que le silence, dit Gamache après un moment. La femme crie que j'avais rencontrée et les autres avaient droit à des excuses publiques, à une explication, à l'engagement que cela ne se reproduirait plus jamais. Quelqu'un devait s'avancer et accepter le blâme pour ce qui était arrivé à leurs enfants.

Comme la plupart des policiers de la Sûreté, Beauvoir s'était senti dégoûté et rempli de honte en entendant parler de ce qu'Arnot avait fait. Mais Armand Gamache les avait rachetés en prouvant qu'ils n'étaient pas tous ignobles. La vaste majorité des policiers de tous les grades l'avaient approuvé sans réserve. Comme la plupart des journaux.

Pas tous, cependant.

Certains accusèrent Gamache de collusion, de se livrer à une vendetta contre Arnot. Ils insinuèrent même qu'il était l'un des meurtriers et que c'était un coup monté contre le populaire Arnot.

Cette accusation était revenue, à présent.

– Il reste combien de partisans d'Arnot à la Sûreté ? demanda Beauvoir d'un ton sérieux.

Il ne s'agissait pas d'un simple bavardage : il rassemblait de l'information stratégique.

– Je ne veux pas que vous soyez impliqué.

– *Fuck you !*

Jean-Guy Beauvoir n'avait jamais parlé ainsi au chef et ils furent tous les deux renversés par les mots et par la force avec laquelle il les avait prononcés.

Beauvoir arrêta la voiture sur le bord de la route.

– Comment osez-vous ? J'en ai assez de me faire traiter comme un enfant. Je sais que vous êtes d'un grade supérieur au mien, que vous êtes plus âgé et plus sage. Bon, vous êtes content ? Mais il est temps de me faire une place à côté de vous. Arrêtez de me repousser derrière. Arrêtez !

Il frappa le volant de ses paumes avec une telle force qu'il faillit le casser, et se fracturer des os. Avec horreur, il sentit des larmes jaillir de ses yeux. « C'est mes mains, seulement mes mains », se dit-il.

Mais la cage du fond était vide. Il ne l'avait pas enfouie assez bien ni assez profondément. Son amour pour Gamache le déchirait et menaçait de le mettre en pièces.

– Sortez, dit Gamache.

Beauvoir eut de la difficulté à détacher la ceinture de sécurité, mais finit par débouler sur la route de terre. Elle était déserte. La pluie avait cessé et le soleil semblait lutter, lui aussi, pour sortir.

Gamache était solidement planté à côté de lui.

– *Fuck you!* cria Beauvoir de toutes ses forces.

Hurler, c'était tout ce qu'il voulait faire. Serrer les poings et frapper quelque chose ou quelqu'un et hurler. Et pourtant, il se mit à sangloter. Et à battre l'air, complètement inconscient de ce qui l'entourait. Il ne savait pas combien de temps s'était écoulé, mais il finit par reprendre ses sens. D'abord, il vit de la lumière, puis entendit des oiseaux, puis sentit la forêt après la pluie. Lentement, il revint à lui-même, comme s'il renaissait. Gamache était toujours là. Il n'était pas parti. Il n'avait pas essayé de le maîtriser, de l'arrêter, ni de le consoler. Il avait tout simplement laissé Beauvoir hurler, sangloter, se défouler.

– Je veux seulement…, commença Beauvoir.

– Qu'est-ce que vous voulez? demanda doucement Gamache.

Comme le soleil était derrière lui, Beauvoir ne voyait que sa silhouette.

– Je veux que vous me fassiez confiance.

– Ce n'est pas tout, selon moi.

Beauvoir se sentait faible, vidé, épuisé. Les deux hommes se regardèrent longuement. Autour d'eux, le soleil faisait briller les gouttes d'eau accrochées aux branches.

Gamache s'approcha très lentement de Beauvoir et lui tendit la main. Jean-Guy regarda fixement cette main grande et forte. Puis, comme s'il observait quelqu'un d'autre, il vit sa propre main s'élever dans les airs et atterrir en douceur. Elle lui parut fine, presque délicate, dans celle du chef.

– Dès que je vous ai vu blessé et en colère, affecté à cette salle des pièces à conviction au poste de Trois-Rivières, j'ai su, dit Gamache. D'après vous, pourquoi vous ai-je choisi alors que personne d'autre ne voulait de vous? Pourquoi ai-je fait de vous mon lieutenant? Oui, vous êtes un enquêteur doué. Vous avez le don de trouver des meurtriers. Mais il y avait davantage. Nous avons des affinités, vous et moi. Des affinités que je ressens avec tous les membres de l'équipe, mais surtout avec vous. Vous êtes mon successeur, Jean-Guy. Le prochain sur les rangs. Je vous aime comme un fils. Et j'ai besoin de vous.

Le nez de Beauvoir se mit à piquer et ses yeux à brûler, et un sanglot s'échappa, se hâtant d'aller rejoindre les autres qui flottaient déjà dans le vent comme si l'émotion était aussi naturelle que les arbres.

Les deux hommes s'étreignirent et Beauvoir murmura « Je vous aime aussi » à l'oreille de Gamache.

Puis ils se séparèrent. Sans gêne. Ils étaient père et fils. Et toute l'envie que ressentait Beauvoir par rapport à Daniel avait disparu.

– Vous devez tout me dire.

Gamache hésitait encore.

– L'ignorance ne me protégera pas.

Armand Gamache décida alors de tout lui dire. Il lui parla d'Arnot, de Francœur, de Nichol. Beauvoir écouta, abasourdi.

36

Odile Montmagny était en train de s'occuper d'un client qui s'interrogeait sur la différence entre tofu ferme et tofu mou. Pendant ce temps, Gamache et Beauvoir examinaient les rangées d'aliments biologiques et de contenants de thés et d'herbes. À l'arrière de la boutique, ils trouvèrent des meubles de Saindon. Gamache adorait les antiquités, surtout celles en pin du Québec. Le design moderne le déconcertait souvent. Toutefois, en regardant les tables, les chaises et les tabourets de Gilles, ses bols et ses bâtons de marche, il eut le sentiment de voir une remarquable fusion du vieux et du neuf. Le bois semblait destiné à adopter ces formes, comme s'il avait poussé durant des centaines d'années dans les forêts du Québec, attendant que cet homme le trouve et en fasse usage. Pourtant, ces modèles n'étaient nullement traditionnels, mais modernes et audacieux.

– Vous voulez un de ces meubles ? demanda Odile.

Elle avait une haleine de vin aigre, mal masquée par un bonbon à la menthe. C'était un mélange repoussant et Gamache eut tout le mal du monde à ne pas se pencher en arrière.

– J'aimerais bien, mais peut-être pas aujourd'hui, dit-il. Nous avons quelques questions supplémentaires, j'en ai bien peur.

– Pas de problème. C'est tranquille aujourd'hui. Comme la plupart du temps.

– Ça vous donne l'occasion d'écrire votre poésie, j'imagine.

Elle se ragaillardit.

– Vous avez entendu parler de mes poèmes ?

– En effet, madame.

– Aimeriez-vous que je vous en lise un ?

Beauvoir tenta d'attirer le regard du chef, mais Gamache ne semblait pas remarquer la gymnastique oculaire de Beauvoir.

– Ce serait un honneur pour moi, si ce n'est pas trop demander.

– Tenez, assoyez-vous ici.

Elle lui donna une poussée, et Gamache tomba lourdement sur l'une des chaises de Gilles. Il s'attendait à entendre un formidable craquement, lorsque s'effondreraient d'un coup le meuble et son solde bancaire. Mais rien de tel ne se produisit : la chaise, le bois et ses épargnes étaient solides.

Odile revint avec son cahier usé, celui que Beauvoir l'avait vue fermer subitement à sa visite précédente.

Elle se racla la gorge et redressa les épaules, comme un combattant le ferait devant l'ennemi.

Au-dessus de la lande ils coururent au couchant,
Les nuages sombres, et malgré tout l'émoi
Nous dûmes affronter la pluie en prenant notre élan,
Moi, mon amour et moi.

Le goéland hurlait, les roseaux se courbaient,
Mais, main dans la main, tous les trois,
Nous nous hâtâmes en luttant contre le nordet,
Moi, mon amour et moi.

– Je l'ai intitulé « Moi, mon amour et moi ».

Gamache était trop stupéfait pour parler, mais Beauvoir retrouva sa voix.

– C'était merveilleux. J'ai vu toute la scène.

Il était sincère. Il était habitué à entendre les citations obscures de Gamache, surtout de choses inintelligibles, et même sans rimes, que pondait Ruth Zardo. Ça, au moins, ça avait du sens. Il imaginait l'oiseau, l'entendait crier, voyait la pluie.

– Aimeriez-vous en entendre un autre ?

– J'ai bien peur d'avoir à vous poser quelques questions, répondit Gamache en tapotant le tabouret à côté de lui. Mais c'est gentil de nous l'offrir.

Odile s'assit et vacilla un peu, s'efforçant tant bien que mal de rester droite.

– Que pensiez-vous de Madeleine Favreau ?

– C'était quelqu'un de bien. Elle venait ici, parfois, mais je ne la connaissais pas tellement. Sa mort me rend triste. Avez-vous une idée de qui est le meurtrier ?

– Et vous ?

Odile réfléchit.

– Je pense que c'est son amie, Hazel. Toujours si gentille. Trop. Ça me rend folle. Sans aucun doute une suspecte. Cependant, à bien y penser, c'est peut-être elle qui risquerait le plus de se faire assassiner. Êtes-vous certains que la bonne personne a été tuée ?

– Vous vous êtes disputée avec Madeleine pendant que vous montiez tous vers la vieille maison des Hadley.

– Moi ?

L'habileté d'Odile à mentir rivalisait avec son talent de poète.

– En effet. Quelqu'un vous a entendues.

– Oh, on a parlé de choses et d'autres.

– Vous avez eu une discussion, madame, dit Gamache, d'un ton ferme, mais calme.

Il voyait Odile de profil, avec son menton fuyant.

– Non, on ne s'est pas disputées, affirma-t-elle.

Gamache savait qu'il lui suffisait d'attendre, en espérant qu'un autre client n'entre pas.

– Elle essayait de m'enlever Gilles, continua Odile, et l'explosion fétide de son haleine aigre heurta Gamache comme si les mots étaient trop longtemps restés pris au piège à l'intérieur. C'est ce qu'elle voulait, je le sais. Elle était tout le temps en train de lui sourire et de le toucher.

Elle imita les gestes de Madeleine en tripotant le bras de Gamache.

– Elle voulait qu'il s'intéresse à elle, mais lui l'ignorait.

– C'est vrai ? demanda Gamache.

– Bien sûr que c'est vrai. Il m'aime.

Ce dernier mot était presque inaudible. Elle avait la bouche ouverte, mâchoire pendante, et un long filet de bave s'en échappait. Son nez coulait et des larmes lui étaient montées aux yeux. Son visage s'était dissous comme s'il avait été dans de l'acide.

Madeleine avait-elle tenté d'enlever Gilles à Odile ? Gamache se le demanda. Dans ce cas, il y avait deux mobiles possibles. Odile aurait pu la tuer pour se débarrasser d'une rivale. Et M. Béliveau, par jalousie. Qu'avait dit Clara ? Que Madeleine obtenait toujours ce qu'elle voulait. Mais que voulait-elle ? Qui ? Gilles ou M. Béliveau ? Ou ni l'un ni l'autre ?

– À propos de quoi vous êtes-vous disputées ce soir-là ? insista Gamache.

– Je lui ai demandé d'arrêter. Ça va ? Vous êtes satisfait ? Je l'ai suppliée de s'écarter de Gilles. Elle pouvait avoir n'importe quel homme. Elle était superbe et intelligente. Tout le monde était attiré par elle. Qui ne le serait pas ? Mais moi ? Je sais ce que les gens pensent de moi. Que je suis bête et assommante et que je ne connais rien en dehors des chiffres. J'ai aimé Gilles toute ma vie et il a fini par me choisir, moi. Personne n'allait me l'enlever. Je l'ai suppliée de me le laisser.

– Et qu'a-t-elle dit ?

– Elle a tout nié. Elle m'a laissée me ridiculiser, m'humilier, puis elle n'a même pas eu le courage d'avouer qu'elle était une salope.

En partant, Gamache serra sa main moite et visqueuse. C'était souvent la sensation que provoquait le chagrin. Beauvoir réussit à éviter la poignée de main.

Ils trouvèrent Gilles Saindon au fond des bois. Ils avaient repéré le bruit des coups de hache et, après avoir atteint le sommet d'une colline en enjambant une bûche en décomposition, ils avaient vu le géant travailler avec sa hache sur un arbre abattu. Ils observèrent un moment les mouvements puissants et gracieux de ses bras massifs qui élevaient l'outil ancien et en frappaient le bois. Puis, il s'arrêta, fit une pause et se retourna pour les regarder en face. Tous les trois se fixèrent du regard, puis Saindon fit un signe de la main.

– Vous êtes revenu, cria-t-il à Beauvoir.

– J'ai amené le patron.

Saindon alla les rejoindre à grands pas, en faisant craquer des branches tombées au sol.

– Ici, il n'y a pas de patron, dit-il à Beauvoir avant de se tourner pour jauger Gamache. C'est vous, le gars dans les journaux ?

– C'est moi, répondit Gamache sans problème.

– Vous n'avez pas l'air d'un meurtrier.

– Je n'en suis pas un.

– Est-ce que je suis censé vous croire ?

– Croyez ce que vous voulez. Cela m'est égal.

Saindon grogna, puis finit par indiquer une souche, comme si c'était un fauteuil recouvert de soie.

– Vous étiez jadis bûcheron, je crois, dit Gamache, assis sur la souche.

– À une époque de grande noirceur, oui. Je n'ai plus honte de le dire. J'étais ignorant.

Mais il semblait avoir honte.

– Qu'est-ce que vous ignoriez ? demanda Beauvoir.

– Je vous l'ai dit : que les arbres sont vivants. On sait tous qu'ils le sont, bien sûr, mais on ne les voit pas comme des êtres vivants. Vous comprenez ce que je veux dire ? Ils le sont, pourtant. On ne peut pas tuer quelque chose de vivant. Ce n'est pas bien.

– Comment avez-vous découvert cela ? demanda Gamache.

Saindon plongea la main dans sa poche et en sortit un mouchoir sale. Tout en parlant, il frotta la lame de sa hache pour la nettoyer.

– Je travaillais comme bûcheron pour l'une des scieries locales. J'allais tous les jours en forêt avec mon équipe. Je coupais des arbres, les accrochais à des tracteurs et les traînais jusqu'au chemin forestier pour qu'on les ramasse. C'était éreintant, mais j'aimais ça. Être dehors, à l'air frais. Pas de patron.

Il jeta un coup d'œil suspicieux du côté de Gamache. Son visage hâlé était recouvert d'une barbe rousse et grisonnante, et il avait un regard vif mais distant.

– Un jour, en marchant dans les bois avec ma hache, j'ai entendu un gémissement. On aurait dit un bébé. C'était à cette période-ci de l'année. Le meilleur moment pour abattre des arbres. Mais aussi celui où les animaux ont leurs petits. L'équipe venait d'arriver et le gémissement est devenu plus fort. Puis, j'ai entendu un hurlement. J'ai crié aux gars d'arrêter et d'écouter en silence. Le gémissement s'était changé en cri. On l'entendait partout. Je le sentais, aussi. Je m'étais toujours senti chez moi dans la forêt, mais, soudain, j'avais peur. Un gars a dit « J'entends rien » et il a donné un autre coup de hache à l'arbre. Vous devinez le reste. Quelque chose avait changé du jour au lendemain. Moi, j'avais changé : j'entendais les arbres. Je pense que j'avais toujours entendu leur bonheur : c'est pour ça que je me sentais tellement heureux dans la forêt. Mais, maintenant, j'entendais aussi leur terreur.

– Qu'avez-vous fait ?

– Qu'est-ce que je pouvais faire ? Qu'est-ce que vous feriez ? Je devais arrêter le massacre. Pouvez-vous vous imaginer abattre une forêt quand vous l'entendez crier ?

Beauvoir le pouvait, surtout si les cris duraient toute la journée.

– Mais la plupart du temps, les arbres sont silencieux. Ils veulent seulement qu'on les laisse tranquilles, poursuivit Gilles. C'est drôle, n'est-ce pas, que j'aie appris la liberté auprès de créatures enracinées ?

Gamache se dit que c'était tout à fait sensé.

– J'ai été congédié, mais je serais parti de toute façon. Ce jour-là, je suis entré dans la forêt en bûcheron, mais j'en suis sorti complètement différent. Le monde n'a plus jamais été le même. Il ne pouvait pas l'être. Ma femme a essayé de comprendre, mais n'a pas pu. Elle a fini par s'en aller avec les enfants. Elle est retournée dans Charlevoix. Je ne lui en veux pas. Ça m'a soulagé, en fait. Elle n'arrêtait pas de me répéter que les arbres ne parlent pas, ne chantent pas, et qu'ils ne crient certainement pas. Mais ils le font. On vivait dans deux mondes différents.

– Est-ce qu'Odile vit dans le même monde que vous ? demanda Beauvoir.

– Non, avoua Gilles. En fait, je n'ai rencontré personne d'autre qui soit semblable à moi. Mais elle l'accepte. Elle n'essaie pas de me changer ni de me convaincre que j'ai tort. Elle m'accepte comme je suis.

– Et Madeleine ?

– C'était quelqu'un de beau et d'exotique. C'était comme marcher dans les bois et tomber sur un palmier. Ça attire l'attention.

– Avez-vous eu une liaison ? demanda Beauvoir, plus crûment que Gamache l'aurait voulu, mais c'était son style.

– Non. Je l'admirais de loin, ça me suffisait. Même si je parle aux arbres, je ne suis pas fou. Elle ne s'intéressait pas à moi. Et je ne m'intéressais pas à elle, pas vraiment. En rêve, peut-être, mais pas dans le vrai monde.

Beauvoir se demanda ce que Saindon considérait, au juste, comme le « vrai » monde.

– Pourquoi n'aimez-vous pas M. Béliveau ? demanda Gamache.

Il fallut à Saindon un moment pour arracher Madeleine de ses pensées et se concentrer sur l'épicier austère. Il regarda ses mains massives et s'en prit à un durillon.

– Il y avait sur son terrain un chêne magnifique qui avait été frappé par la foudre, et une grosse branche pendait. Je l'entendais pleurer. J'ai demandé à M. Béliveau si je pouvais enlever la branche, pour aider l'arbre. Il a refusé.

– Pourquoi ? demanda Beauvoir.

Gilles les regarda.

– Il disait que j'allais tuer tout l'arbre en coupant la branche. C'était un risque à courir, je l'ai reconnu, mais je lui ai dit que l'arbre souffrait et qu'il serait délivré si on lui permettait de vivre en santé ou de mourir rapidement.

– Il ne vous a pas cru ?

Il secoua la tête.

– Cet arbre-là a mis quatre ans à mourir. Il criait à l'aide. J'ai supplié Béliveau, mais il ne voulait rien entendre. Il pensait que l'arbre allait se rétablir.

– Il ne savait pas, dit Gamache. Il avait peur.

Gilles haussa les épaules avec une expression de dédain.

– Et que pensiez-vous du fait qu'il fréquentait Madeleine ? demanda Gamache.

– Il aurait dû la protéger. Il aurait dû protéger l'arbre. Il a l'air tellement gentil, mais c'est un homme méchant.

Comment M. Béliveau s'était-il décrit ? Gamache tentait de se rappeler. Il était celui qui apportait la mort, voilà ce qu'il avait dit. Il y avait d'abord eu sa femme, puis Madeleine, puis l'oiseau. Et l'arbre. Les choses mouraient autour de M. Béliveau.

Les trois hommes demeurèrent silencieux, respirant le doux arôme de moisi des pins humides, des feuilles d'automne et des nouveaux bourgeons.

– Maintenant, je viens ici, je trouve des arbres déjà morts et j'en fais des meubles.

– Vous leur donnez une nouvelle vie, dit Gamache.

Saindon le regarda.

– Je suppose que vous n'entendez pas les arbres ?

Gamache pencha la tête pour écouter, puis fit signe que non. Saindon hocha la tête.

– Y a-t-il des ginkgos ici ? demanda Gamache.

– Des ginkgos ? Quelques-uns, pas beaucoup. Ils viennent surtout d'Asie, je pense. Ce sont de très vieux arbres.

– Vous voulez dire qu'ils vivent longtemps ? demanda Beauvoir.

– Ça aussi, bien que pas aussi longtemps que les séquoias. Certains ont des milliers d'années, le croiriez-vous ? J'aimerais vraiment avoir une conversation avec l'un d'entre eux. Non, le ginkgo ne dure pas aussi longtemps, mais c'est le plus vieil arbre connu. Il est préhistorique. Il paraît que c'est un fossile vivant. Vous vous rendez compte ?

Gamache était impressionné. Saindon en savait long sur le ginkgo. Sur la famille séculaire du ginkgo, qui produit l'éphédra.

Lorsqu'ils retournèrent au bureau provisoire, il y avait un journal soigneusement plié sur son bureau. Il était dix-sept heures et Robert Lemieux travaillait à son ordinateur. À leur arrivée, il leva la tête et leur fit un signe de la main, tout en jetant un coup d'œil au journal comme s'il compatissait avec Gamache.

Lorsque le chef prit le journal, Jean-Guy Beauvoir resta près de lui. Cela rappela à Gamache une émission de télévision sur les gorilles. Lorsqu'ils étaient menacés, ils fonçaient droit devant, concentrés sur l'agresseur, en criant et en se martelant la poitrine. Mais de temps en temps ils tendaient le bras pour toucher le gorille à côté d'eux. Pour s'assurer qu'ils n'étaient pas seuls.

Beauvoir était le gorille à côté de lui.

La première page montrait une photo de Gamache avec un air imbécile, les yeux mi-clos, la bouche tordue en une étrange grimace.

« SOÛL ! » affirmait la légende, en majuscules.

– Je vois que vous êtes un meurtrier, un alcoolique, un maître chanteur et un proxénète, dit Beauvoir.

– Un homme polyvalent, répondit Gamache en secouant la tête.

Toutefois, il était soulagé. Il parcourut rapidement l'article en cherchant Daniel, Annie, Reine-Marie. Il n'y trouva que son propre nom et celui d'Arnot. Toujours ensemble, comme s'ils étaient inséparables.

Il appela sa famille et passa la demi-heure suivante à prendre de leurs nouvelles, en s'assurant que tout allait aussi bien que possible.

Quel monde étrange, se dit-il, tandis que Beauvoir et lui s'en retournaient au gîte avec leurs dossiers et leurs albums, quand une bonne journée en était une où l'on n'était accusé que d'incompétence et d'ivrognerie.

37

Pour la première fois en vingt-cinq ans, Clara Morrow ferma la porte de son atelier. Olivier et Gabri arrivaient. Armand Gamache et son inspecteur, Jean-Guy Beauvoir, venaient d'entrer. Myrna avait apporté un hachis Parmentier et un énorme arrangement floral, composé de branches bourgeonnantes et de ce qui ressemblait à un chapeau de printemps.

– Il y a un cadeau pour vous à l'intérieur, dit-elle à Gamache.

– Vraiment ?

Il espérait qu'il ne s'agissait pas du chapeau.

Clara fit entrer Jeanne Chauvet dans le séjour où tout le monde s'était massé. Gamache accrocha le regard de Clara et la remercia d'un sourire. Elle lui sourit en retour, mais paraissait fatiguée.

– Ça va ?

Il la débarrassa du plateau de verres et le posa à son emplacement habituel sur le piano.

– Un peu de stress, tout simplement. J'ai essayé de peindre, cet après-midi, mais Peter avait raison : mieux vaut ne pas forcer la muse si elle ne vient pas. Heureusement, je pouvais me concentrer sur le souper.

Elle avait l'air de quelqu'un qui aurait préféré se ronger un pied plutôt que d'être à cette fête.

Olivier prit le bol en céramique contenant du pâté maison des mains de Gabri qui, au lieu de circuler avec, avait décidé de discuter avec Jeanne près du foyer.

– Du pâté ? proposa-t-il à Beauvoir, qui en étala une épaisse couche sur une large tranche de baguette.

– Alors, il paraît que vous êtes une sorcière, dit Gabri à Jeanne.

Le silence tomba dans la pièce.

– Je préfère le terme « wiccane », mais oui, répondit Jeanne d'un ton neutre.

– Du pâté ? demanda Olivier.

Il était bien content de pouvoir se cacher derrière les hors-d'œuvre. Si seulement ils avaient amené un cheval…

– Merci, dit Jeanne.

Ruth arriva à ce moment-là, entrant d'un pas lourd dans l'agréable salle de séjour. Beauvoir vit dans cette distraction une occasion de parler à Jeanne en privé.

– L'agent Lemieux a cherché de l'information sur votre école secondaire, dit-il en la guidant vers un coin tranquille.

– Vraiment ? C'est intéressant, dit-elle avec indifférence.

– En effet. L'école n'existe pas.

– Pardon ?

– Pas d'école Gareth James à Montréal.

– C'est impossible. J'y suis allée.

Elle paraissait inquiète, agitée. Voilà exactement comment Beauvoir voulait que ses suspects se sentent. Il n'aimait pas cette femme, cette sorcière.

– L'école a été détruite par un incendie il y a vingt ans. C'est commode, non ?

Il se leva avant qu'elle puisse réagir.

– Où est mon verre ? cria Ruth en boitillant jusqu'au piano. Je voulais arriver plus tôt, avant que vous ayez tout bu, dit-elle à Gamache.

Olivier était extrêmement heureux de la présence, enfin, d'une personne encore plus balourde que Gabri.

– J'ai caché des bouteilles dans toute la maison, dit Gamache en s'inclinant légèrement, et, si vous êtes gentille avec moi, madame Zardo, je pourrais vous dire où se trouvent certaines d'entre elles.

Ruth réfléchit, puis sembla trouver cela trop compliqué. Elle s'empara d'un verre à eau et le tendit à Peter.

– Scotch.

– Comment peux-tu écrire de la poésie? demanda Peter.

– Je vais te le dire: je ne gaspille pas des mots précieux avec des gens comme toi.

Elle prit le verre et avala une gorgée.

– Alors, pourquoi buvez-vous? demanda-t-elle à Gamache.

– Voyons, dit Beauvoir, cet article de journal était un tissu de mensonges. Il ne boit pas.

– Quel article? demanda Ruth. Et ça, qu'est-ce que c'est? ajouta-t-elle en désignant le scotch que Gamache tenait à la main.

– Je bois pour me relaxer, répondit Gamache. Et vous?

Ruth le regarda fixement, mais voyait plutôt les deux oisillons couchés dans leurs petits lits, bien au chaud dans son four, enveloppés de serviettes réchauffées et de bouillottes qu'elle avait achetées chez Canadian Tire. Elle avait donné à manger à Rose et essayé de nourrir Lys, mais celle-ci n'avait pas pris grand-chose.

Ruth leur avait donné un doux baiser sur leur petite tête duveteuse, récoltant une légère couche de particules de plumes sur ses vieilles lèvres minces. C'était la première fois qu'elle embrassait depuis longtemps. Les canetons dégageaient une odeur fraîche et une douce chaleur. Lys s'était penchée et avait légèrement becqueté sa main, comme pour lui rendre sa bise. Ruth avait eu l'intention de partir plus tôt pour aller chez Peter et Clara, mais avait attendu que Rose et Lys se soient endormies. Elle avait ensuite réglé son minuteur de cuisine pour qu'il sonne dans deux heures et demie avant de le glisser dans son cardigan miteux.

Elle prit une longue gorgée de scotch, puis réfléchit à la question. Pourquoi buvait-elle?

– Je bois pour ne pas devenir folle de rage, finit-elle par dire.

– Folle de rage ou folle tout court? marmonna Myrna. Que ce soit l'un ou l'autre, ça ne marche pas.

Sur le canapé, Gabri avait une fois de plus séquestré Jeanne.

– Alors, qu'est-ce qu'elles font, les sorcières ?

– Gabri, tu n'es pas censé circuler avec ça ? dit Olivier en essayant de lui refiler le pâté, mais Gabri se contenta de se servir et laissa Olivier en plan.

– Nous guérissons les gens.

– Je croyais que vous faisiez plutôt le contraire. Il y a de méchantes sorcières, non ?

– Seigneur, pourvu qu'il ne nous emmène pas au pays des Munchkins, murmura Olivier à l'oreille de Peter.

Les deux hommes s'éloignèrent.

– Quelques-unes, mais pas autant que vous pourriez le croire, dit Jeanne en souriant. Les sorcières sont des personnes plus intuitives, voilà tout.

– Alors, ce n'est pas de la magie, intervint Beauvoir, qui écoutait malgré lui.

– Nous ne faisons rien apparaître qui n'existe déjà. Nous voyons tout simplement des choses que les autres ne voient pas.

– Comme des gens morts ? demanda Gabri.

– Bof, c'est rien, ça, dit Ruth en jouant de ses coudes décharnés pour pousser Myrna et se faire une place sur le canapé. J'en vois tout le temps.

– Vraiment ? fit Myrna.

– J'en vois maintenant.

La pièce devint silencieuse. Même Peter et Olivier revinrent.

– Ici ? demanda Clara. Chez nous ?

– Surtout ici.

– Maintenant ?

– Là.

Ruth leva un doigt et le pointa. En direction de Gamache.

Tout le monde retint son souffle et Gamache regarda Beauvoir.

– Mort ? Il est mort ? murmura Clara.

– Mort ? J'avais entendu « des gens mornes », dit Ruth. Bon, oublions ça.

– Comment peut-elle écrire de la poésie ? demanda Peter à Olivier tout en l'emmenant voir son dernier casse-tête.

– Alors, qui l'a tuée ? Savez-vous qui a tué Madeleine ? demanda Ruth. Ou avez-vous été trop occupé à donner des pots-de-vin et à boire pour vraiment travailler ?

Lorsque Beauvoir ouvrit la bouche, Gamache leva la main pour lui signifier que c'était une blague.

– Nous ne savons pas, mais nous y venons.

Beauvoir s'efforça de ne pas montrer sa surprise.

– Saviez-vous tous qu'elle avait eu le cancer ? demanda Gamache.

Tous se regardèrent et firent un signe de tête affirmatif.

– Mais ça fait déjà un certain temps, dit Myrna.

Gamache attendit que quelqu'un dise autre chose, puis décida de poser clairement sa question.

– Était-elle toujours en rémission, d'après ce que vous savez ?

Ils parurent perplexes et se consultèrent de nouveau, de façon quasi télépathique, comme le font de bons amis, en échangeant des regards.

– Je n'ai jamais entendu dire le contraire, répondit Peter.

Tout le monde semblait d'accord. Gamache et Beauvoir se regardèrent. La conversation redémarra et Peter se glissa dans la cuisine pour vérifier les plats qui cuisaient.

Gamache le suivit et le trouva en train de remuer le ragoût d'agneau. Avec une baguette et un couteau à pain, Gamache fit un geste en direction de Peter, qui sourit en guise de remerciement.

Ils s'affairèrent en silence, tout en écoutant la conversation qui se déroulait dans la pièce voisine.

– Il paraît qu'il fera enfin beau demain, dit Peter après un moment. Chaud et ensoleillé.

– Avril est comme ça, non ? dit Gamache en tranchant le pain et en le déposant sur un torchon à vaisselle niché dans un bol en bois.

En soulevant le torchon, il vit les nœuds du bois, une caractéristique des bols de Saindon.

– Imprévisible, vous voulez dire ? C'est un mois difficile.

– Chaud et ensoleillé un jour, puis de la neige le lendemain, renchérit Gamache. Shakespeare appelait cela « la gloire incertaine » d'un jour d'avril.

– Je préfère T. S. Eliot : « le mois le plus cruel ».

– Pourquoi dites-vous cela ?

– Toutes ces fleurs printanières qui sont massacrées. Ça arrive presque chaque année. Dupées par le temps doux, elles se mettent à fleurir, à sortir. À s'ouvrir. Et pas seulement les bulbes du printemps, mais aussi les bourgeons des arbres. Les rosiers, tout. Elles sortent, elles sont heureuses. Et crac, une tempête de neige imprévisible les tue toutes.

Gamache avait le sentiment qu'il ne parlait plus des fleurs.

– Mais qu'est-ce que vous voudriez qu'il arrive ? demanda-t-il à Peter. Elles doivent fleurir, ne serait-ce que pour une courte période. Elles reviendront l'an prochain.

– Pas toutes.

Peter se tourna vers Gamache, la cuiller de bois dégoulinant de sauce épaisse.

– Certaines plantes ne s'en remettent jamais. Il y a quelques années, on avait un magnifique rosier, il était en boutons et un gel l'a tué.

– « Un gel meurtrier, cita Gamache. Ce gel dessèche ses racines. Et alors il tombe, comme je le fais. »

Peter tremblait.

– Qui est en train de tomber, Peter ? Clara ?

– Personne n'est en train de tomber. Je ne le permettrai pas.

– C'est étrange, au Canada, on parle tout le temps de la seule chose qu'on ne contrôle pas : le climat. On ne peut pas arrêter un gel meurtrier ni empêcher les fleurs d'accomplir leur destinée. Mieux vaut fleurir un instant, si telle est sa nature, que de vivre à jamais caché.

– Je ne suis pas d'accord.

Peter tourna le dos à son invité et faillit réduire le ragoût en purée.

– Excusez-moi. Je ne voulais pas vous offenser.

– Vous ne m'avez pas offensé, dit Peter au mur.

Gamache apporta la baguette tranchée à la longue table en pin dressée pour le repas, puis retourna à la salle de séjour. En repensant à T. S. Eliot, il se disait que, si le poète avait appelé avril « le mois le plus cruel », ce n'était pas parce qu'il tuait les fleurs et les bourgeons, mais parce que, parfois, il ne le faisait pas. Comme c'est difficile pour ceux qui ne s'épanouissent pas lorsque tout, autour, est vie nouvelle et espoir.

– Je ne comprends pas, dit Olivier. Pâques n'est pas une fête chrétienne ?

– Eh bien… oui, répondit Jeanne.

Étrangement, la petite femme quelconque était parvenue à s'imposer parmi toutes ces fortes personnalités. Serrée au bout du canapé, entre l'accoudoir et Myrna, elle avait tous les yeux rivés sur elle.

– Sauf qu'au début l'Église ne savait pas vraiment à quelle date le Christ avait été crucifié et en a choisi une en fonction du calendrier païen.

– Pourquoi donc ? demanda Clara.

– Pour survivre, la jeune Église avait besoin de convertis. C'était une période dangereuse et délicate. Pour attirer des païens, elle a adopté certaines de leurs fêtes et cérémonies.

– L'encens d'église, c'est comme notre rituel de fumigation, dit Myrna, quand on fait brûler des herbes sèches pour purifier un endroit.

Elle se tourna vers Clara, qui approuva d'un signe de tête. Cependant, leur propre rituel était réconfortant et rempli de joie, en regard du balancement de l'encensoir à l'église, lugubre et vaguement menaçant. Elle n'avait jamais songé à la ressemblance entre les deux et se demanda si les prêtres apprécieraient la comparaison. Ou les sorcières.

– En effet, dit Jeanne. Même chose avec les festivals. En anglais, on appelle parfois Noël *Yuletide*, de *jol*, un ancien festival païen scandinave.

– Ce nom apparaît dans certains chants de Noël, en tout cas, dit Gabri.

– Et la bûche de Noël s'appelle *Yule log*, souligna Olivier.

– *Yule* est l'ancien mot désignant le solstice d'hiver, la nuit la plus longue de l'année, vers le 21 décembre. C'est un festival païen. C'est donc vers cette date que l'Église chrétienne naissante a décidé de situer Noël.

– Pour permettre à une bande de sorcières de fêter ? Voyons donc, lança Ruth en renâclant. Vous n'êtes pas en train de vous donner plus d'importance que vous n'en avez ?

– Aujourd'hui, oui, absolument. L'Église ne s'est pas intéressée à nous depuis des centaines d'années, sauf peut-être en tant que bois de chauffage, comme vous le savez.

– Que voulez-vous dire : comme je le sais ?

– Vous avez écrit à propos des croyances anciennes. Plusieurs fois. C'est un thème qui imprègne votre poésie.

– Vous y voyez trop de choses, Jeanne d'Arc, répliqua Ruth.

Jeanne cita le poème de Ruth tout en scrutant son visage.

On m'a pendue pour avoir vécu seule,
parce que j'avais des yeux bleus et une peau brûlée par le soleil,
et des seins.
C'est pratique,
quand il est question de démons.

– Voulez-vous dire que Ruth est une sorcière ? demanda Gabri.

Jeanne détacha son attention de la vieille femme ratatinée, qui restait assise bien droite.

– Dans les croyances wiccanes, la plupart des vieilles femmes sont les gardiennes de la sagesse, des remèdes, des récits. Ce sont de vieilles sorcières.

– Eh bien, elle, c'est une vieille bique, même si elle n'est pas vêtue de peaux de bêtes. Est-ce que ça compte ? demanda Gabri en provoquant des rugissements de rire, et même Jeanne sourit.

– À une certaine époque, la plupart des gens étaient païens et célébraient à l'ancienne. *Yule* et *Eostar* ou *Easter*, l'équinoxe du printemps. Vous faites des rituels ? demanda Jeanne à Myrna.

– Parfois. On célèbre le solstice avec la fumigation. C'est une sorte de méli-mélo de croyances autochtones et païennes.

– C'est nul, dit Ruth. J'y suis allée une ou deux fois. J'ai fini par empester la fumée de sauge pendant deux jours. À la pharmacie, on m'a demandé si j'avais fumé un joint.

– Tu vois : parfois, la magie fonctionne, dit Myrna à Clara en riant.

– Le souper est prêt, s'écria Peter de la cuisine.

Quand ils arrivèrent, il avait déjà posé les plats cuisinés, les ragoûts et les légumes sur l'îlot, avec les assiettes. Clara et Beauvoir allumèrent les bougies dispersées dans toute la cuisine. Ainsi, en prenant leurs places, ils eurent l'impression d'être assis dans les ténèbres d'un planétarium, criblées de points lumineux.

Ils attaquèrent leurs assiettes débordantes de ragoût d'agneau, de hachis Parmentier, de pain frais, de purée de pommes de terre, moelleuse et légère, et de haricots fins, tout en parlant des jardins et de la tempête, des femmes de l'église anglicane et de l'état des routes.

– J'ai proposé à Hazel de venir avec sa fille, mais elle a décliné l'invitation, dit Clara.

– Elle dit presque toujours non, commenta Myrna.

– C'est vrai ? demanda Olivier. Je n'ai jamais remarqué.

– Moi non plus, dit Clara en se servant une autre cuillerée de purée. Mais tiens, j'y pense : on voulait lui apporter des repas après la mort de Madeleine, mais elle a refusé.

– Certaines personnes sont comme ça, dit Myrna. Toujours prêtes à aider les autres, mais incapables de recevoir. Dommage, vraiment. Elle doit passer un très mauvais moment. Je ne peux pas m'imaginer sa douleur.

– Quelle excuse a-t-elle donnée pour ne pas venir ce soir ? demanda Olivier.

– Elle a dit que Sophie s'était foulé la cheville, répondit Clara en faisant la moue.

Il y eut des éclats de rire autour de la table. Elle se tourna vers Gamache pour lui expliquer.

– Depuis que je la connais, Sophie a toujours une maladie ou une blessure quelconque.

Gamache se tourna vers Myrna.

– Qu'en pensez-vous ?

– Sophie ? C'est facile : elle a besoin d'attention. Elle est jalouse de maman et de Madeleine...

Elle s'arrêta, car elle venait de se rendre compte de ce qu'elle disait.

– Ne vous en faites pas, la rassura Gamache. On le sait déjà. Sophie a également perdu du poids, dernièrement.

– Des tonnes, dit Gabri. Mais son poids fait du yoyo. Elle a maigri il y a quelques années aussi, mais elle a tout repris.

– Est-ce que c'est de famille ? demanda Gamache. Le poids de Hazel varie-t-il aussi ?

Une fois de plus, ils se regardèrent, à l'exception de Ruth qui vola un bout de pain de l'assiette d'Olivier.

– Hazel est restée la même depuis que je la connais, répondit Clara.

Gamache hocha la tête et sirota son vin.

– C'est un excellent repas, Peter. Merci.

Il leva son verre en direction de Peter, qui accepta le compliment.

– Je croyais qu'on aurait du gibier à plumes, dit Olivier à Peter. Ce n'est pas votre plat des grandes occasions, cette année ?

– Sauf que vous n'êtes pas des invités, répondit Peter. On ne sert ça qu'à du vrai monde.

– Ces temps-ci, tu dois frayer avec Ruth, dit Olivier.

– En fait, c'est vrai, on allait préparer des poulets de Cornouailles, reprit Peter en s'adressant à Ruth, mais on s'est dit que, avec tes bébés, tu ne voudrais peut-être pas en manger.

– Pourquoi donc ?

Ruth paraissait sincèrement étonnée et Gamache se demanda si elle avait oublié que ses canetons n'étaient pas humains, ni ses vrais bébés.

– Alors, ça ne te dérangerait pas si on mangeait de la volaille ? demanda Peter. Ou même du canard du lac Brume ? On avait l'intention de griller du confit de canard.

– Rose et Lys ne sont pas des poulets, ni des canards, dit Ruth.

– Ah non ? fit Clara. Qu'est-ce qu'elles sont, alors ?

– Des singes volants, dit Gabri à Olivier, qui renâcla.

– Ce sont des bernaches.

– En es-tu certaine ? Elles ont l'air plutôt petites, surtout Lys, dit Peter.

Tout le monde retint son souffle, et, si Clara avait été plus près, elle lui aurait donné un coup de pied. Elle le donna plutôt à Beauvoir. Un autre exemple de la rage refoulée des Anglos, se dit-il. On ne pouvait pas leur faire confiance, ni les chasser à coups de pied, ni leur rendre leurs coups.

– Et alors ? fit Ruth. Elle a toujours été petite. Quand elles ont éclos, elle a failli rester dans sa coquille. Rose était déjà sortie et poussait des cris rauques, mais je voyais Lys battre des ailes pour fendre la coquille.

– Qu'est-ce que vous avez fait ? demanda Jeanne.

Comme tous les visages, le sien était éclairé par les bougies, mais alors que cela rendait les autres plus jolis, cela lui donnait à elle une expression démoniaque, avec des yeux creux, sombres et cernés.

– Qu'est-ce que j'ai fait, d'après vous ? J'ai cassé la coquille à sa place. Je l'ai ouverte suffisamment pour lui permettre de sortir.

– Tu lui as sauvé la vie, dit Peter.

– Peut-être, dit Jeanne en s'appuyant au dossier de sa chaise, disparaissant presque entièrement dans la pénombre.

– Comment, « peut-être » ? demanda Ruth d'un ton insistant.

– Le petit paon de nuit.

Ce n'était pas Jeanne qui avait parlé, mais Gabri.

– Viens-tu vraiment de dire « le petit paon de nuit » ? lui demanda Clara.

– Oui, et il y a une raison.

Il marqua une pause pour s'assurer d'avoir toute l'attention de son public. Il n'avait pas à s'inquiéter.

– Il faut des années au papillon de nuit pour devenir adulte. Au stade final, la chenille tisse un cocon, se dissout complètement jusqu'à se liquéfier, puis se transforme. Elle devient autre chose: un énorme paon de nuit. Mais ce n'est pas facile. Le papillon doit d'abord se débattre pour sortir du cocon. Ils ne réussissent pas tous.

– Ils réussiraient si j'étais là, dit Ruth en prenant une autre gorgée.

Gabri resta silencieux, ce qui n'était pas son habitude.

– Quoi? Qu'est-ce qu'il y a? dit Ruth.

– Il faut que le papillon se débatte pour sortir du cocon. Cela développe ses ailes et ses muscles. C'est le combat qui le sauve. Sinon, il est paralysé. Si tu aides un paon de nuit, tu le tues.

Le verre de Ruth s'arrêta devant ses lèvres. Pour la première fois depuis qu'ils la connaissaient, elle ne but pas. Puis elle claqua son verre si fort sur la table qu'un jet de scotch en jaillit.

– Des conneries. Qu'est-ce que tu connais de la nature?

Il y eut un silence.

Après une longue minute, Armand Gamache se tourna vers Myrna.

– Voilà un magnifique arrangement floral. Vous avez dit, je crois, qu'il contenait quelque chose pour moi.

– C'est vrai, répondit-elle, soulagée. Mais vous devez fouiller pour le trouver.

Gamache se leva et écarta délicatement les branches. Là, dans la forêt, se trouvait un livre. Il le sortit et se rassit.

– *Dictionnaire des lieux magiques*, lut-il sur la couverture.

– La dernière édition.

– On a trouvé d'autres lieux magiques? demanda Olivier.

– J'imagine. J'ai vu ce que vous lisiez au bistro, hier, et j'ai pensé que vous seriez intéressé par ça aussi, dit Myrna à Gamache.

– Que lisiez-vous? demanda Clara.

Gamache se rendit dans le vestibule et en revint avec les livres qu'il avait apportés. Il les posa l'un par-dessus l'autre sur la table. Sur la couverture de cuir noir, une petite main au contour tracé en rouge semblait les dévisager. Personne ne bougea pour la toucher.

– Où avez-vous trouvé ça ? demanda Jeanne, qui paraissait troublée.

– Dans la vieille maison des Hadley. Connaissez-vous ce livre ?

Gamache se demanda si elle hésitait à répondre. Elle allongea le bras et il lui tendit le livre. Après l'avoir examiné un moment, elle le déposa.

– C'est une Main Hamsa, un symbole ancien destiné à écarter les envieux et le mauvais œil. On l'appelle également Main de Myriam. Ou de Marie.

– Marie ? dit Clara en s'appuyant lentement contre le dossier de sa chaise. La madone ?

Jeanne fit un signe affirmatif de la tête.

– C'est des conneries, dit Ruth en essuyant du doigt les gouttelettes de scotch qui s'étaient répandues sur la table, avant de le sucer.

– Vous ne croyez pas à la magie ? demanda Jeanne.

– Je ne crois pas à la magie. Ni en Dieu. Les anges n'existent pas et il n'y a pas de fées au fond du jardin. Rien. La seule magie, c'est ça.

Elle leva son verre et en prit une gorgée.

– Et ça marche ? demanda Gamache.

– Allez chier, lui lança Ruth.

– Toujours aussi éloquente, dit Gabri. Je croyais en Dieu, mais j'y ai renoncé pour le carême.

– Ha, ha, ha, dit Olivier.

– Vous voulez savoir en quoi je crois ? demanda Ruth. Tenez, donnez-moi ça.

Sans attendre, elle se pencha au-dessus de la table et d'un geste brusque prit le second livre. La Bible craquelée et usée que Gamache avait rapportée de la vieille maison des Hadley.

Elle plissa les yeux et l'approcha d'une bougie, en essayant de trouver la bonne page. La pièce était silencieuse, à part le léger grésillement d'une mèche de bougie.

– « Voici, je vous dis un mystère, lut Ruth, sa voix aussi usée que la Bible qu'elle tenait. Nous ne mourrons pas tous, mais tous nous serons changés, en un instant, en un clin d'œil, à la dernière trompette. La trompette sonnera, et les morts ressusciteront incorruptibles, et nous, nous serons changés. »

Le regard fixe, tous restèrent silencieux.

« Les morts ressusciteront. »

Le minuteur de Ruth se mit alors à sonner.

38

Gamache n'arrivait pas à dormir. Son réveil indiquait deux heures vingt-deux. Depuis une heure onze, il était resté éveillé, à observer les changements des chiffres rouge vif. Ce qui l'avait réveillé, ce n'était ni un cauchemar, ni l'anxiété, ni une urgence de la vessie. C'étaient des grenouilles. Des rainettes. Dans l'étang, une armée de grenouilles invisibles avaient passé la majeure partie de la nuit à chanter l'appel du mâle. Elles devraient être épuisées, se disait Gamache, mais non, apparemment. Au crépuscule, c'était joyeux; après le souper, évocateur. À deux heures du matin, c'était tout simplement agaçant. Ceux qui trouvaient la campagne paisible ne connaissaient certainement pas cet endroit. Surtout au printemps.

Il se leva, mit sa robe de chambre et ses pantoufles, prit une pile de livres sur la commode et descendit au rez-de-chaussée.

Il ralluma un feu dans la cheminée et se prépara du thé, puis s'installa devant le foyer et repensa au souper.

Ruth était partie dès que son minuteur avait sonné, fichant une peur bleue à tout le monde. Elle venait de lire ce passage extraordinaire tiré de l'épître de saint Paul aux Corinthiens. «Toute une épître, avait pensé Gamache. Dieu merci, on l'a conservée.»

– Bonne nuit, avait lancé Peter à la porte. Dors bien.

– Comme toujours, avait répondu Ruth de son ton sec.

Le reste du repas avait été paisible et savoureux. Peter avait servi une tarte aux poires et aux canneberges de la boulangerie de Sarah. Jeanne avait apporté du chocolat artisanal confectionné par Marielle, la propriétaire de la Maison du chocolat, à Saint-Rémy, et Clara avait sorti un plateau de fromages et des bols de fruits. Du café aux riches arômes compléta parfaitement la soirée.

À présent, en prenant son thé dans la quiétude du gîte, Gamache réfléchissait à ce qu'il avait entendu. Puis il prit l'un des albums d'élèves. Il datait de la première année de secondaire de Madeleine, qu'on ne voyait pas souvent sur les photos. Hazel apparaissait parfois, dans certaines des équipes juniors. Mais, au fil des ans, Madeleine semblait s'être épanouie. Elle était devenue capitaine des équipes de basketball et de volleyball. Sur toutes les photos, Hazel était à côté d'elle. Sa place naturelle.

Gamache déposa les albums et réfléchit un peu, puis en reprit un et chercha la meneuse de claque manquante : Jeanne Potvin. Était-ce possible ? Était-ce aussi simple ?

– Maudites grenouilles, dit Beauvoir quelques minutes plus tard en arrivant d'un pas traînant dans la salle de séjour. On vient de se débarrasser de Nichol et maintenant les grenouilles commencent à nous emmerder. Au moins, elles sont plus jolies et moins visqueuses. Qu'est-ce que vous lisez ?

– Ces albums que l'agente Lacoste a rapportés. Voulez-vous du thé ?

Beauvoir hocha la tête et se frotta les yeux.

– Elle n'aurait pas rapporté des exemplaires de *Sports Illustrated* ?

– Désolé, mon vieux. Mais j'ai trouvé quelque chose dans celui-ci. Notre meneuse de claque manquante. Vous ne devinerez jamais.

– Jeanne ?

Beauvoir se leva et prit l'album des mains de Gamache. Il parcourut la page jusqu'à ce qu'il trouve une photo de Jeanne Potvin. Puis il regarda Gamache qui prenait une gorgée de thé en l'observant par-dessus le bord de la tasse.

– Je suis content que ç'ait été votre intuition et non la mienne. Pas très fort, de la part de quelqu'un qui est né coiffé.

La meneuse de claque manquante était noire.

– Eh bien, ça valait la peine d'essayer, dit Beauvoir, sans dissimuler son envie de rire.

Il prit le *Dictionnaire des lieux magiques* et commença à le feuilleter.

– Il y a une section intéressante sur les grottes de France.

– Oh Seigneur.

Beauvoir regarda un moment les photos. Des cercles de pierre, de vieilles maisons, des montagnes. Il y avait même un arbre magique : un ginkgo.

– Croyez-vous à ces choses-là ?

Gamache regarda Beauvoir par-dessus ses verres demi-lune. Le jeune homme avait les cheveux ébouriffés et n'était pas rasé. Il porta la main à son visage, qu'il trouva rugueux. Puis il la porta à sa tête, et sentit ses cheveux dressés. Il devait avoir une allure à faire peur, pensa-t-il.

– Les grenouilles vous ont eus aussi ? dit Jeanne Chauvet en entrant dans la pièce, en robe de chambre. Est-ce qu'il en reste ? ajouta-t-elle en montrant la théière.

– Il en reste toujours, répondit Gamache en souriant, puis il lui versa une tasse.

En prenant la tasse, Jeanne fut étonnée de constater que même à trois heures du matin il sentait encore un peu le bois de santal et l'eau de rose. C'était apaisant.

– Nous parlions justement de magie, dit Gamache, qui se rassit lorsque Jeanne eut pris un fauteuil.

– Je lui ai demandé s'il croyait à ces choses-là, dit Beauvoir en montrant le livre que Myrna leur avait donné.

– Pas vous ?

– Pas du tout.

Il regarda le chef, qui venait de renâcler.

– Désolé, dit Gamache, ça m'a échappé.

Sachant que le chef ne faisait jamais rien d'involontaire, Beauvoir se renfrogna.

– Non mais, qui a besoin de sa ceinture porte-bonheur ? dit Gamache en se redressant. De sa pièce de monnaie porte-bonheur ? De son repas porte-bonheur avant chaque partie de hockey ?

Il se tourna vers Jeanne.

– Il ne mange que de la poutine italienne, de la main gauche.

– On a battu l'escouade des narcotiques de la police de Montréal au hockey. J'ai réussi un tour du chapeau, et ce soir-là j'avais mangé de la poutine italienne de la main gauche.

– Ça me semble très sensé, dit Jeanne.

– Chaque fois que nous voyageons en avion, vous devez prendre le siège 5A. Et écouter les consignes de sécurité jusqu'au bout. Si je vous adresse la parole, vous ne faites pas attention.

– Ce n'est pas de la magie, mais du bon sens.

– Le siège 5A ?

– C'est une place confortable. Oui, d'accord, c'est ma préférée. Si je m'y assois, l'avion ne s'écrasera pas.

– Les pilotes sont-ils au courant ? C'est peut-être eux qui devraient s'asseoir là, dit Jeanne. Si ça peut vous rassurer, tout le monde a ses superstitions. Ça s'appelle la pensée magique. « Si je fais telle chose, telle autre arrivera », même s'il n'y a aucun lien entre les deux. « Si je marche sur une fente du trottoir, ma mère se fera mal au dos. » Ou si je passe sous une échelle, ou si je casse un miroir. On nous apprend très jeunes à croire à la magie, puis nous passons le reste de notre vie à être punis pour ça. Saviez-vous que la plupart des astronautes emportent un talisman quelconque avec eux dans l'espace pour assurer leur sécurité ? Et il s'agit de scientifiques.

Beauvoir se leva.

– Je vais essayer de dormir un peu. Voulez-vous le livre ? demanda-t-il à Gamache, qui secoua la tête.

– J'y ai déjà jeté un coup d'œil. Il est plutôt intéressant.

Beauvoir monta l'escalier d'un pas lourd et, lorsqu'il fut parti, Jeanne s'adressa à Gamache.

– Vous m'avez demandé pourquoi j'étais venue ici et j'ai dit que c'était pour prendre du repos. C'est vrai, mais ce n'est pas toute la vérité. On m'avait envoyé un dépliant, mais c'est seulement hier, en voyant les autres, que j'ai constaté que le mien était différent. Regardez.

Elle sortit de la poche de sa robe de chambre deux dépliants sur papier glacé et les tendit à Gamache. Il les regarda longuement. On y voyait des photos du gîte et de Three Pines. Les deux dépliants étaient identiques, à l'exception d'un détail : au haut de celui qui avait été envoyé à Jeanne Chauvet, on avait dactylographié « Là où convergent les lignes de Lay – Promotion de Pâques ».

– J'ai entendu parler de ces lignes, mais qu'est-ce que c'est ? demanda Gamache.

– La personne qui a écrit cela n'en savait pas beaucoup non plus. Elle a fait une faute. Le mot s'écrit L-e-y et non L-a-y. Ces lignes ont été décrites pour la première fois dans les années 1920...

– Si récemment ? Je croyais qu'elles étaient anciennes. Qu'elles étaient liées à des choses comme Stonehenge.

– C'est vrai, mais, jusqu'à il y a une centaine d'années, personne ne les avait remarquées. Un Anglais dont j'ai oublié le nom a examiné des cercles de pierres et des menhirs, et même des cathédrales anciennes, et a noté des alignements. Ces monuments ont été érigés à des kilomètres de distance, mais, si on les relie, on constate qu'ils sont en ligne droite. Il en a conclu qu'il y avait une raison à cela.

– Laquelle ?

– L'énergie. La terre semble dégager plus d'énergie le long des lignes de Ley. Certaines personnes, dit-elle en se penchant et en s'assurant d'un coup d'œil furtif que personne n'écoutait, n'y croient pas.

– Non..., murmura-t-il à son tour, avant de prendre le dépliant qu'elle avait apporté. Quelqu'un vous connaissait assez bien pour savoir comment vous attirer ici.

Quelqu'un, ici, avait donc eu besoin de la médium à Pâques. Pour contacter les morts, mais aussi pour provoquer la mort.

Ruth Zardo était réveillée, elle aussi ; en fait, elle ne s'était même pas couchée. Assise au milieu de son mobilier de jardin en résine blanche qu'elle appelait son ensemble de cuisine, elle avait les yeux braqués sur le four. Celui-ci était réglé à la température la plus basse, juste suffisante pour garder Rose et Lys au chaud.

Ce n'était pas vrai, ce que Gabri avait dit. Casser la coquille n'avait pas pu faire de tort à Lys. Elle n'avait pas fait grand-chose : seulement une petite fissure pour donner à Lys une idée de ce qu'elle devait faire.

Malgré les protestations de sa hanche et de ses genoux, Ruth se leva, s'approcha du four en boitant et y inséra instinctivement sa main veinée et ratatinée pour s'assurer qu'il était encore allumé, mais pas trop chaud.

Puis, elle se pencha sur les petites en cherchant à déceler un souffle.

Lys semblait aller bien. En fait, elle paraissait avoir grossi. Ruth était certaine de voir la petite poitrine s'élever et redescendre. Elle retourna alors lentement à la chaise en résine blanche. Elle regarda encore un moment le plat dans le four, puis tira un cahier vers elle.

Lorsqu'ils sont venus récolter mon cadavre
(ouvre ta bouche, ferme tes yeux),
trancher la corde qui retenait mon corps,
surprise, surprise,
je vivais encore.

Ruth revoyait la tête rose et le bec jaune percer la coquille. Elle était certaine que la petite l'avait regardée en poussant un cri aigu. Qu'elle avait appelé à l'aide. Elle avait entendu dire que les oies forment des liens d'attachement avec la première chose qu'elles voient. Ce qu'elle ne savait pas, c'était que de tels liens se créent aussi dans l'autre sens. Elle avait alors tendu le bras, incapable de seulement regarder la petite se débattre. Elle avait fendu la coquille. Et libéré la petite Lys.

Comment cela pouvait-il être une erreur ?

Ruth posa son stylo et se mit la tête entre les mains, ses doigts noueux serrant les cheveux blancs et courts, comme pour contenir les pensées, les empêcher de devenir des sentiments. C'était trop tard, cependant. Elle le savait.

Elle savait que la gentillesse tue. Toute sa vie, elle avait soupçonné cela et avait donc toujours été froide et cruelle. Elle avait réagi à la bienveillance avec des remarques tranchantes. Elle avait retroussé les lèvres devant des visages souriants. Elle avait déformé chaque geste prévenant et attentionné, le transformant en une agression. Elle repoussait tous ceux qui étaient bons, compatissants et affectueux envers elle.

Parce qu'elle les aimait. Elle les aimait de tout son cœur et ne voulait pas les voir souffrir. Toute sa vie, elle avait su que la façon la plus sûre de blesser quelqu'un, de le mutiler, de le paralyser, c'était la gentillesse. Si les gens s'ouvrent, ils meurent. Mieux valait leur enseigner à se blinder, même si cela signifiait pour elle une vie de solitude, privée de chaleur humaine.

Mais, évidemment, ses sentiments devaient faire surface d'une façon ou d'une autre, et donc, dans la soixantaine, la série de mots qu'elle avait gardés lovés en elle avaient émergé dans sa poésie.

« Bien sûr, Jeanne a raison, se dit Ruth. Oui, je crois : en Dieu, en la nature, à la magie. En l'être humain. » Elle ne connaissait personne d'aussi crédule : elle croyait en tout. Elle regarda ce qu'elle avait écrit.

Ayant été pendue pour quelque chose que je n'ai jamais dit,
Je peux maintenant dire tout ce qu'il m'est possible de dire.

Ruth Zardo prit le petit oiseau, qui n'avait plus besoin de sa serviette chaude. La tête de Lys tomba de côté, ses yeux fixes tournés vers sa mère. Ruth souleva les ailes minuscules, espérant peut-être voir un léger battement.

Mais Lys était partie. Tuée par la gentillesse.

Avant, je n'étais pas sorcière.
Désormais, je le suis.

*

Clara était dans son atelier depuis minuit. Et peignait. Après le souper, une impression s'était insinuée en elle. Pas vraiment une idée, ni même une pensée, mais une impression. Quelque chose d'important s'était produit. Ce n'était pas ce qui avait été dit, pas uniquement. C'était plus que ça : un regard, une intuition.

Elle s'était glissée hors du lit pour courir vers sa toile. Elle l'avait observée de loin pendant de longues minutes, pour la voir telle qu'elle était et telle qu'elle pouvait être.

Puis, elle avait pris son pinceau.

Elle était remplie de gratitude envers Peter pour avoir suggéré d'inviter des gens. Sinon, elle serait restée coincée, elle en était convaincue.

39

Le lendemain matin était splendide : une journée vert et or. Le soleil était apparu au-dessus du village et tout ruisselait de lumière, nettoyé par la pluie de la veille. Même s'il avait passé une partie de la nuit debout, Gamache s'était levé de bonne heure pour faire sa promenade matinale et marchait sur la pointe des pieds entre les vers sur le chemin, un autre signe du printemps. Au moins, ils étaient silencieux. Après vingt minutes, Jean-Guy Beauvoir, piquant un sprint à travers le parc, vint se joindre à lui.

– On devrait boucler l'affaire aujourd'hui, dit Beauvoir en regardant Gamache qui semblait zigzaguer sur le chemin.

– Vous croyez ?

– On va recevoir le rapport sur l'éphédra, puis interroger Sophie de nouveau. Elle nous dira tout.

– Elle va avouer ? Vous croyez que c'est elle la coupable ?

– Rien n'a changé, alors oui, je crois que c'est elle. Pas vous ?

– Je pense qu'elle avait un motif et une occasion de commettre le crime, et probablement la colère nécessaire.

– Alors, qu'est-ce qui cloche ?

Gamache cessa de marcher sur la pointe des pieds et se tourna vers Beauvoir. On aurait dit que la journée leur appartenait. Personne d'autre ne bougeait encore dans le joli village. Pendant un moment, Gamache se permit un fantasme. Celui de donner aux partisans d'Arnot ce qu'ils voulaient. Ce serait si facile de rentrer aujourd'hui même à Montréal et de remettre sa démission. Il irait ensuite cueillir Reine-Marie à son travail à la

Bibliothèque nationale, avant de revenir au village. Ils prendraient un repas à la terrasse du bistro surplombant la rivière Bella Bella, puis partiraient à la recherche d'une maison. Ils trouveraient un endroit dans le village, il achèterait l'une des berçantes lyriques de Saindon, il s'y assoirait chaque matin pour lire le journal et boire son café, et les gens viendraient le voir lorsqu'ils auraient de petits problèmes : une chaussette manquante sur la corde à linge, une recette familiale mystérieusement exécutée par un voisin pour une fête. Reine-Marie deviendrait membre de la galerie d'art de Williamsburg et s'inscrirait enfin aux cours qu'elle voulait suivre depuis longtemps.

Plus de meurtres. Plus d'Arnot.

C'était si tentant.

– Avez-vous jeté un coup d'œil au *Dictionnaire des lieux magiques* ?

– Oui. Vous m'avez suggéré de regarder la section sur la France avec une telle subtilité.

– Je suis très astucieux, reconnut Gamache. L'avez-vous fait ?

– Tout ce que j'ai vu, c'est une grotte découverte il y a une quinzaine d'années. Elle était ornée d'étranges dessins d'animaux. Des hommes préhistoriques les auraient laissés il y a des milliers d'années. J'ai lu pendant un moment, mais, franchement, je n'ai rien vu de bien important. Il existe d'autres cavernes ornées de dessins. Ce n'est pas comme si c'était la première découverte.

– C'est vrai.

Gamache revoyait les images. Des bisons dodus et élégants, des chevaux – pas un à la fois, mais un joyeux troupeau courant sur la paroi rocheuse. Les archéologues avaient été étonnés par ces images lors de leur découverte par des randonneurs dans un bois de France, moins de vingt ans plus tôt. Les dessins étaient si détaillés, si vivants que les archéologues y virent d'abord l'apogée de l'art rupestre, le dernier stade de l'évolution de l'homme des cavernes.

Puis vint une constatation renversante. En réalité, les dessins avaient vingt mille ans de plus que tout ce qu'on avait déjà trouvé jusqu'alors. Ce n'était pas le dernier stade, mais le premier.

Qui étaient ces gens qui étaient parvenus à mieux faire que leurs descendants ? À ombrer, à créer des images en relief, à représenter la puissance et le mouvement avec autant de grâce. Vint ensuite la dernière découverte, stupéfiante.

Au plus profond de cette grotte, ils trouvèrent une main au contour tracé en rouge. Jamais les dessins rupestres mis au jour auparavant n'avaient comporté de représentation de l'artiste, ni même de personnages. Mais le créateur de ces dessins avait une conscience de soi, de son individualité.

La veille au soir, Armand Gamache avait longuement regardé cette image dans le *Dictionnaire des lieux magiques*. Cette main au contour rouge. Comme si l'artiste se déclarait vivant, après trente-cinq mille ans.

Gamache avait alors pensé à une autre image, pas si ancienne, sur un livre qu'il avait trouvé dans une maison maudite et en décomposition.

– Ce qui distingue ces représentations, c'est qu'elles semblent être de l'art pour l'art. Et qu'elles auraient été magiques. D'après les scientifiques, ces dessins étaient censés faire apparaître les bêtes réelles.

– Comment le savent-ils ? demanda Beauvoir. Quand on ne comprend pas quelque chose, ne dit-on pas toujours que c'est de la magie ?

– C'est vrai. C'est pour cela qu'on s'est livré à la chasse aux sorcières.

– N'est-ce pas Mme Zardo qui parlait du temps des bûchers ?

– Je ne suis pas sûr qu'il soit terminé, dit Gamache en levant les yeux vers la vieille maison des Hadley, puis en ramenant son regard vers le charmant et paisible village. Quoi qu'il en soit, ce qui m'intéressait le plus, dans ces dessins rupestres, c'était le nom de la grotte. Vous en souvenez-vous ?

Beauvoir réfléchit, tout en sachant qu'aucune réponse ne lui viendrait.

Le chef se remit en marche, en continuant de contourner sur le bout des pieds les vers qui se tortillaient. Beauvoir regarda un moment ce grand homme élégant et puissant éviter des vers. Puis, il se mit lui aussi à marcher, sur la pointe des pieds, et ainsi, vus de n'importe laquelle des fenêtres donnant sur le parc du village, ils ressemblaient à deux adultes se livrant à un ballet maladroit, bien que familier.

– Et vous, vous rappelez-vous le nom ? demanda Beauvoir lorsqu'il rattrapa le chef.

– Chauvet. C'est la grotte Chauvet.

En retournant au gîte, ils furent accueillis par l'arôme de café au lait, de bacon à l'érable et d'œufs.

– Des œufs Benedict, annonça Gabri en s'empressant de venir les saluer et de prendre leurs manteaux. Miam !

Il les poussa à travers le séjour jusqu'à la salle à manger où leur table était mise. Gamache et Beauvoir s'assirent et Gabri plaça devant eux deux bols de café fumant et mousseux.

– Patron, quand vous êtes descendu, avez-vous vu une pile de livres dans le séjour ? demanda Gamache en prenant une gorgée de la riche boisson.

– Des livres ? Non.

Gamache posa son bol et se rendit à la salle de séjour. Par la porte voûtée, Beauvoir le regarda tourner en rond, puis revenir et replacer sa serviette en lin blanc sur ses genoux.

– Ils ont disparu, dit-il, bien qu'il ne parût pas contrarié.

– Les albums d'élèves ?

Gamache fit un signe de tête affirmatif et sourit. Il ne l'avait pas planifié, mais c'était très bien. Quelqu'un était assez secoué pour entrer subrepticement dans le gîte, qui n'était jamais verrouillé, comme tout le monde le savait, et prendre les albums de vingt-cinq ans auparavant.

– Miam-miam, fit Gabri en déposant les plats devant ses hôtes.

Chacun contenait deux œufs sur une épaisse tranche de bacon de dos qui, à son tour, reposait sur un muffin grillé et doré. On avait versé un filet de sauce hollandaise sur les œufs, et une salade de fruits garnissait chaque assiette.

– Mangez, dit Gabri.

Gamache tendit la main et prit délicatement le poignet de Gabri. Il leva les yeux vers l'homme massif et débraillé. Gabri resta figé, le regard fixe. Puis, il baissa les yeux.

– Qu'y a-t-il ? Qu'est-ce qui s'est passé ? demanda Gamache.

– Mangez. S'il vous plaît.

– Dites-moi.

Chargée d'œuf et dégoulinant de sauce, la fourchette de Beauvoir s'arrêta devant sa bouche. Il regarda les deux hommes.

– Il y a autre chose dans les journaux, n'est-ce pas ? dit Beauvoir, comprenant soudain.

Les deux hommes suivirent Gabri dans le séjour. Celui-ci tira un journal de sa cachette, derrière un coussin du canapé. Après l'avoir tendu à Gamache, il se rendit jusqu'au téléviseur et l'alluma. Il se dirigea ensuite vers la chaîne stéréo et alluma la radio.

En quelques secondes, la pièce fut remplie d'accusations qui retentissaient de la chaîne stéréo, des journaux télévisés du matin, des manchettes des quotidiens.

Daniel Gamache faisant l'objet d'une enquête. Dossier criminel.

Annie Gamache en congé, son permis d'exercice du droit suspendu.

Armand Gamache soupçonné de tout, de meurtre jusqu'à l'exploitation d'une usine à chiots.

Cette fois, la photo de la une ne montrait pas Gamache, mais son fils, à Paris, et Roslyn derrière lui avec Florence dans ses bras, tous trois bousculés par des reporters. Daniel avait le regard fuyant et paraissait en colère.

Gamache sentit son cœur battre contre sa poitrine. En reprenant son souffle, en une longue inspiration saccadée, il s'aperçut qu'il l'avait retenu. La télévision transmettait en direct l'image d'une jeune femme quittant une tour d'habitation en cachant son visage avec sa mallette.

Annie.

– Mon Dieu, murmura Gamache.

Puis, elle abaissa la mallette et resta immobile. Les reporters semblèrent stupéfaits, eux qui préféraient voir leur proie s'enfuir. Elle leur souriait.

– Non, ne fais pas ça, chuchota Beauvoir.

Annie leva le bras et leur fit un doigt d'honneur.

– Annie, articula Gamache, mais aucun son ne sortit. Il faut que j'y aille.

Il courut à l'étage et prit son cellulaire. Il fut étonné de voir son doigt trembler, à peine capable d'appuyer sur la touche de composition automatique. On décrocha à la première sonnerie.

– Oh, Armand, as-tu vu ?

– À l'instant.

– Je viens de parler à Roslyn. Daniel a été arrêté à Paris. Il est soupçonné de trafic de stupéfiants.

– Bon, d'accord, répondit Gamache, qui retrouvait une partie de son calme. D'accord. Laisse-moi réfléchir.

– Ils ne trouveront rien.

– Ils pourraient bien.

– Mais c'était il y a des années, Armand. C'était un enfant, il faisait ses expériences.

– Quelqu'un a peut-être dissimulé quelque chose sur lui. Comment va Roslyn ?

– Elle est stressée.

Reine-Marie ne le dit pas, pour ne pas aggraver son fardeau, mais Gamache savait qu'elle s'inquiétait à propos de l'enfant à naître. Après un choc semblable, certaines femmes peuvent faire une fausse couche.

Il y eut un silence.

Cela dépassait de loin les craintes de Gamache. Que faisait donc Brébeuf ? C'était ça, pour lui, essayer d'arrêter les calomnies ? En faisant un effort, il cessa de rager contre Brébeuf. Il savait bien qu'il s'agissait seulement d'une cible commode. Son ami faisait de son mieux malgré la brutalité inattendue de leurs adversaires, contre laquelle Brébeuf ne pouvait rien.

Quelqu'un s'était renseigné, connaissait sa famille, était même au fait de la condamnation de Daniel, des années auparavant, pour possession de drogue. Cette personne savait également que Daniel se trouvait à Paris, et peut-être même qu'il attendait un enfant.

– Ça va trop loin, finit par dire Gamache.

– Qu'est-ce que tu entends faire?

– Y mettre fin.

Après un moment, Reine-Marie demanda:

– Comment?

– En démissionnant, s'il le faut. Ils sont en train de gagner. Je ne peux pas mettre la famille en danger.

– J'ai bien peur que ta démission ne leur suffise pas, Armand.

Il s'était dit cela, lui aussi.

Gamache appela Michel Brébeuf pour lui demander de convoquer une réunion du conseil supérieur de la Sûreté, cet après-midi-là.

Ne fais pas l'imbécile, Armand. C'est ce qu'ils veulent.

– Je ne suis pas un imbécile, Michel. Je sais ce que je fais.

Les deux hommes raccrochèrent, Gamache plein de reconnaissance envers son ami, et Brébeuf avec la certitude que Gamache était effectivement un imbécile.

La réunion du matin fut brève et tendue.

L'agente Lacoste fit rapport de sa conversation avec le médecin de Madeleine. Celle-ci avait eu un rendez-vous deux semaines avant sa mort. Le médecin confirmait que le cancer de Madeleine avait récidivé et s'était étendu à son foie. Elle l'avait dit à Mme Favreau. Elle avait prévu des traitements palliatifs, mais ceux-ci n'avaient pas encore débuté au moment du meurtre.

Elle était venue seule au rendez-vous. Le médecin avait l'impression que, malgré la gravité du diagnostic, elle n'était pas complètement surprise.

L'agente Nichol n'était pas encore revenue de Kingston et le labo n'avait pas envoyé de rapport sur le contenu du flacon d'éphédra, mais il y en avait un sur les empreintes : c'étaient celles de Sophie, uniquement les siennes.

– Bon, c'est simple, résuma Lemieux. Elle a tué Madeleine Favreau par jalousie. En rentrant, elle a vu la belle occasion que lui donnait la séance, elle a profité du repas pour lui refiler quelques pilules, puis a attendu que la maison des Hadley fasse le reste.

Tout le monde hocha la tête. Par la fenêtre de la vieille gare, Gamache vit Ruth et Gabri traverser lentement le chemin pour se rendre au parc. Il était tôt et la première fraîcheur du jour étreignait encore le village. Derrière Ruth, une petite boule faisait des bonds tout en déployant ses ailes. Seule.

– Monsieur ?

– Désolé, je vous demande pardon.

Tout le monde regardait Gamache. Personne n'avait rien vu d'aussi déconcertant. Depuis que Beauvoir connaissait Gamache, ce dernier ne s'était jamais, au grand jamais, détourné d'une conversation ni d'une réunion : il soutenait leurs regards et leur parlait comme s'ils étaient les seules personnes au monde. Il s'arrangeait pour que son équipe se sente précieuse et protégée.

Mais, aujourd'hui, son esprit vagabondait.

– Que disiez-vous ? demanda Gamache en revenant au groupe.

– C'est Sophie Smyth, la meurtrière, ça me paraît clair. Devrions-nous aller la chercher ?

– Vous ne pouvez pas faire ça, dit une voix derrière eux.

Là, près de l'immense camion rouge, se tenait une femme menue : Hazel, à peine reconnaissable. Le chagrin avait fini par la rattraper. Elle paraissait ratatinée, avec de grands yeux désespérés.

– S'il vous plaît, ne faites pas ça. S'il vous plaît.

Gamache s'approcha d'elle en faisant un signe de tête à Beauvoir et, ensemble, ils emmenèrent Hazel dans la petite arrière-salle servant d'entrepôt au service des incendies de Three Pines.

– Hazel, savez-vous quelque chose qui pourrait nous aider ? demanda Gamache. Quelque chose qui nous convaincrait de l'innocence de votre fille, car, sinon, on dirait bien qu'elle a tué Madeleine.

– Ce n'est pas elle. Je le sais. Elle n'aurait pas pu.

– Quelqu'un a donné de l'éphédra à Madeleine. Sophie en avait et elle se trouvait sur les lieux, dit Gamache lentement et clairement, même s'il doutait fort que le message se rendît.

– Je suis au bout du rouleau, murmura-t-elle. Et je ne peux pas perdre Sophie aussi. Si vous l'arrêtez, je vais mourir.

Gamache la crut.

Jean-Guy Beauvoir regarda Hazel. Elle avait le même âge que Madeleine, mais ça ne paraissait pas. On aurait dit un fossile craché par les montagnes des environs de Three Pines, l'une des pierres qui murmuraient à Gilles Saindon. Non, les pierres sont fortes et cette femme ressemblait davantage à ce qu'ils avaient tenté d'éviter au cours de leur promenade – et qu'ils allaient maintenant écraser.

– Quand on a trouvé de l'éphédra dans les affaires de Sophie, dit Beauvoir, vous lui avez lancé : « Sophie, tu m'avais promis. » Qu'est-ce que vous aviez en tête ?

– J'ai dit ça, moi ?

Hazel essaya de se rappeler ce qu'elle avait bien pu vouloir dire.

– En effet. Il y a deux ou trois ans, Madeleine avait trouvé des comprimés d'éphédra dans la salle de bains de Sophie. C'était après le décès d'un athlète, il en était question partout dans les médias. C'est probablement ce qui a donné à Sophie l'idée de prendre des pilules pour maigrir.

Elle avait l'impression de remonter péniblement à la surface un souvenir reposant au fond de l'océan.

– Elle les a commandées sur Internet. Madeleine a trouvé le flacon et le lui a enlevé.

– Comment Sophie a-t-elle réagi ?

– Comme n'importe quel jeune de dix-neuf ans. Elle était en colère. Surtout parce qu'on avait violé son intimité, a-t-elle dit, mais je pense qu'elle était surtout embarrassée.

– Leur relation en a-t-elle été affectée ? demanda Gamache.

– Sophie adorait Madeleine. Elle ne l'aurait jamais tuée, répondit Hazel.

Elle n'avait qu'un message, qu'elle répétait sans relâche : sa fille n'était pas une meurtrière.

– On ne parlera pas tout de suite à Sophie, dit Gamache.

Il tendit la main et souleva la tête de Hazel de façon qu'elle le regarde dans les yeux.

– Comprenez-vous ?

Hazel plongea son regard dans ses yeux brun foncé et le supplia intérieurement de ne pas les détourner. Bien sûr, il finit par le faire, et elle se retrouva de nouveau seule.

Ils demandèrent à Clara de venir chercher Hazel et de lui tenir compagnie pour la journée. Clara l'amena chez elle, où elle l'écouta, puis l'invita à s'étendre. Ne s'étant jamais sentie aussi fatiguée, Hazel fut reconnaissante de pouvoir poser sa tête sur le canapé. Clara lui releva les jambes, lui trouva une couverture, la borda, puis regarda s'endormir cette femme qui, même si elle était plus jeune qu'elle, avait soudainement l'air d'une vieille.

Ensuite, Clara retourna lentement à son atelier et se remit à peindre. Plus posément, d'une main ferme et assurée. Une image était en train d'apparaître, mais, au-delà des formes, quelque chose prenait vie sur la toile.

– Sophie Smyth est très appréciée à Queen's. Elle est même bénévole au centre d'aide. Elle travaille à temps partiel à la librairie du campus et elle semble être une étudiante ordinaire.

Yvette Nichol était de retour. Assise à la table de conférence, elle sirotait le café – deux crèmes, deux sucres – qu'elle s'était acheté.

– Ses résultats scolaires ? demanda Beauvoir.

– Acceptables, pas exceptionnels. Je suis arrivée trop tard pour parler à quelqu'un de l'administration, mais j'ai interrogé ses camarades de chambre et de classe, qui m'ont dit que Sophie est une bonne étudiante.

– Des maladies ? demanda Gamache.

Il remarqua le silence inhabituel de l'agent Lemieux, qui serrait les bras, presque violemment, sur sa poitrine.

– Aucune. Ni mal de gorge, ni contusion, ni boitillement. Elle n'est jamais allée à l'infirmerie ni à l'hôpital de Kingston. Ses amis ne l'ont jamais vue prendre une journée de congé, sinon pour le plaisir.

– Elle est donc en parfaite santé, dit Gamache comme s'il se parlait à lui-même.

– Alors cette Mme Landers avait raison, dit Nichol. Quand Sophie revenait à la maison, elle jouait la comédie, pour détourner l'attention que sa maman accordait à Madeleine.

– Tu as laissé le flacon de pilules au labo en passant ? demanda Beauvoir.

– Bien sûr, répondit Nichol en mangeant son beigne fourré à la crème sans se rendre compte des regards affamés autour d'elle.

– Pourriez-vous appeler pour voir si les résultats sont disponibles ? demanda Gamache à Beauvoir.

Pendant ce temps, Gamache distribua des tâches, puis se rendit à son bureau. Tous les yeux étaient rivés sur lui, il le savait. On l'observait, se dit-il, au cas où il exploserait ou se dissoudrait. Lacoste, Lemieux, Nichol. Si jeunes. Si enthousiastes. Si humains. Il sourit.

Lemieux lui sourit en retour. Lacoste finit par le faire, elle aussi, mais sans joie. Nichol affichait l'air de quelqu'un qui aurait été insulté.

Gamache trouva ce qu'il cherchait. La personne qui avait dérobé les albums au gîte ne les avait pas tous emportés. Le plus important se trouvait encore sur son bureau. C'était celui que Nichol avait découvert chez Hazel : l'album de fin d'études secondaires de Madeleine. Il s'assit pour le lire, en allant directement aux photos des diplômés à la fin. Ce n'était pas Hazel qu'il voulait voir, ni même Madeleine, mais une autre fille. Une meneuse de claque.

– J'ai les résultats, annonça Beauvoir en s'assoyant à la table de conférence et en y posant bruyamment son carnet.

L'éphédra de Sophie n'est probablement pas celui qui a tué Madeleine.

Gamache se pencha en avant et déposa l'album.

– Non ?

– Le labo n'en est pas encore certain, on veut effectuer une analyse complète, mais celui de Sophie contient apparemment une autre matière, un agglutinant. Puisque l'éphédra est une plante – une herbe, en fait –, les fabricants doivent le distiller pour ensuite en faire des comprimés. Pour cela, ils utilisent divers agglutinants. Celui des comprimés de Sophie ne correspond pas aux produits chimiques trouvés dans le corps de Madeleine.

Gamache avait maintenant le regard clair.

– Comme j'ai été bête… Qu'est-ce qu'on dit des produits chimiques utilisés pour tuer Madeleine ?

Il attendit, retenant presque son souffle.

– Que l'éphédra était d'une génération antérieure. Plus naturel, mais moins stable.

Gamache hocha la tête.

– Plus naturel. Oui, c'est logique.

Il demanda à Lemieux de s'approcher, lui posa quelques questions, puis se tourna vers Beauvoir.

– Venez avec moi.

Odile Montmagny venait d'ouvrir la boutique lorsque Beauvoir et Gamache s'y présentèrent.

– Vous êtes revenus entendre de la poésie ?

Beauvoir ne savait trop si elle était sérieuse. Il ne tint pas compte de la question.

– Avez-vous déjà entendu parler de l'éphédra ?

– Non, jamais.

– Je vous l'ai demandé après le décès de Madeleine. Vous savez que c'est ce qui a été utilisé pour la tuer, dit-il.

– Euh, oui, j'en ai entendu parler par vous, mais jamais auparavant.

La boutique dégageait des effluves musqués, avec toutes ces odeurs de thés, d'épices – et d'herbes.

Gamache s'approcha des contenants identifiés comme « griffe du diable », « millepertuis », « ginkgo biloba », entre autres. Il prit un sac en plastique, mais, au lieu de se servir de la petite pelle fournie, il sortit de sa poche une pincette et déposa soigneusement un peu d'herbe dans le sac. Puis, il l'étiqueta.

– J'aimerais acheter ceci, s'il vous plaît.

Manifestement, Odile aurait bien pris un verre du même format que ceux de Ruth.

– C'est très peu, vous pouvez le garder.

– Non, madame. Je dois le payer.

Gamache lui tendit le petit échantillon pour qu'elle le pèse.

L'étiquette disait « *ma huang* ».

– C'est l'herbe chinoise dont Lemieux nous a parlé le premier matin, dit Beauvoir lorsqu'ils furent revenus à l'auto. C'est de l'éphédra.

– Une herbe utilisée depuis des centaines, peut-être des milliers d'années à d'autres fins, commenta Gamache. Jusqu'à ce que les sociétés pharmaceutiques la découvrent et la transforment en une arme mortelle. Le *ma huang*. La médecin légiste m'en a parlé aussi. Chaque fois que j'ai discuté d'éphédra avec une personne bien informée, elle le décrivait comme une herbe employée notamment en médecine chinoise. Mais j'avais l'esprit tellement concentré sur les suppléments diététiques que j'entendais à peine. Il m'a fallu tout ce temps pour saisir.

– Alors, vous avez de l'avance sur moi, dit Beauvoir en tentant d'éviter une grenouille sur la route mouillée – Gamache se demanda s'il essayait de l'éviter ou de l'écraser. J'imaginais Saindon en train de faire bouillir un ginkgo.

– Être né coiffé ne donne pas toujours des résultats concluants, j'imagine.

– On dirait que ça me voile les yeux, en effet, admit Beauvoir. Qu'est-ce qu'il vient faire, ce *ma huang* ? Est-ce qu'Odile s'en est servie pour tuer Madeleine ? Et la médium, est-ce une coïncidence si elle a le même nom qu'une grotte française magique ? Ce n'est pas clair pour moi.

– « Car nous voyons, à présent, dans un miroir, en énigme, dit Gamache, mais alors ce sera face à face. »

– Je la connais, celle-là, s'exclama Beauvoir comme s'il avait remporté un jeu-questionnaire. Première épître aux Corinthiens. On l'a lue à notre mariage. Elle se rapporte à l'amour, mais ce n'est pas le passage que Ruth a cité hier soir. Qu'est-ce qu'on fait avec ça ? demanda-t-il en désignant le sac de *ma huang*.

– Je vais l'apporter au labo quand j'irai à Montréal.

– Attention. Si les journalistes vous voient, ils vont penser que vous êtes le meilleur client de Daniel.

Beauvoir se tut, consterné d'avoir fait une blague semblable.

– Un jour comme aujourd'hui, je voudrais bien que ce soit vrai, dit Gamache en riant.

– Excusez-moi.

– Ne vous excusez pas. Tout va s'arranger.

– « Dans un miroir, en énigme », répéta Beauvoir, presque pour lui-même. Quelle belle description. Vous pensez vraiment qu'on y verra bientôt clair ?

– Oui.

Gamache gardait aussi en tête le fait que saint Paul parlait d'un miroir.

40

Gamache connaissait bien la salle de conférence du dernier étage, au quartier général de la Sûreté. Combien de cafés avaient refroidi, tandis qu'il se débattait avec les questions éthiques et morales auxquelles faisait face la Sûreté? Le constant barrage de questions finissait par se réduire à une seule: jusqu'où peut-on aller pour protéger une société? Il s'agissait de trouver un juste équilibre entre sécurité et liberté.

Il avait beaucoup de respect pour les hommes à présent réunis dans cette salle – sauf un.

Un mur vitré donnait sur l'est de Montréal et le bras dressé du Stade olympique, comme une créature préhistorique qui serait revenue à la vie, une vie misérable. À l'intérieur, la table en bois, placée de biais, était entourée de confortables fauteuils de capitaine. Tous égaux.

C'était l'impression qu'on voulait donner.

Même si les places n'étaient jamais assignées, chacun connaissait la sienne. Quelques officiers supérieurs regardèrent Gamache, certains lui serrèrent la main, mais la plupart l'ignorèrent. Il n'avait pas d'autres attentes. Toute sa vie, il avait travaillé avec ces gens, mais il les avait trahis. Il avait révélé l'affaire Arnot au grand public. Dès ce moment-là, il avait su ce qui l'attendait. Il serait chassé, expulsé de la tribu.

Mais il était revenu.

– Alors, dit le directeur Paget, leur chef nominal. Tu nous as convoqués, Armand, et on est venus.

Son ton était neutre, comme s'ils s'apprêtaient à discuter du calendrier des vacances. Gamache avait vu venir ce moment de très loin, comme une tempête en mer. Le marin était resté anxieux, en attente. Mais l'attente était terminée.

– Que veux-tu ? demanda le directeur Paget.

– Il faut que cela arrête. Les attaques contre ma famille doivent cesser.

– On n'y peut rien, ça ne nous concerne pas, dit le directeur Desjardins.

– Au contraire, intervint Brébeuf en se tournant vers l'homme assis à côté de lui. On ne peut pas rester les bras croisés pendant qu'un officier supérieur est la cible d'attaques.

– L'inspecteur-chef a toujours clairement dit qu'il n'avait pas besoin de nos conseils ni de notre aide.

La voix était grave et posée – calmante, même. La plupart des hommes se tournèrent vers celui qui avait parlé ; quelques-uns gardèrent les yeux rivés sur leurs notes.

Le directeur Francœur était assis à côté de Gamache, qui s'y attendait. Après tout, il était à sa place et Gamache avait choisi le siège voisin. Il n'était pas venu jusque-là pour se cacher. Il n'allait sûrement pas se tapir dans un coin ni derrière Brébeuf.

Il s'était assis à côté de l'homme qui voulait le voir disparaître. De la planète, de préférence. Le meilleur ami, confident et protégé de Pierre Arnot : Sylvain Francœur.

– Je ne suis pas ici pour reprendre de vieilles luttes, dit Gamache, mais pour demander que ces attaques cessent.

– Et tu crois qu'on peut les arrêter ? Les journalistes ont le droit d'écrire ce qu'ils veulent, surtout si c'est un sujet qu'ils ont fouillé à fond, répondit Francœur. S'ils ont fait quelque chose de mal, tu devrais peut-être les poursuivre.

On entendit quelques éclats de rire. Brébeuf paraissait furieux, mais Gamache souriait.

– Peut-être, mais je ne crois pas. Nous savons tous que ce sont des mensonges…

– Pourrais-tu le prouver ? demanda Francœur.

– Voyons, quelles sont les probabilités qu'Armand Gamache prostitue sa fille ? demanda Brébeuf.

– Quelles étaient les probabilités que Pierre Arnot soit un tueur ? répliqua Francœur. Selon l'inspecteur-chef, pourtant, c'en est un.

– Selon les tribunaux, tu veux dire, répondit Gamache d'un ton calme, en se penchant vers l'espace personnel de Francœur. Mais c'est peut-être un aspect de notre système qui ne t'est pas familier.

– Comment oses-tu ?

– Comment oses-tu attaquer ma famille ?

Les deux hommes se dévisagèrent. Puis Gamache cligna des yeux et Francœur sourit en s'appuyant confortablement au dossier de son fauteuil.

Gamache regarda Francœur avec insistance.

– Excusez-moi, directeur. C'était une remarque déplacée.

Francœur hocha la tête comme un roi devant un paysan.

– Je ne suis pas venu ici pour vous affronter. Vous avez tous lu les journaux, vu les bulletins de nouvelles à la télévision. Cela ne fera qu'empirer, je sais. Comme je l'ai déjà dit, ce sont des mensonges, mais je ne m'attends pas à ce que vous me croyiez ou me fassiez confiance. Pas depuis l'affaire Arnot. J'ai franchi le Rubicon. C'est sans retour.

– Alors tu t'attends à quoi, inspecteur-chef? demanda le directeur Paget.

– J'aimerais que vous acceptiez ma démission.

À ces mots, tous les hommes se redressèrent. Tous les fauteuils se penchèrent vers l'avant, certains si rapidement qu'ils menaçaient de faire basculer leur distingué contenu sur la table. Maintenant, tous les yeux étaient rivés sur Gamache. C'était comme si le mont Royal avait commencé à s'affaisser, à s'enfoncer dans la terre. Quelque chose de remarquable était sur le point de disparaître : Armand Gamache. Même ceux qui le détestaient reconnaissaient qu'il était devenu une légende, un héros, à l'intérieur comme à l'extérieur de la Sûreté.

Cependant, il arrive que les héros tombent.

Ils en étaient témoins.

– Pourquoi devrions-nous l'accepter ?

Tous les yeux se tournèrent vers Francœur.

– C'est ta façon de te sortir du pétrin ? C'est ce que tu veux, non ? Tu veux fuir, comme tu l'as fait dans le cas de la décision sur Arnot. Dès que ça se corse, tu te sauves.

– Ce n'est pas vrai, dit Brébeuf.

– Tu crois que l'un d'entre nous est responsable de ces histoires publiées dans le journal, non ? continua Francœur, à l'aise et imposant son autorité en tant que chef naturel du groupe, même s'il ne l'était pas officiellement.

– En effet.

– Voilà. Vous voyez ce qu'il pense de nous ?

– Pas de vous tous, seulement de l'un d'entre vous, précisa Gamache en regardant Francœur dans les yeux.

– Comment oses-tu ?

– C'est la deuxième fois que tu me poses cette question et j'en ai assez. Si j'ose, c'est parce que quelqu'un doit le faire, ajouta-t-il en balayant la salle du regard. L'affaire Arnot n'est pas finie, vous le savez tous. Quelqu'un dans cette pièce poursuit la tâche d'Arnot. Pas au point de recourir au meurtre, mais cela ne saurait tarder. Je le sais.

– Tu le sais ? Tu le sais ? Comment le sais-tu ? lança Francœur en se levant d'un bond et en se penchant au-dessus de Gamache. Le seul fait de t'écouter est ridicule. C'est une perte de temps. Tu n'as pas de pensées, tu as des sentiments.

On entendit quelques gloussements.

– J'ai les deux, monsieur le directeur, répondit Gamache.

Dressé au-dessus de lui, Francœur posa une main sur le dossier du fauteuil de Gamache et l'autre sur la table, comme pour emprisonner l'homme.

– T'es un maudit arrogant, hurla Francœur. Le pire des policiers. Imbu de toi-même. T'as créé ta petite armée de sous-fifres, d'adorateurs. Nous, on choisit les meilleurs diplômés de l'école de police pour qu'ils fassent partie de la Sûreté, mais toi, tu prends délibérément les pires. T'es dangereux, Gamache. Je l'ai toujours su.

Gamache se leva aussi, lentement, ce qui obligea Francœur à reculer.

– Mon équipe a résolu presque toutes ses enquêtes pour meurtre. Elle est brillante, dévouée et courageuse. Tu t'ériges en juge et rejettes ceux qui ne correspondent pas à tes critères. Très bien. Mais ne me reproche pas de ramasser tes exclus et de leur trouver des qualités.

– Même l'agente Nichol ?

Comme Francœur avait baissé le ton, les autres durent tendre l'oreille pour saisir les mots, mais pas Gamache, qui les comprenait parfaitement bien.

– Même elle, répondit-il en soutenant le regard froid et dur de Francœur.

– Toi aussi, tu l'as rejetée, à un moment donné, chuinta Francœur. Tu l'as congédiée et elle a abouti dans ma division, aux narcotiques. Elle y a pris goût.

– Alors pourquoi me l'avoir renvoyée ? demanda Gamache.

– Qu'est-ce que tu aimes répéter, inspecteur-chef ? Qu'il y a une raison à tout. Quelle pensée profonde ! Il y a une raison à tout, Gamache. Trouve-la. Moi, j'ai une question à te poser.

Il baissa la voix encore davantage.

– Qu'est-ce qu'il y avait dans l'enveloppe que tu as si discrètement remise à ton fils ? Il s'appelle Daniel, si je me souviens bien. Et sa fille, Florence. Sa femme est enceinte, non ?

Personne d'autre n'entendit ces mots, tellement ils avaient été prononcés à voix basse. Gamache eut l'étrange impression que Francœur ne les avait même pas dits tout haut, mais les avait introduits directement dans sa tête. Des mots durs, incisifs, dont le but était de blesser et de mettre en garde.

Il retint son souffle et fit un effort pour se contenir, pour ne pas lever le poing et casser cette sale gueule méprisante et sournoise.

– Vas-y, Gamache, siffla Francœur. Fais-le pour sauver ta famille.

Francœur l'invitait-il à attaquer ? Pour qu'on l'arrête et l'emprisonne ? Afin qu'il soit exposé au risque d'un « accident » qui pourrait survenir dans les cellules ? Était-ce le prix proposé par Francœur pour qu'il laisse sa famille tranquille ?

– Espèce de lâche, cracha Francœur.

Il recula en souriant et en secouant la tête, puis dit, d'une voix normale :

– L'inspecteur-chef Gamache devrait au moins s'expliquer.

Les visages crispés se détendirent un peu, maintenant que les autres l'entendaient de nouveau.

– Avant d'agir en sa faveur ou d'accepter sa démission, on doit connaître certains éléments. Par exemple, ce que contenait l'enveloppe qu'il a donnée à son fils. Allons, inspecteur-chef, c'est une question légitime.

Autour de la table, plusieurs approuvèrent d'un signe de tête. Gamache regarda Brébeuf, qui leva les sourcils, comme pour signifier que c'était une demande étonnamment anodine. Si le conseil s'en tenait à cette demande, ils allaient s'en tirer facilement.

Gamache demeura silencieux un moment, réfléchissant. Puis, il secoua la tête.

– Désolé, mais c'est une affaire privée. Je ne peux pas vous en parler.

C'était la fin, Gamache le savait bien. Il se pencha et remit ses papiers dans son sac à bandoulière, puis se dirigea vers la porte.

– T'es un imbécile, inspecteur-chef, lui cria Francœur avec un large sourire. Si tu sors d'ici maintenant, ta vie sera détruite. Les journalistes n'arrêteront pas de s'en prendre à toi et à tes enfants, jusqu'à ce qu'il ne reste plus d'os à ronger. Plus de carrières, plus d'amis, plus de vie privée, plus de dignité. Tout ça à cause de ton orgueil. Qu'est-ce qu'il disait, l'un de tes poètes préférés ? Yeats ? « Tout se disloque. Le centre ne peut tenir. »

Gamache s'arrêta, se retourna et revint délibérément sur ses pas. À chaque enjambée, il semblait devenir plus grand. Les yeux ronds, les officiers assis autour de la table s'écartèrent sur son passage. Il se dirigea vers Francœur, dont le sourire avait disparu.

– Ce centre-ci va tenir.

Gamache prononça chacun des mots lentement et clairement, d'une voix forte et basse, et plus menaçante que tout ce que Francœur avait jamais entendu. Il essaya de se ressaisir lorsque Gamache fit demi-tour et franchit la porte, mais il était trop tard. Ils avaient tous vu la peur sur le visage de Francœur, et plusieurs se demandaient s'ils n'avaient pas parié sur le mauvais cheval.

Mais il était trop tard.

À mesure que Gamache avança dans le corridor, des hommes et des femmes de chaque côté le saluèrent d'un sourire ou d'un signe de tête, et son esprit se calma. Une parole de Francœur lui avait fait voir un détail, une information, sous un jour différent. Mais, dans la tension du moment, Gamache l'avait perdu. Cela concernait-il Arnot ? Ou l'affaire de Three Pines ?

– Ouais, ça s'est bien passé… pour Francœur, dit Brébeuf en le rejoignant devant l'ascenseur.

Les yeux fixés sur les chiffres, Gamache ne répondit pas, essayant de se rappeler ce qui lui avait paru si important. L'ascenseur arriva et les deux hommes furent les seuls à y entrer.

– Tu sais, tu aurais pu lui dire ce qu'il y avait dans l'enveloppe. Ça ne peut pas être si important que ça. Qu'est-ce que c'était, au fait ?

– Désolé, Michel, qu'est-ce que tu disais ? demanda Gamache en revenant au présent.

– L'enveloppe, Armand. Il y avait quoi, dedans ?

– Oh, pas grand-chose.

– Pour l'amour du ciel, mon vieux, pourquoi tu n'as rien dit ?

– Il n'a pas dit « s'il te plaît », répondit Gamache en souriant.

Brébeuf se renfrogna.

– Est-ce que tu t'entends parler, des fois ? Tout ce que tu conseilles aux autres, est-ce que ça t'entre dans le crâne ? Pourquoi en faire un secret ? « Ce sont nos secrets qui nous rendent malades. » Tu dis toujours ça, non ?

– Il y a une différence entre le secret et la vie privée.

– Tu joues sur les mots.

La porte de l'ascenseur s'ouvrit et Brébeuf en sortit. La réunion avait dépassé ses attentes : non seulement Gamache était-il pratiquement chassé de la Sûreté, mais il était humilié et ruiné. Il le serait bientôt, en tout cas.

À l'intérieur de la cabine, Armand Gamache resta cloué sur place, comme l'un des arbres de Gilles Saindon enracinés dans la forêt. Si Saindon avait été là, lui seul aurait pu entendre Armand Gamache hurler, comme si on était en train de l'abattre.

« Voici, je vous dis un mystère. »

Ces paroles obsédantes de l'épître de saint Paul aux Corinthiens tournoyaient dans la tête de Gamache. Elles étaient prophétiques. En un éclair, son monde avait changé. Il voyait clairement ce qui était resté caché et qu'il n'avait jamais voulu voir.

Il s'était arrêté à l'école secondaire de Notre-Dame-de-Grâce et avait attrapé de justesse la secrétaire au moment où elle terminait sa journée. Maintenant assis dans le parc de stationnement, il parcourait les deux documents qu'elle lui avait remis : une liste des anciens élèves et un autre album. Lorsqu'elle lui avait demandé pourquoi diable il lui en fallait autant, Gamache avait marmonné des excuses et elle s'était radoucie. Il avait presque eu l'impression qu'elle allait lui demander de recopier cent fois : « Je ne perdrai plus d'albums. »

Il n'avait pas perdu l'album, il lui avait été volé. Par une ancienne camarade d'école de Madeleine et de Hazel, qui avait choisi de garder son identité secrète. En parcourant la liste des anciens et l'album, Gamache sut exactement qui c'était.

« Voici, je vous dis un mystère. » Il entendit de nouveau la voix fatiguée de Ruth lorsqu'elle avait lu ce passage magnifique. Puis, par-dessus, une autre voix, dure : celle de Michel Brébeuf, accusatrice, rageuse. « Ce sont nos secrets qui nous rendent malades. »

C'était vrai, Gamache le savait. De toutes les choses qu'on garde en soi, les pires sont les secrets. Ce qui nous fait si honte et si peur qu'on doit même se le cacher à soi-même. Les secrets mènent aux illusions, qui à leur tour mènent aux mensonges, et ceux-ci créent un mur.

Nos secrets nous rendent malades en nous séparant des autres. Ils nous isolent. Ils nous rendent craintifs, frustrés, amers. Ils nous retournent contre les autres, puis contre nous-mêmes.

Un meurtre commençait presque toujours par un secret. Le meurtre est un secret étalé dans le temps.

Gamache appela Reine-Marie, Daniel et Annie et, finalement, Jean-Guy Beauvoir.

Puis il démarra et prit le chemin de la campagne. Au fil du trajet, le soleil se coucha et il arriva à Three Pines à la noirceur. Devant ses phares, la route de terre grouillait de grenouilles qui traversaient par bonds, pour une raison qui demeurerait un mystère pour lui. Il ralentit d'un coup pour ne pas les écraser. Elles bondirent à la hauteur de ses phares, comme pour l'accueillir joyeusement. Elles ressemblaient aux grenouilles peintes sur les vieilles assiettes un peu ridicules d'Olivier. Pendant un instant, Gamache se demanda s'il n'en achèterait pas quelques-unes, pour se rappeler le printemps et les grenouilles dansantes. Mais probablement pas, se dit-il ensuite. Il ne voudrait rien qui lui rappellerait les événements de cette journée.

– J'ai appelé tout le monde, dit Beauvoir dès que Gamache entra dans le bureau provisoire. Ils seront là. Êtes-vous certain de vouloir procéder de cette façon ?

– Oui, j'en suis sûr. Je sais qui a tué Madeleine Favreau, Jean-Guy. Cette affaire a commencé par un cercle et il me semble approprié qu'elle revienne à son point de départ. Nous nous réunirons à la vieille maison des Hadley à vingt et une heures, ce soir, pour trouver un meurtrier.

41

Clara avait le cœur dans la gorge, dans les poignets, dans les tempes. Tout son corps palpitait, rythmé par le battement de son cœur. Elle n'arrivait pas à le croire : ils étaient revenus à la vieille maison des Hadley.

Seule la faible lueur d'une bougie perçait l'obscurité.

Lorsque l'inspecteur Beauvoir l'avait appelée pour lui transmettre la demande de Gamache, elle avait cru qu'il plaisantait, ou était ivre. Il divaguait certainement.

Mais il était sérieux. Ils devaient se rencontrer à vingt et une heures dans la vieille maison des Hadley. Dans la pièce où Madeleine était morte.

Toute la soirée, Clara avait regardé les aiguilles de l'horloge avancer. D'abord avec une lenteur insupportable, puis à vive allure, pour finir par filer sur le cadran. Elle avait été incapable de manger et Peter l'avait suppliée de ne pas y aller. Finalement, la terreur l'avait saisie et elle avait accepté de rester là, dans leur petit cottage, près du feu, avec un bon livre et un verre de vin.

Cachée.

Mais Clara savait que toute sa vie elle allait regretter sa lâcheté. À moins cinq, elle s'était levée, avec l'impression d'être dans le corps d'une autre personne, avait mis son manteau et était partie. Comme l'un des zombies des vieux films en noir et blanc que collectionnait Peter.

Et elle s'était retrouvée dans un monde en noir et blanc. Dépourvu de lampadaires et de feux de circulation, Three Pines était baigné de noirceur après le coucher du soleil. À l'exception des points de lumière qui criblaient le ciel. Et des lueurs des maisons autour du parc qui, ce soir, semblaient l'avertir, la supplier de ne pas s'éloigner, de ne pas faire cette folie.

En avançant dans l'obscurité, Clara se joignit aux autres: Myrna, Gabri, M. Béliveau, la sorcière Jeanne, qui tous traînaient les pieds en direction de la maison hantée sur la colline, comme s'ils avaient abdiqué leur volonté.

À présent, elle était de retour dans cette pièce. Elle regarda les visages au regard fixé sur la lueur vacillante de la bougie au centre de leur cercle, qui se reflétait dans leurs yeux comme la veilleuse de la peur qui les habitait. Clara fut étonnée de constater à quel point la simple flamme d'une bougie peut paraître menaçante lorsqu'il n'y a rien d'autre.

Odile et Gilles étaient assis en face d'elle, tout comme Hazel et Sophie.

M. Béliveau se trouvait à côté de Clara, et Jeanne Chauvet prit place près de Gabri, qui était couvert de crucifix et d'étoiles de David, et avait mis un croissant dans sa poche. Myrna s'était informée, car cela ressemblait à autre chose.

Leur cercle était toutefois rompu. Couchée sur le côté, la chaise qui avait basculé au centre presque une semaine plus tôt reposait là comme un monument commémoratif, même si, dans la lumière incertaine, elle avait plutôt l'air d'un squelette, avec ses bras et ses pattes en bois, ainsi que les côtes du dossier, qui jetaient des ombres déformées sur le mur.

À l'extérieur de la vieille maison des Hadley, la soirée était calme et tranquille, mais à l'intérieur cette maison possédait sa propre atmosphère, sa propre gravité. C'était un monde de grognements et de grincements, de chagrin et de soupirs. Cette maison avait enlevé une vie, deux en comptant l'oiseau, et elle avait encore faim. Elle en voulait d'autres. On aurait dit un tombeau. « Pire, pensa Clara, on se croirait dans les limbes. » En pénétrant dans la maison, dans cette pièce, ils étaient entrés dans le monde des ténèbres, quelque part entre la vie et la mort. Un monde où ils allaient être jugés, puis séparés.

Une main jaillit de l'obscurité et saisit la chaise squelettique au milieu de leur cercle. Armand Gamache se joignit alors à eux. Il resta assis en silence pendant un moment, penché vers l'avant, les coudes sur ses genoux, ses grandes mains jointes, ses doigts entrelacés comme en prière. Ses yeux brun foncé étaient pensifs.

Elle entendit un soupir. La flamme de la bougie vacilla violemment sous l'effet du stress évacué.

Gamache les regarda. Arrivé à Clara, il sembla faire une pause et sourire, mais Clara se dit que tout le monde avait probablement la même impression. Elle se demanda comment il arrivait à détourner les lois du temps. D'un autre côté, elle savait qu'à Three Pines le temps paraissait élastique.

– Cette affaire est une tragédie de secrets, commença Gamache. C'est une histoire de hantises, de fantômes, de méchanceté déguisée en courage. C'est une histoire de choses cachées et enterrées… vivantes. Lorsqu'on enterre une chose qui n'est pas tout à fait morte, elle finit par revenir, poursuivit-il après une pause. Elle sort de terre à coups de griffes, rance et fétide. Affamée. C'est ce qui s'est produit ici. Chacun, dans cette pièce, a un secret. Quelque chose à cacher. Quelque chose qui a pris vie il y a quelques jours. Lorsque l'agente Lacoste m'a parlé de son entretien avec le mari de Madeleine, j'ai commencé à voir clair dans cette affaire de meurtre. Il décrivait Madeleine comme étant un soleil : vivifiante, joyeuse, brillante, rayonnante.

Dans le cercle de visages rougeoyants, tout le monde hocha la tête.

– Mais le soleil brûle aussi. Il brûle et rend aveugle, dit-il en regardant de nouveau chaque personne. Et il crée des ombres denses. Qui peut vivre auprès de lui ? J'ai pensé à Icare, ce beau jeune homme qui, avec son père, avait fabriqué des ailes pour s'envoler. Son père l'avait toutefois averti de ne pas trop s'approcher du soleil. Bien sûr, c'est ce qu'il a fait. Tous ceux qui ont des enfants comprendront pourquoi.

Ses yeux passèrent à Hazel, qui avait le visage neutre, vide. L'anxiété, la douleur, la colère avaient disparu, il ne restait plus rien. Les cavaliers avaient tout ravagé sur leur passage. Mais Gamache se dit qu'ils n'avaient peut-être pas apporté le chagrin. Ces cavaliers que Hazel avait désespérément voulu tenir à l'écart avaient apporté quelque chose de bien plus terrifiant : le fardeau de la solitude.

– Le suspect le plus évident, c'est Sophie. La pauvre Sophie, comme tout le monde l'appelle. Toujours en train de se blesser, de tomber malade. Tout avait pourtant commencé à s'améliorer après l'arrivée de Madeleine.

Les sourcils froncés, Sophie lui lança un regard noir.

– La maison si encombrée et pourtant si vide était soudainement pleine de vie. Imaginez !

Soudain, ils furent transportés en pensée vers cette journée où le soleil était entré dans la maison terne de Hazel et de Sophie. Cette journée où les rideaux avaient été ouverts. Où le rire avait remué la poussière pour l'envoyer tourbillonner dans les rayons de lumière.

– Mais vous avez eu un prix à payer : ce soleil révélait vos ombres. Vous êtes tombée amoureuse de Madeleine, n'est-ce pas ?

– L'amour n'est pas une ombre, répliqua Sophie d'un ton de défi.

– Vous avez bien raison. L'amour n'en est pas une, mais l'attachement, oui. Myrna, vous avez parlé du proche ennemi.

– L'attachement qui se fait passer pour de l'amour, dit Myrna avec un hochement de tête approbateur. Mais je ne pensais pas à Sophie.

– Non, vous songiez à quelqu'un d'autre, mais cela s'applique ici.

Il revint à Sophie.

– Vous vouliez Madeleine pour vous seule. Vous êtes allée à son université, Queen's, pour l'impressionner. Pour qu'elle s'intéresse un peu plus à vous. Il vous était déjà pénible de la partager avec votre mère, mais lorsque vous êtes revenue à la maison, récemment, et avez trouvé Madeleine amoureuse de M. Béliveau, c'était trop.

– Comment pouvait-elle ? Non mais, regardez-le. Il est vieux, laid et pauvre. C'est un épicier, bon sang. Comment pouvait-elle l'aimer ? Pour elle, je m'étais donné la peine d'aller à Queen's, merde, et quand je reviens elle n'est même pas là. Elle est à une séance de spiritisme avec lui.

Elle pointa sa béquille en direction de M. Béliveau, qui semblait imperméable aux insultes.

– Quand une autre séance a été organisée, vous avez vu l'occasion qui s'offrait à vous. Toute votre vie, vous avez été aux prises avec des problèmes de poids. Il y a quelques années, vous avez même pris de l'éphédra, jusqu'à ce qu'on le découvre et vous le confisque. Mais, peu à peu, le poids a fini par revenir, et vous avez commandé d'autres comprimés sur Internet. Cette photo montre une fille dodue, il y a seulement deux ans.

Gamache fit circuler la photo trouvée sur la porte du frigo. Chacun la regarda. Elle semblait avoir été prise sur une autre planète, sur laquelle les gens riaient, aimaient et faisaient la fête. Et où Madeleine était encore en vie.

– Vous avez trouvé le flacon de comprimés. Vous saviez que votre mère ne jetait rien. L'inspecteur Beauvoir a décrit l'armoire de cuisine remplie de vieux médicaments, périmés pour la plupart. Le rapport du labo nous indique que vous n'avez pas utilisé vos comprimés d'éphédra actuels. Vous avez plutôt retrouvé les vieux. Vous saviez que Madeleine avait une lésion cardiaque causée par ses traitements de chimiothérapie…

Un léger murmure parcourut le cercle.

– … et vous saviez qu'une dose suffisamment forte, combinée à ce problème de cœur, pouvait la tuer. Il suffisait de lui faire peur. De trouver quelque chose qui allait mettre son cœur à l'épreuve, lui faire battre la chamade. On vous a donné la solution : une séance de spiritisme dans la vieille maison des Hadley.

– C'est ridicule, dit Sophie, même si elle ne semblait pas du tout sûre d'elle-même.

– Au souper, vous êtes allée vous asseoir à côté de Madeleine et vous avez glissé les comprimés dans sa nourriture.

– Ce n'est pas moi. Maman, dis-lui que je n'ai pas fait ça.

– Elle n'a pas fait ça, dit Hazel, trouvant l'énergie nécessaire pour se porter, faiblement, à la défense de sa fille.

– Bien sûr, tout ce que j'ai dit à propos de Sophie s'applique aussi bien à Hazel.

Gamache se tourna vers la femme assise à côté de Sophie.

– Vous aimiez Madeleine. Vous n'avez jamais tenté de le cacher. D'un amour platonique, fort probablement, mais profond. Vous l'aimiez sans doute depuis votre enfance passée ensemble. Puis un jour elle vient vivre avec vous, récupère de sa chimio, et vos deux vies recommencent. Fini l'ennui. Finie la solitude.

Hazel fit un hochement de tête approbateur.

– Si Sophie pouvait trouver l'éphédra, vous le pouviez aussi. Comme vous étiez assise de l'autre côté de Madeleine au souper, vous auriez pu lui en glisser dans son assiette. Cependant, il restait une question embêtante : pourquoi ne pas avoir tué Madeleine à la première séance ? Pourquoi avoir attendu ?

Il laissa la question faire son effet. Le monde ne semblait plus exister en dehors de leur cercle de lumière. Le monde connu avait disparu dans l'obscurité.

– Les séances différaient sur trois points, reprit Gamache, en les comptant sur ses doigts. Le souper chez Peter et Clara, la vieille maison des Hadley, les Smyth.

– Mais pourquoi Hazel aurait-elle tué Madeleine ? demanda Clara.

– Par jalousie. Vous voyez cette photo ? dit-il en indiquant du doigt la photo que Gabri tenait à présent. Madeleine regarde Hazel avec beaucoup d'affection et Hazel éprouve manifestement encore plus d'affection. Mais elle ne regarde ni Madeleine ni Sophie. Elle regarde en dehors du cadre. Je me suis rappelé quelque chose qu'Olivier avait mentionné : à quel point Hazel s'était montrée gentille envers M. Béliveau après la mort de sa femme. Il était invité à toutes les fêtes, surtout les plus importantes. Le chapeau que porte Hazel est blanc et bleu, le gâteau est recouvert d'un glaçage bleu. C'était donc l'anniversaire d'un homme. C'était le vôtre, dit-il en se tournant vers Béliveau, qui paraissait perplexe.

Gabri lui tendit la photo et l'épicier l'étudia quelques instants. Dans le silence, ils entendirent d'autres grincements. Quelque chose semblait monter les escaliers. Clara savait que tout cela était le fruit de son imagination. Elle savait que ce qu'elle avait perçu, la première fois, c'était un oisillon, et non un monstre imaginaire. Cet oiseau était mort, à présent. Par conséquent, rien ne pouvait être en train de monter les escaliers. Rien ne pouvait avoir atteint l'étage. Rien ne pouvait grincer dans le couloir.

– Hazel a toujours été très gentille, finit par dire M. Béliveau en tournant la tête vers celle-ci, quasiment invisible.

– Vous êtes tombée amoureuse de lui, n'est-ce pas ? demanda Gamache.

Hazel secoua légèrement la tête.

– Maman ? C'est vrai ?

– Je le trouvais gentil. À un moment donné, j'ai pensé que, peut-être…

Hazel ne termina pas sa phrase.

– Jusqu'à l'arrivée de Madeleine, dit Gamache. Sans le vouloir, car elle n'avait probablement aucune idée de vos sentiments à l'égard de M. Béliveau, elle vous l'a volé.

– Elle ne pouvait pas me le voler, puisqu'il ne m'appartenait pas.

– C'est ce qu'on dit, poursuivit Gamache, mais les paroles et les émotions sont très différentes. Vous étiez deux solitaires, M. Béliveau et vous. À bien des égards, un couple beaucoup mieux assorti. Cependant, Madeleine dégageait un magnétisme envoûtant, elle était magnifique, charmante, enjouée, et M. Béliveau a été fasciné. Je ne veux pas sous-entendre que Madeleine était malintentionnée ni méchante. Elle était elle-même, tout simplement. Il était difficile de ne pas tomber amoureux d'elle. Ai-je raison, monsieur Saindon ?

– Moi ?

En entendant son nom, Saindon redressa brusquement la tête.

– Vous l'aimiez aussi. Profondément. Avec toute la profondeur et la passion d'un amour non partagé. C'est sans doute le plus profond, parce qu'il n'est jamais mis à l'épreuve. Elle représentait votre idéal : la femme parfaite. Cette femme parfaite a cependant chancelé, elle est tombée amoureuse d'un autre. Comble de malheur, d'un homme que vous méprisez : M. Béliveau. Celui qui apporte la mort. L'homme qui a laissé un vénérable chêne mourir dans la souffrance.

– Je n'aurais jamais pu tuer Madeleine. Je ne peux même pas abattre un arbre. Je ne peux pas écraser une fleur, ni un perce-oreille. Je ne peux pas ôter la vie.

– Mais oui, vous le pouvez, monsieur Saindon.

Armand Gamache devint très silencieux et se pencha de nouveau, en fixant l'immense bûcheron.

– Vous l'avez dit vous-même : mieux vaut mettre fin à la souffrance que de laisser quelque chose mourir après une longue agonie. Vous parliez du chêne. Vous étiez prêt à le tuer, à le délivrer de son supplice. Si vous saviez que Madeleine était mourante, vous pouviez sans doute en faire autant pour elle.

Saindon était sans voix, les yeux arrondis, bouche bée.

– Je l'aimais. Je ne pouvais pas la tuer.

– Gilles, murmura Odile.

– En plus, elle en aimait un autre, dit Gamache, reprenant l'attaque. Elle aimait M. Béliveau. Chaque jour, vous le constatiez, chaque jour c'était là devant vous, indéniable, même à vos yeux. Elle ne vous aimait pas du tout.

– Comment a-t-elle pu faire ça ? dit Saindon en se levant de sa chaise, ses poings massifs serrés comme des maillets. Vous ne savez pas ce que c'était, de la voir avec lui.

Il se tourna vers M. Béliveau, à l'air si débonnaire.

– Je savais qu'elle ne pouvait pas aimer quelqu'un comme moi, mais…

Sa voix se brisa.

– Mais si elle ne vous aimait pas, poursuivit Gamache d'une voix douce, elle ne devait aimer personne d'autre ? Cela devait être horrible.

Le bûcheron s'effondra sur sa chaise. Les autres s'attendaient à entendre le bois céder avec un craquement, mais celui-ci l'accueillit comme une mère tient un enfant blessé.

– La substance qui l'a tuée se trouvait dans la pharmacie des Smyth, dit Odile, agitée. Il ne pouvait pas la prendre.

– Vous avez raison. Il n'avait pas accès à leur maison, répondit Gamache en se tournant vers Odile. J'ai mentionné le rapport du labo. Il disait que l'éphédra qui a tué Madeleine n'était pas d'un lot récent. Il était beaucoup plus naturel. J'avais été bête. On me l'avait répété plus d'une fois, mais cela ne m'entrait pas dans la tête. L'éphédra est une herbe. Une plante. Utilisée depuis des siècles dans des remèdes chinois. Gilles n'avait peut-être pas besoin d'entrer chez les Smyth. Vous non plus, d'ailleurs. Vous savez ce que j'ai emporté de votre boutique ?

Il regarda fixement Odile, qui fit de même, figée et affolée.

– Du *ma huang*. Une herbe chinoise traditionnelle. Également appelée thé des mormons. Et éphédra.

– Je ne l'ai pas tuée. Lui non plus. Il ne l'aimait pas. C'était une garce, une affreuse, affreuse personne. Elle faisait croire aux gens qu'elle les aimait.

– En venant ici, ce soir-là, vous lui avez donné un avertissement, n'est-ce pas ? Vous lui avez dit qu'elle pouvait avoir n'importe qui, mais que Gilles était le seul homme que vous ayez jamais désiré. Vous l'avez suppliée de s'écarter de lui.

– Elle m'a dit de ne pas faire l'imbécile. Mais je ne suis pas une imbécile.

– À ce moment-là, il était trop tard. L'éphédra était déjà en elle.

Gamache regarda le cercle de visages rivés sur lui.

– Chacun de vous avait une raison de la tuer. Chacun de vous en a eu l'occasion. Mais il fallait un autre ingrédient. Ce qui a tué Madeleine Favreau, c'est l'éphédra et la frayeur. Quelqu'un devait fournir cette dernière.

Tous les regards se tournèrent vers Jeanne Chauvet. Elle avait les paupières tombantes, les yeux sombres et creux.

– Vous avez tous essayé de m'amener à considérer Jeanne comme une suspecte. Vous ne lui faisiez pas confiance, disiez-vous. Vous ne l'aimiez pas. Vous aviez peur d'elle. J'ai attribué cela à une sorte d'hystérie, liée à l'arrivée d'une étrangère parmi vous. D'une sorcière. Qui d'autre pouvait être coupable ?

Clara le regarda fixement. Gamache avait résumé la situation avec tellement de clarté, de simplicité. Avaient-ils vraiment livré cette femme effacée à une sorte d'inquisition ? L'avaient-ils dénoncée ? Avaient-ils allumé le bûcher en s'y réchauffant comme de méprisants puritains sûrs que la Bête n'était pas l'un d'eux ? Sans considération pour la vérité, ni pour la femme.

– J'ai failli la rayer de la liste des suspects, car, dans son cas, c'était presque trop évident. Mais le repas d'hier soir m'a fait changer d'idée.

Clara crut de nouveau entendre un grincement, comme si la maison s'était réveillée, pressentant une mise à mort. Son cœur battit plus fort et la bougie se mit à vaciller, comme si elle aussi tremblait. Il y avait quelque chose dans la vieille maison des Hadley. Quelque chose avait pris vie. Gamache semblait le sentir, lui aussi. Il pencha la tête de côté, l'air perplexe. Il écoutait.

– Ruth Zardo a fait allusion au temps des bûchers et vous a appelée Jeanne d'Arc, dit-il à Jeanne. Cette femme a été brûlée pour avoir entendu des voix et eu des visions. C'était une sorcière.

– Une sainte, le corrigea Jeanne, d'une voix faible, lointaine.

– Si vous préférez. Pour vous, la première séance était une blague, mais la suivante, vous l'avez prise au sérieux. Vous l'avez rendue aussi évocatrice et aussi effrayante que possible.

– Je ne suis pas responsable des peurs des autres.

– Vous croyez ? Si vous bondissez de l'obscurité en criant « hou ! » devant quelqu'un, vous ne pouvez pas reprocher à cette personne d'être effrayée. C'est ce que vous avez fait. Délibérément.

– Personne n'a obligé Mado à venir, ce soir-là, dit Jeanne, puis elle s'arrêta.

– « Mado », répéta calmement Gamache. Un surnom. Utilisé par des gens qui la connaissaient bien, et non par quelqu'un qui venait de la rencontrer. Vous la connaissiez, n'est-ce pas ?

Jeanne resta silencieuse.

Gamache hocha la tête.

– Oui, vous la connaissiez. J'y reviendrai dans un moment. Le dernier élément nécessaire au meurtre était la séance. Mais personne ici n'allait en mener une, et qui s'attendrait à ce qu'une médium se présente à Pâques ? Cela paraissait trop fortuit pour être une coïncidence. Et bien sûr, ce n'en était pas une. Avez-vous envoyé ceci ? demanda Gamache à Gabri en lui tendant le dépliant du gîte.

– Je n'en ai envoyé aucun, répondit Gabri en regardant à peine le dépliant. J'en ai fait imprimer seulement pour satisfaire Olivier, qui disait qu'on ne faisait pas assez de publicité.

– Vous n'en avez jamais posté ? insista Gamache.

– Pourquoi est-ce que je le ferais ?

– Parce que c'est un gîte touristique, proposa Myrna. Une entreprise.

– C'est ce que dit Olivier, mais on reçoit suffisamment de clients. Pourquoi m'attirer plus de travail ?

– Le fait d'être Gabri est une tâche amplement suffisante, commenta Clara.

– Et épuisante, ajouta Gabri.

– Alors, vous n'avez pas écrit cela, au haut du dépliant ? reprit Gamache en pointant le doigt vers le papier glacé dans la large main de Gabri.

En se penchant vers la lueur de la bougie, Gabri fit un effort pour voir.

– « Là où convergent les lignes de Lay – Promotion de Pâques », lut-il en s'esclaffant. Tu parles ! C'est ce que vous vouliez dire lorsque vous avez insinué que je ne baisais pas ? demanda-t-il à Jeanne en déplaçant son croissant.

– Je n'ai pas dit ça. J'ai plutôt dit que ce n'est pas ici qu'elles convergent.

– J'avais compris quelque chose comme « ici, les cons n'ont pas de verge », répondit Gabri, soulagé. Mais je n'ai jamais écrit cette phrase-là, ajouta-t-il en tendant le dépliant à Gamache. Je ne sais même pas ce qu'elle signifie.

– Vous n'avez pas dactylographié ces mots et vous n'avez pas envoyé le dépliant. Alors qui l'a fait ?

Il était clair qu'il ne s'attendait pas à une réponse, qu'il se parlait à lui-même.

– Quelqu'un qui voulait attirer Jeanne à Three Pines. Quelqu'un qui la connaissait assez bien pour savoir qu'une allusion aux lignes de Ley allait stimuler son intérêt. Mais une personne qui, elle-même, n'en sait pas assez sur ces lignes d'énergie pour écrire l'expression correctement.

– Je dirais que ça nous englobe tous, dit Clara. À l'exception d'une personne.

Elle regarda Jeanne.

– Vous croyez que j'ai écrit ça ? Pour donner l'illusion que quelqu'un avait essayé de me faire venir ici par la ruse ? En prenant la peine de mal orthographier le mot ? Je ne suis pas si futée.

– Peut-être, dit Gamache.

– Avant la première séance, Gabri, dit Clara, tu as installé des affiches annonçant que Mme Blavatsky allait contacter les morts. Tu as menti à propos de son nom…

– Licence artistique, expliqua Gabri.

– Ce doit réellement être épuisant d'être lui, dit Myrna.

– … mais tu savais que Jeanne était médium. Comment le savais-tu ?

– Elle me l'avait dit.

Au bout d'un moment, Jeanne parla.

– C'est vrai. Je me dis toujours que je devrais me taire, et, bien sûr, c'est la première chose qui sort de ma bouche. Je me demande pourquoi.

– Parce que vous voulez vous démarquer, être spéciale, dit Myrna sans agressivité. Comme tout le monde. Vous le faites d'une façon plus ouverte, tout simplement.

– Eh bien, dit Gabri d'une voix faible qui ne lui ressemblait pas, je lui ai un peu tiré les vers du nez. Je demande à tous mes clients ce qu'ils font. Quelles sont leurs passions. C'est intéressant.

– Et après, tu les mets au travail, dit Saindon, encore piqué au vif d'avoir un jour perdu deux cents dollars en jouant contre un client de Gabri qui se trouvait être un champion de poker.

– C'est tranquille, un village, expliqua dignement Gabri à Gamache. J'apporte la culture à Three Pines.

Personne n'osa mentionner la soprano aux cris perçants.

– En s'inscrivant à la réception, Jeanne a lu dans les lignes de ma main, poursuivit Gabri. Dans une vie antérieure, j'étais le Gardien de la Lumière à l'Acropole, mais ne le dites à personne.

– Je te le promets, lui assura Clara.

– Auparavant, je me suis promenée dans le village, dit Jeanne. Pour sentir l'énergie du lieu. Bizarrement, la personne qui a écrit ça avait presque raison, ajouta-t-elle en indiquant le dépliant que Gamache avait à la main. Il y a des lignes d'énergie ici, mais elles sont parallèles à Three Pines. Il est plutôt inhabituel de trouver de telles lignes aussi rapprochées, mais elles ne convergent pas. En fait, il est préférable qu'elles ne se rencontrent pas, car cela produit un excès d'énergie. C'est bien pour des lieux sacrés, mais, comme vous l'avez remarqué, personne n'habite à Stonehenge.

– Du moins, pas de façon visible, dit Gamache à la surprise de tout le monde. La personne qui a envoyé le dépliant savait que Gabri allait découvrir que sa cliente était médium, et la faire travailler. À coup sûr, une séance de spiritisme serait organisée. Chez Peter et Clara, hier soir, vous m'avez apporté un livre, Myrna. Le *Dictionnaire des lieux magiques*. Je l'ai regardé et savez-vous ce que j'ai trouvé ?

Personne ne parla. Il se tourna vers Jeanne.

– Je crois que vous le savez. Vous avez paru troublée en voyant le livre, surtout que c'était la dernière édition. Olivier m'a demandé si on trouvait encore des lieux magiques. Il blaguait, bien sûr, mais c'était le cas, finalement. On a trouvé un nouveau lieu magique au cours des vingt dernières années. En France. La grotte Chauvet.

On entendit un autre grincement et Gamache savait qu'il lui restait peu de temps. Quelque chose de sombre et de personnel s'approchait.

– Jeanne Chauvet. Médium et wiccane autoproclamée, dont le nom évoque une femme immolée pour sorcellerie au Moyen Âge et une grotte magique. Ce n'est sûrement pas votre vrai nom. Mais il s'est produit autre chose, hier soir. L'inspecteur Beauvoir et moi ne réussissions pas à dormir, à cause des grenouilles. Nous étions dans la salle de séjour, en train de regarder des albums de l'école secondaire de Hazel et de Madeleine lorsque Jeanne est arrivée. Ce matin, les livres avaient disparu. Une seule personne avait pu les prendre. Pourquoi l'avez-vous fait, Jeanne ?

Jeanne regarda longuement dans l'obscurité puis, au bout d'un moment, elle parla.

– Quelque chose s'en vient.

– Pardon ? demanda Gamache.

Elle se tourna vers lui et ses yeux finirent par accrocher la lueur de la bougie. Ils flamboyaient, à présent. Ce n'était pas naturel ; c'était perturbant.

– Vous le sentez, je le sais. Je vous ai mis en garde à propos de quelque chose, l'autre matin, à l'église. Ce que je pressentais est arrivé.

– Pourquoi avez-vous pris les albums, Jeanne ?

Gamache avait besoin de rester concentré, sans laisser errer son esprit vers l'autre chose. Mais il savait que le moment approchait. Il devait terminer maintenant.

Elle regarda ostensiblement la porte et demeura silencieuse.

– Sur le chemin du retour, cet après-midi, je me suis arrêté à l'école pour prendre deux documents. Un autre album et une liste d'anciens élèves. J'aimerais vous lire un passage de l'album de la dernière année du secondaire de Hazel et de Madeleine.

Il posa un livre sur ses genoux et l'ouvrit à une page marquée d'un post-it.

– « Jeanne Cummings. Meneuse de claque. Jeanne d'Arc a l'intention d'embraser le monde. »

Il le referma doucement.

– T'es Jeanne Cummings ? dit Hazel, semblant soudain se réveiller. De l'école ?

– Tu ne m'as pas reconnue, hein ? Mado non plus.

– Tu as changé, ajouta Hazel en bafouillant un peu, gênée.

– Mais Mado, non, dit Jeanne.

Gamache retourna l'album et montra à tout le monde la photo des meneuses de claques. Dans la lumière incertaine, ils virent une jeune femme qui levait au ciel ses bras musclés, un immense sourire sur son beau visage.

– Cela remonte à près de trente ans. Malgré tout le maquillage et les sourires, on vous appelait Jeanne d'Arc, avec une allusion aux flammes.

Les yeux de Jeanne se tournèrent un bref instant vers la porte, puis revinrent vers lui.

– J'ai connu Madeleine dans l'équipe des meneuses de claques. Vous aviez raison à propos du soleil, vous savez. Elle était tout cela, et même davantage. Elle était vraiment gentille et cela empirait les choses. Après m'être fait taquiner et tourmenter pendant des années parce que j'étais différente, je voulais tout simplement m'intégrer. J'ai commencé à porter du maquillage, à bien me coiffer, j'ai appris à dire des conneries, et, finalement, j'ai été acceptée parmi les meneuses de claques. Je voulais être son amie, mais elle ne s'en rendait même pas compte. Elle n'était pas cruelle, en réalité, mais elle m'ignorait.

– Vous la détestiez ? demanda Clara.

– Vous avez probablement toujours été populaire, répliqua Jeanne. Jolie, talentueuse, pleine d'entrain.

Clara entendit les mots, mais ne s'y reconnut pas. Jeanne poursuivit :

– Je n'étais rien de tout cela. Je voulais seulement une amie. Une seule amie. Savez-vous à quel point c'est horrible d'être tout le temps marginale ? Puis j'ai réussi à entrer dans l'équipe dont faisaient partie toutes les filles *cool*. Savez-vous comment je m'y suis prise ? demanda-t-elle d'une voix presque sifflante. J'ai trahi tout ce que j'étais. Je me suis transformée en une idiote superficielle. Il y a une raison pour laquelle on appelle ça du « maquillage » : tous les jours, je maquillais, travestissais ma personnalité. J'ai enfermé en moi tout ce qui me tenait à cœur et j'ai tourné le dos à des personnes qui auraient pu être mes amies. Tout cela pour m'approcher d'une seule fille, parfaite.

– Madeleine, dit Gamache.

– Elle était vraiment parfaite. Le pire moment de ma vie, c'est quand je me suis aperçue que j'avais trahi pour rien tout ce qui me tenait à cœur.

– Vous avez alors changé votre nom pour Chauvet. Vous vous êtes de nouveau transformée.

– Non, j'ai fini par m'accepter. Le fait de changer mon nom était une victoire, une déclaration. Pour une fois, je ne cachais pas qui j'étais.

– C'est une sorcière, murmura Gabri à Myrna.

– On le sait, mon beau. Moi aussi, j'en suis une.

– Je savais qui j'étais, mais je n'avais pas trouvé ma place. Partout je me sentais étrangère. Jusqu'à ce que j'arrive ici. En entrant à Three Pines, j'ai su que j'avais trouvé ma place.

– Mais vous avez également trouvé Madeleine, dit Gamache.

Jeanne acquiesça d'un signe de tête.

– À la séance du vendredi soir. J'ai compris, alors, qu'elle allait encore voler ma lumière. Pas par avidité, mais parce que je la lui donnerais. Je le sentais. Je m'étais trouvée, j'avais trouvé ma place et tout ce qui me manquait, c'était une amie. Dès que j'ai vu Mado, j'ai su que je serais prête à tout recommencer. Essayer d'être son amie, et me faire repousser.

– Mais pourquoi l'avoir tuée ? demanda Clara.

– Je ne l'ai pas tuée.

Un murmure d'incrédulité parcourut le cercle.

– C'est la vérité, dit Gamache. Elle n'a pas tué Madeleine.

– Qui l'a fait, alors ? demanda Gabri.

Jeanne se leva, fixant la porte à travers l'obscurité.

– Monsieur ?

La voix qui venait de la porte était jeune et hésitante, ce qui, d'une certaine façon, la rendait encore plus effrayante : c'était comme découvrir que le diable était un ami de la famille.

Gamache se leva aussi et se tourna vers la porte. Il ne voyait que du noir, mais une silhouette finit par apparaître. Il était à court de temps. Il se retourna vers le cercle. Tous les yeux étaient rivés sur lui, les visages ronds et ouverts comme des projecteurs, cherchant à être rassurés.

– Je reviens dans quelques minutes.

– Vous nous laissez seuls ? s'écria Clara.

– Je suis désolé. Je dois y aller, mais il ne vous arrivera rien de mal.

Sur ces mots, Gamache s'éloigna de la lumière vacillante et disparut de l'autre côté du monde.

42

L'agent Lemieux l'escorta jusqu'à l'extrémité du couloir, dans une pièce sombre où quelqu'un était assis, les jambes croisées, une lampe de poche sur les genoux.

– Salut, Armand.

La voix était si familière. Le corps, immédiatement reconnaissable, même dans la lumière blafarde. Ils avaient été des amis intimes pendant des décennies. S'étaient faufilés dans les bars avant l'âge. Il y avait eu les sorties à quatre, les préparations d'examens, les longues promenades de deux jeunes hommes refaisant le monde. Ils avaient fumé ensemble, puis arrêté ensemble. Chacun avait été le garçon d'honneur de l'autre. Ils s'étaient soutenus mutuellement, s'étaient choisis l'un l'autre pour être le parrain d'un enfant chéri.

Soudain, Armand Gamache se retrouva chez lui, la joue posée sur le dossier d'un canapé rugueux, les yeux fixés sur la route. À attendre maman et papa. Tous les autres soirs, ils étaient revenus. Ce soir-là, cependant, une voiture inconnue arriva. Deux hommes en sortirent. On frappa à la porte. Sa grand-mère prit sa main dans la sienne, puis il y eut cette odeur oppressante de naphtaline que dégageait son chandail lorsqu'elle lui serra la tête contre sa hanche pour le protéger des mots. Mais les mots le trouvèrent, le submergèrent et s'accrochèrent à lui pour le reste de sa vie.

Un terrible accident.

Même alors, son petit ami Michel Brébeuf avait été à ses côtés. Au fil des ans, il avait puisé un certain réconfort dans la pensée que rien ne pourrait probablement plus jamais l'accabler autant.

Jusqu'à maintenant.

Il se trouvait face à l'homme qu'il aimait le plus au monde. Les cavaliers avaient été lâchés et dévalaient la colline, armes brandies, chevaux hennissants. On ne ferait pas de quartier.

– Bonjour, Michel.

– Tu le savais, non ? Je l'ai vu dans ton visage en sortant de l'ascenseur, cet après-midi.

Gamache confirma d'un signe de tête.

– Comment l'as-tu découvert ? demanda Brébeuf.

En regardant autour de lui, Gamache vit l'agent Lemieux debout près de la porte.

– Il reste, Armand.

Gamache fixa Lemieux, fouillant son visage. Il n'y trouva qu'un regard dur et froid.

– Il n'est pas trop tard, dit Gamache.

– Il est beaucoup trop tard, répondit le jeune homme. Pour nous deux.

– Je ne parlais pas de vous.

– Comment as-tu su ? demanda Brébeuf en se levant.

– Les secrets, répondit Gamache, étonné de s'entendre parler d'une voix si normale.

C'était le ton de tant de conversations qu'il avait eues avec Michel. Un ton calme, amical et même affectueux.

– « Ce sont nos secrets qui nous rendent malades. » C'est ce que tu m'as dit dans l'ascenseur.

– Alors ?

– Tu as ajouté que c'était l'une des phrases que je dis toujours aux jeunes recrues. C'est faux : je ne l'ai prononcée qu'une fois et c'était ici, dans cette vieille maison. Je l'ai dite à l'agent Lemieux.

Brébeuf resta pensif un instant.

– Donc, tu savais qu'il travaillait pour moi ?

– Je savais qu'il travaillait pour quelqu'un d'autre que moi. Que c'était un espion.

– Comment as-tu su ? demanda Brébeuf, curieux malgré lui.

– C'était la méthode d'Arnot, simple et efficace : placer une personne de confiance dans une situation et la laisser faire le pire dont elle soit capable. Un agent provocateur. J'ai compris que si les partisans d'Arnot essayaient de me faire tomber, ce serait de l'intérieur, en plaçant quelqu'un dans ma propre équipe. Mais Arnot utilisait des brutes. Toi, tu es beaucoup plus habile. Tu as choisi une personne attachante, pour qu'elle s'infiltre aisément.

Gamache se tourna vers Lemieux.

– Vous arrivez facilement à vous faire apprécier. Toute l'équipe a sympathisé avec vous. Vous êtes intelligent et n'hésitez pas à vous moquer de vous-même. Vous vous intégrez bien. Vous êtes beaucoup plus sournois qu'une brute : vous tuez d'un baiser.

Les yeux froids de l'agent Robert Lemieux ne quittaient pas une seconde ceux de Gamache. Celui-ci soutenait son regard.

– Soyez prudent, jeune homme. Vous jouez avec des forces dont vous n'avez aucune idée.

– Vous croyez ? dit Lemieux en s'avançant. Vous pensez que je suis le jeune agent Lemieux naïf, mal dégrossi, un peu stupide ? Vous pensez que j'ai été détourné du droit chemin par des promesses alléchantes du directeur ? Vous pensez que j'ai été séduit ?

En parlant, il se rapprochait de Gamache, posément, lentement, et sa voix était suave, mielleuse, envoûtante. Ensorcelante. Mais le teint frais et rose de la jeunesse s'évanouissait et ce qui s'approchait de Gamache devenait plus vieux et plus décrépit à chaque pas, jusqu'à ce qu'il s'arrête à quelques centimètres du visage de l'inspecteur-chef. Gamache avait l'impression que cette chose allait le lécher, avec une langue putride et visqueuse. Il éprouva une telle nausée qu'il faillit reculer.

– Vous pensez que je vais le regretter un jour, hein ? poursuivit Lemieux en soufflant son haleine fétide sur la joue de Gamache. Vous êtes prévisible, inspecteur-chef. Vous avez besoin de sauver des gens, tout comme vous avez été sauvé. On vous a donné une deuxième chance. Le directeur m'a parlé de la mort de vos parents. La plupart des garçons en seraient demeurés profondément marqués, mais vous avez réussi à surmonter l'épreuve et même à vous épanouir. En retour, vous vous êtes engagé à aider les autres. Personne n'allait se noyer devant vous. Tout un fardeau…

Gamache sentait son cœur cogner.

– Ah, les choses que les garçons se disent ! Je vous imagine, Gamache : un garçon solide, costaud, sérieux, qui fait devant son meilleur ami le serment solennel d'aider les gens. Brébeuf a promis de vous aider, non ? On dirait Lancelot et Arthur. À la fin, l'un trahit l'autre. Qu'est-ce que votre premier chef vous a enseigné à tous les deux, déjà ? Matthieu 10, 36. Vous ne pensiez pas que j'écoutais, hein ? demanda-t-il à Gamache.

– Oh, je l'ai toujours su.

Gamache se tourna vers Brébeuf. Il avait l'impression d'être en train de perdre le contrôle. Si cela se produisait, c'était la fin.

– Je peux comprendre que tu t'attaques à moi, mais à ma famille, Michel ? Pourquoi Daniel ? Et Annie, ta filleule ?

– J'étais certain que tu saurais alors que c'était moi. Qui d'autre en savait autant sur ta famille ? Mais tu étais aveugle. Tellement loyal, dit Brébeuf en secouant la tête. Tu ne m'as jamais soupçonné, hein ? Tu croyais que c'était Francœur.

Gamache esquissa un mouvement en direction de Brébeuf, mais Lemieux s'interposa. Gamache ne se rappelait pas que Lemieux était si grand. Il s'arrêta, mais tout juste, sans quitter Brébeuf des yeux.

– Je savais que quelque chose avait changé entre nous, dit Gamache. Tu étais distant, poli mais sans plus. C'étaient de petites choses, et je n'arrivais pas à mettre le doigt sur le problème. Rien n'était digne de mention, c'était plutôt une série de détails. Tu oubliais un anniversaire de naissance, tu ne venais pas à un souper, tu faisais une remarque désinvolte qui ressemblait à une insulte. Je ne pouvais pas le croire, cependant. J'ai choisi de ne pas le croire.

« J'avais peur de le croire, pensa Gamache. Peur que ce soit vrai, peur de constater que j'avais perdu mon meilleur ami. Comme Hazel a perdu Madeleine. »

– Je te croyais préoccupé par des problèmes familiaux. Je n'aurais jamais imaginé…

Il était à court de mots. Mais un dernier se forma et tomba de sa bouche.

– Pourquoi ?

– Te rappelles-tu, juste après la condamnation d'Arnot et des autres ? Le procès était terminé, mais tu étais en disgrâce. Expulsé du conseil. Catherine et moi, on vous a invités à souper, Reine-Marie et toi, en principe pour te remonter le moral. Mais tu étais de bonne humeur. On est allés dans mon bureau pour prendre un cognac et tu m'as alors dit que ça t'était égal, que tu avais fait ton devoir. Ta carrière était ruinée, mais tu étais tout de même heureux. Après ton départ, je suis resté à lire. Un ouvrage obscur que tu m'avais sans doute donné. J'y ai trouvé une citation qui m'a foudroyé. Ce soir-là, je l'ai recopiée et mise dans mon portefeuille, pour ne jamais l'oublier.

Il sortit son portefeuille et en retira un bout de papier plié, assoupli et usé comme une lettre d'amour. Il le déplia et commença à lire.

– Ça date de 960, une citation d'Abd al-Rahman III d'Espagne.

On aurait dit un écolier nerveux devant la classe. Gamache faillit en avoir le souffle coupé tant cela lui était douloureux. Brébeuf s'éclaircit la gorge et lut.

– « J'ai maintenant régné environ cinquante ans dans la victoire ou la paix, aimé par mes sujets, craint par mes ennemis et respecté par mes alliés. Richesses et honneurs, pouvoirs et plaisirs ont répondu à mon appel ; aucune félicité humaine ne semble avoir manqué à mon bonheur. Dans cette situation, j'ai soigneusement compté les jours de pur et authentique bonheur qui m'ont été réservés. Ils se montent à quatorze. »

Robert Lemieux se mit à rire. Mais le cœur d'Armand Gamache se brisa.

Brébeuf replia soigneusement le papier et le remit dans son portefeuille.

– Pendant toute notre vie, j'ai été plus intelligent, plus rapide, meilleur que toi au tennis et au hockey. J'avais de meilleurs résultats scolaires et j'ai été le premier à trouver l'amour. J'ai eu trois fils. Cinq petits-enfants contre un seul pour toi. J'ai obtenu sept mentions élogieuses. Combien en as-tu reçu ?

Gamache secoua la tête.

– Tu ne le sais même pas, hein ? J'ai été nommé au poste de directeur que tu convoitais aussi et je suis devenu ton patron. Je t'ai vu ruiner ta carrière. Alors pourquoi, de nous deux, es-tu le plus heureux ?

La question transperça Gamache. Elle s'enfonça dans sa poitrine, lui traversa le cœur et éclata dans sa tête, l'obligeant à fermer les yeux. Lorsqu'il les rouvrit, il crut qu'il était victime d'une hallucination. Légèrement en retrait derrière Lemieux, il y avait quelqu'un d'autre. Dans l'ombre.

Puis, une silhouette se détacha de l'ombre et devint l'agente Nichol, comme un fantôme coincé entre deux mondes.

– Qu'est-ce que tu veux ? demanda-t-il à Brébeuf.

– Il veut votre démission, dit Lemieux, qui ne semblait pas se rendre compte de la présence de Nichol. Mais on sait tous les deux que ce ne sera pas suffisant.

– Bien sûr que ça suffit, rétorqua Brébeuf. On a gagné.

– Et puis après ? demanda Lemieux. Vous êtes un faible, Brébeuf. Vous avez promis d'appuyer ma montée en grade, mais comment pourrais-je faire confiance à un homme qui trahit son meilleur ami ? Non, ma seule garantie est de faire planer sur vous une menace si horrible qu'il sera impossible de revenir en arrière.

Il sortit son revolver et regarda Gamache.

– Vous m'avez dit, ici même dans cette maison, de ne jamais dégainer mon arme à moins d'avoir l'intention de l'utiliser. C'est une leçon que j'ai prise au sérieux. Je n'ai pourtant pas l'intention d'utiliser mon arme. C'est vous qui allez le faire, dit-il en tendant le revolver à Brébeuf. Prenez-le.

La voix juvénile de Lemieux était douce et raisonnable.

– Non. Tu veux que je tire sur mon ami ?

– Votre ami ? Vous avez déjà tué la relation. Pourquoi pas l'homme ? Il ne vous lâchera pas, vous savez. Regardez ce qu'il a fait à Arnot. Même s'il démissionnait, il n'en démordrait jamais. Il passerait le reste de sa vie à essayer de vous faire tomber.

Brébeuf baissa les bras. Lemieux soupira et arma le revolver.

– Lemieux, lança Gamache en s'avançant.

Il s'efforçait de garder l'œil à la fois sur Lemieux et, derrière lui, Nichol. Il vit cette dernière porter la main à sa hanche.

– Arrête, fit une voix dans l'obscurité.

Un revolver apparut, puis Jean-Guy Beauvoir. Il le tenait d'une poigne ferme, le regard dur et rivé sur Lemieux. Nichol se retira dans l'ombre.

– Ça va ? demanda-t-il à Gamache sans perdre sa cible de vue.

– Ça va.

Tels de vieux ennemis, Beauvoir et Lemieux se toisaient, armes pointées, celle de Beauvoir vers Lemieux et celle de Lemieux vers Gamache.

– Tu sais que je n'ai rien à perdre, inspecteur, dit la jeune voix posée. Pas question que je sorte d'ici prisonnier. Je vais compter jusqu'à cinq, et à cinq, si tu n'as pas abaissé ton arme, je tue Gamache. Si tu bronches, si je décèle le moindre signe que tu t'apprêtes à tirer, je tire le premier. En fait, pourquoi attendre ?

Il tourna légèrement la tête vers Gamache.

– Non ! Non, arrête ! s'écria Beauvoir en laissant tomber son revolver.

– Des faibles, dit Lemieux en secouant la tête. Vous êtes tous des faibles.

Il se tourna vers Gamache et tira.

43

En entendant la détonation, Clara Morrow bondit sur ses pieds. Depuis quinze minutes, ils entendaient des voix étouffées qui parfois montaient le ton jusqu'à la dispute, mais au moins elles étaient humaines. Un coup de feu, c'était autre chose. Ce n'était pas courant au Canada. Ce bruit choquant indiquait que la mort se déchaînait encore dans la vieille maison des Hadley.

– Est-ce qu'on devrait aller voir ? demanda-t-elle.

– T'es folle ? répondit Myrna, les yeux arrondis par la terreur. Qu'est-ce qu'on ferait ? Quelqu'un a une arme, bon sang. Il faut s'en aller.

– Je suis de ton avis, dit Gabri, déjà debout.

– On devrait rester, dit Jeanne. L'inspecteur-chef nous l'a demandé.

– Quelle importance ? demanda Saindon d'une voix forte. S'il vous demandait de sauter par la fenêtre, est-ce que vous le feriez ?

– Mais il ne l'a pas fait, et il ne le ferait pas. Nous devons rester.

Armand Gamache était par terre, luttant pour s'emparer du revolver. À quatre pattes, Beauvoir tentait désespérément de trouver le sien.

– Ça va ? Qu'est-ce qui s'est passé ? cria-t-il au chef.

– Prenez le revolver, hurla Gamache en luttant de toutes ses forces contre Lemieux qui se démenait pour se dégager.

Dans l'obscurité, chaque pied, chaque main, chaque patte de chaise ressemblait à une arme. La main de Gamache se referma autour d'une pierre.

– Ça va, vous pouvez arrêter, maintenant, dit une voix jeune au-dessus d'eux.

Les trois hommes qui se tortillaient sur le plancher levèrent les yeux et virent l'agente Yvette Nichol, revolver à la main.

Lentement, ils se relevèrent. Lemieux se toucha l'arrière de la tête. Sa main en revint maculée de sang.

– Donne-moi ça, dit-il en tendant la main pour prendre le revolver de Nichol.

– Oh, sûrement pas.

– Écoute, sale garce, donne-le-moi.

Nichol resta plantée comme un piquet, tenant fermement le revolver. Lemieux chercha Brébeuf, qui s'était furtivement retiré dans l'ombre.

– À quoi jouez-vous, Brébeuf? Dites-lui d'arrêter.

– Je ne peux pas, répondit-il d'une voix haut perchée, presque un glapissement, comme s'il réprimait une crise d'hystérie.

– Je vous avertis, Brébeuf...

De l'ombre parvint un bref éclat de rire, vite étouffé.

– Ce n'est pas lui qui peut m'arrêter, dit Nichol, le regard froid et dur.

– Francœur, siffla Lemieux à Brébeuf. Je pensais que vous aviez la main haute sur lui.

– Donnez-moi le revolver, agente Nichol, dit Gamache en s'avançant, la main tendue.

– Tire! hurla Lemieux. Descends-le!

À ce moment, le téléphone de Nichol sonna. À leur grand étonnement, elle répondit, sans les quitter des yeux une seconde.

– Oui, je vois. Il est avec moi.

Elle tendit le téléphone à Gamache. Il hésita avant de le prendre.

– Oui, allô?

– Inspecteur-chef Gamache? demanda la voix à l'accent marqué.

– Oui.

– Ici Ari Nikulas. Je suis le père d'Yvette. J'espère que vous prenez soin de ma fille. Chaque fois que j'appelle, elle me dit qu'elle est en train de résoudre l'affaire à votre place. C'est vrai ?

– C'est une jeune femme remarquable, monsieur. Mais je dois vous quitter.

Il remit le téléphone à Nichol. Elle lui donna le revolver. Lemieux observait la scène, bouche bée.

– Qu'est-ce qui se passe ? dit-il en se tournant de nouveau vers Brébeuf, cette lavette qui bafouillait dans l'ombre. Vous m'avez dit qu'elle était de notre côté.

– J'ai dit qu'elle servait à quelque chose, répondit Brébeuf d'une voix tendue, en s'efforçant de dominer l'hystérie qui s'emparait de lui. Quand Francœur l'a renvoyée aux homicides, je savais que Gamache la soupçonnerait d'espionner pour son compte. Sinon, pourquoi l'aurait-il fait ? Mais Francœur n'a jamais été qu'un petit tyran et un imbécile. Dès que les choses se sont corsées, il a laissé tomber Arnot. Nichol était notre bouc émissaire : le suspect évident, si jamais Gamache commençait à se méfier.

– Eh bien, vous vous êtes trompé sur toute la ligne ! rugit Lemieux.

– Oui, papa, je pense qu'il va accepter, maintenant.

Elle se tourna vers Gamache.

– Il me casse toujours les pieds pour que je vous invite un jour à prendre le thé.

– Dites à votre père que je serais honoré.

– Oui, papa. Il va venir. Non, je ne le tiens pas en joue, ajouta-t-elle en levant les sourcils en direction de Gamache. Plus maintenant. Non, je n'ai pas fait de gaffe, mais merci de me le demander.

– Le savais-tu, toi ? demanda Lemieux à Beauvoir pendant que ce dernier lui tirait les mains vers l'arrière et lui passait les menottes.

– Bien sûr, mentit Beauvoir.

Il n'en avait rien su jusqu'à ce qu'il demande des comptes au chef sur le bord de la route. Jusqu'à ce qu'ils se disent tout. Gamache lui avait alors révélé que Nichol travaillait pour eux. Il était content de ne pas l'avoir jetée dans la rivière Bella Bella en pleine crue printanière, comme son instinct le lui dictait. Décidément, il ne pouvait pas se fier au fait d'être né coiffé.

– Je savais qu'elle n'était pas l'espionne de Francœur. Ç'aurait été trop simple, dit Gamache en tendant le revolver à Beauvoir. Il y a presque un an, je lui ai exposé mon plan et elle a accepté de jouer le jeu. C'est une jeune femme courageuse.

– Vous voulez dire psychotique, non ? cracha Lemieux.

– Pas très sympathique, je vous l'accorde, mais je comptais là-dessus. Aussi longtemps que vous aviez l'impression que je la soupçonnais, vous étiez libre de faire ce que vous vouliez, et moi de vous observer. J'ai dit à Nichol d'être aussi désagréable que possible avec tout le monde, mais surtout à votre égard. De vous ébranler. Ce qui vous protège, c'est votre côté sympathique. Si nous parvenions à vous déstabiliser, vous finiriez peut-être par dire ou faire quelque chose de stupide. Et c'est ce qui s'est produit, ici même, l'autre jour, quand vous vous êtes approché de moi sans faire de bruit pour me prendre par surprise. Aucun de mes agents ne pointerait son arme sur moi. Vous l'avez fait pour me décontenancer. Vous avez plutôt établi hors de tout doute que c'était vous, l'espion. Mais j'ai commis une erreur monumentale, ajouta Gamache en se tournant vers Brébeuf. Je croyais que le proche ennemi était Francœur. Il ne m'est jamais venu à l'esprit que ce pouvait être toi.

– Matthieu 10, 36. « L'homme aura pour ennemis les gens de sa maison », cita Brébeuf d'une voix faible.

L'hystérie, la colère, la peur avaient disparu. Tout avait disparu.

– Cela vaut pour ses amis aussi, dit Gamache en regardant Beauvoir et Nichol emmener Brébeuf et Lemieux vers la porte.

« Quatorze jours, se dit Michel Brébeuf. Quatorze jours de bonheur. » C'était vrai, mais ce qu'il avait oublié jusqu'à ce moment précis, c'était qu'il avait passé la plupart de ces jours avec cet homme.

– Avec quoi tu m'as frappé, bon sang ? demanda Lemieux.

– Une pierre, répondit fièrement Nichol. Elle est tombée de la poche de l'inspecteur Beauvoir, l'autre jour, et je l'ai ramassée. Je te l'ai lancée au moment où tu tirais.

Armand Gamache avançait dans le corridor sombre. Il constatait quelque chose d'étrange au sujet de la vieille maison des Hadley : elle était en train de lui devenir familière. Il pouvait y circuler sans allumer sa lampe de poche. Mais il s'arrêta en chemin.

Quelque chose d'immense venait dans sa direction.

Plongeant la main dans son manteau, il en sortit sa lampe de poche et l'alluma. Devant lui se trouvait une créature à plusieurs têtes.

– On est venus vous secourir, dit Gabri, caché derrière Myrna.

Jeanne menait la file, suivie de Clara et des autres.

– En avant, soldats païens ! lança Jeanne avec un sourire de soulagement.

La bougie achevait de se consumer. Ils reprirent leurs places, toujours les mêmes, comme s'il s'agissait d'un rituel ancien et rassurant, un rite lié au printemps.

– Vous étiez sur le point de nous révéler qui a tué Madeleine, dit Odile.

Gamache attendit que tout le monde soit installé, puis parla.

– « Mais hélas ! qu'il est amer de ne voir le bonheur que par les yeux d'autrui ! »

Il laissa ces terribles paroles faire leur effet.

– Quelqu'un, ici, était devenu amer à force de regarder le monde joyeux que Madeleine s'était créé. Savez-vous d'où vient cette citation ?

– De Shakespeare, répondit Jeanne. *Comme il vous plaira.*

Gamache confirma d'un signe de tête.

– Comment le savez-vous?

– C'était la pièce présentée à la fin de notre dernière année du secondaire. C'est toi qui l'as montée, dit-elle en se tournant vers Hazel. Avec Madeleine en vedette.

– Madeleine en vedette, répéta Gamache. Comme toujours. Pas parce qu'elle y tenait, mais parce que c'était naturel chez elle.

– Elle était le soleil, dit Saindon, d'une voix douce.

– Et quelqu'un s'en est trop approché, ajouta Gamache. Quelqu'un, ici, est Icare. Cette personne a côtoyé le soleil de trop près, trop longtemps. Et, comme on pouvait s'y attendre, le soleil a fini par la précipiter au sol. Mais il a fallu du temps. Des années. Des décennies, en fait. Le meurtrier s'était fait une belle vie. Des amis, une vie sociale agréable. C'était une époque riche et heureuse. Mais les fantômes du passé nous retrouvent toujours. Dans ce cas-ci, le fantôme n'était pas une personne, mais une émotion, longtemps enterrée et même oubliée, mais puissante. Une jalousie aveuglante, dévorante, brûlante.

Il se tourna vers Jeanne.

– Si vous trouviez difficile de faire partie de l'équipe de meneuses de claques de Madeleine, imaginez comment c'était que d'être sa meilleure amie.

Tous les yeux se tournèrent vers Hazel.

– Selon les albums d'élèves, Hazel, vous étiez très forte au basketball, mais Mado était meilleure. Elle était la capitaine. Toujours la capitaine. Vous faisiez partie de l'équipe des débats oratoires, mais Mado en était la capitaine.

Il prit l'album et trouva leurs photos de diplômées.

– «Jamais elle ne se met en colère: il y a une certaine ado qu'elle ne veut pas se mettre à dos», lut-il sous la photo de la jeune Hazel, puis il referma le livre. Je me suis demandé ce que voulait dire cette allusion à une ado.

Hazel avait les yeux baissés sur ses mains.

– C'était une référence à l'ado appelée Mado, que vous ne réussissiez jamais à rattraper. Vous essayiez encore et encore, mais échouiez toujours, car vous vous étiez mis en tête que vous étiez en compétition, mais elle, jamais. Vous étiez tourmentée par une meilleure amie qui était meilleure en tout. À la fin du secondaire, vous vous êtes séparées et votre amitié s'est étiolée. Puis, des années plus tard, après un cancer du sein, Madeleine a voulu retrouver de vieux amis. Entre-temps, vous vous étiez organisé une belle vie. Une maison modeste dans un charmant village. Une fille. Des amis. Une histoire d'amour potentielle. Vous étiez membre de l'association des femmes anglicanes. Mais vous aviez retenu une leçon du secondaire. Cet après-midi, à Montréal, un collègue m'a fait une remarque. C'était à propos…

Gamache hésita un moment.

– … d'une autre affaire.

Il entendait encore la voix, grave, imposante, pleine d'autorité. Elle l'accusait de ne choisir que les faibles, les exclus, les parias. Pour faire en sorte d'être toujours meilleur qu'eux. Pour gonfler son ego. Ce n'était pas vrai, il le savait. Non pas qu'il n'avait pas d'ego, mais les membres de son équipe étaient les meilleurs, et non les pires. Ils l'avaient démontré à de multiples reprises.

Mais l'accusation de Francœur avait résonné comme un écho. Le déclic s'était fait sur le chemin du retour à Three Pines. Il ne s'agissait pas de l'affaire Arnot, mais de celle-ci. Les mots pouvaient s'appliquer à Hazel.

– Vous vous entourez de personnes blessées, handicapées d'une façon ou d'une autre. Qui ont besoin d'aide, d'attention. Vous vous liez d'amitié avec des gens malades, mal mariés, alcooliques, obèses, perturbés. Ainsi, vous vous sentez supérieure. Votre gentillesse, c'est de la condescendance. Avez-vous déjà entendu Hazel parler de quelqu'un autrement qu'en disant « le pauvre untel » ?

Ils se regardèrent les uns les autres en secouant la tête. C'était vrai : la pauvre Sophie, la pauvre Mme Blanchard, le pauvre M. Béliveau.

– Le proche ennemi, dit Myrna.

– Exactement. La pitié qui se fait passer pour de la compassion. Tout le monde vous voyait comme une sainte, mais votre dévouement avait sa raison d'être. Il vous donnait l'impression d'être indispensable, et meilleure que tous les gens que vous aidiez. Lorsque Madeleine et vous vous êtes retrouvées, elle était encore malade. Cela faisait votre affaire : vous pouviez la soigner, vous occuper d'elle, la prendre en charge. Elle était malade et fragile ; vous, non. Mais ensuite il s'est produit quelque chose que vous n'escomptiez pas. Elle a pris du mieux. Elle allait mieux que jamais. Une Madeleine non seulement rayonnante et vivante, mais remplie de gratitude et du désir de saisir la vie. Cependant, la vie qu'elle a saisie était la vôtre. Peu à peu, elle a repris le pouvoir sur vous, vos amis, votre travail à l'association des femmes. Vous avez vu venir le jour où vous seriez de nouveau reléguée à l'arrière-plan. Puis, Madeleine a dépassé les bornes. Elle vous a pris vos deux trésors les plus précieux : votre fille et M. Béliveau. Tous les deux n'avaient d'attentions que pour elle. Votre ennemie était de retour et habitait chez vous, mangeait dans vos assiettes et se nourrissait de votre vie.

Hazel était affalée sur sa chaise.

– Comment vous sentiez-vous ?

Elle leva les yeux.

– Comment, d'après vous ? Tout au long du secondaire, j'étais deuxième en tout. J'étais la meilleure joueuse de volleyball de l'équipe, jusqu'à ce que Mado en fasse partie.

– Deuxième, c'est tout de même bien, dit Gabri, qui aurait adoré figurer parmi les dix premiers de n'importe quelle épreuve sportive, même le lancer du fer à cheval à la foire agricole.

– Tu crois ? Quand on l'est tout le temps ? En tout ? Et que des gens comme toi répètent sans arrêt la même chose : « Deuxième, c'est bien, c'est parfait. » Non, ce ne l'est pas. Même dans le cas de la pièce de fin d'année. Je contrôlais enfin la situation. C'était moi, la productrice. Mais, quand la pièce a été un succès, qui s'en est vu attribuer tout le mérite ?

Elle n'eut pas besoin de le dire. Une image vive et brutale était en train de prendre forme. Combien de sourires condescendants peut-on endurer ? Combien de regards fuyants qui cherchent la vraie vedette ?

Madeleine.

« Qu'il est amer, en effet, de ne voir le bonheur que par les yeux d'autrui », se dit Clara.

– Puis, un jour, Madeleine a appelé. Elle était malade, elle voulait me voir. J'ai sondé mon cœur et je n'y trouvais plus de haine. Et, quand on s'est rencontrées, elle paraissait si fatiguée, si pitoyable.

Tout le monde imaginait les retrouvailles, les rôles enfin inversés. Et Hazel qui commettait une erreur monumentale : inviter Madeleine à vivre avec elle.

– Madeleine était merveilleuse. Elle égayait la maison, poursuivit Hazel, qui esquissa un sourire en se remémorant cette époque. On riait, on parlait, on faisait tout ensemble. Je l'ai présentée à des gens, je l'ai amenée à s'impliquer dans des comités. Elle était encore ma meilleure amie, mais cette fois c'était mon égale. Je suis retombée amoureuse d'elle. C'était une période fantastique. Avez-vous une idée de ce que ça peut représenter ? Je ne savais même pas que je souffrais de solitude jusqu'à ce que Mado revienne dans ma vie, et soudain mon cœur était comblé. Puis les gens ont commencé à appeler seulement pour elle, et Gabri lui a demandé de prendre la relève à l'association des femmes de l'église anglicane, même si j'en étais la vice-présidente.

– Mais tu détestais ce rôle.

– C'est vrai. Mais je détestais encore plus me sentir exclue. Tu ne sais pas que tout le monde déteste ça ?

Clara pensa à tous les mariages auxquels elle n'avait pas été invitée et à la façon dont elle s'était sentie. En partie soulagée de ne pas devoir aller à la fête et apporter un cadeau qu'elle ne pouvait se permettre, mais surtout offensée du fait d'être exclue. Oubliée. Ou pire. On se souvenait d'elle, sans l'inclure dans la liste des invités.

– Ensuite, elle vous a pris M. Béliveau, dit Gamache.

– Quand Ginette était mourante, elle disait souvent que, lui et moi, on ferait un beau couple. Qu'on pourrait se tenir compagnie. Je me suis mise à espérer, à penser que c'était peut-être vrai.

– Mais il voulait plus que de la simple compagnie, dit Myrna.

– Il voulait Madeleine, dit Hazel sans cacher son amertume. J'ai commencé à voir que j'avais commis une terrible erreur. Mais je ne voyais pas comment me sortir de cette situation.

– Quand avez-vous décidé de la tuer ? demanda Gamache.

– Quand Sophie est revenue pour Noël et l'a embrassée la première.

Ce simple fait ravageur reposait au milieu de leur cercle sacré, comme le petit oiseau mort. Gamache se rappela ce qu'on leur répétait sans cesse. « N'allez pas dans les bois au printemps. Il ne faut pas se trouver entre une mère et son petit. »

C'est ce que Madeleine avait fait.

Au bout d'un moment, Gamache prit la parole.

– Vous aviez gardé l'éphédra que Sophie utilisait il y a quelques années. Pas parce que vous aviez l'intention de vous en servir, mais parce que vous ne jetez jamais rien.

« Ni les meubles, ni les livres, ni les émotions », se dit-il. Hazel ne se débarrassait de rien.

– Selon le labo, les comprimés utilisés étaient trop purs pour être de fabrication récente. Au début, je croyais que l'éphédra venait de votre boutique, dit-il à Odile. Puis, je me suis rappelé qu'il y en avait un autre flacon, datant de quelques années. Hazel avait dit que Madeleine l'avait trouvé et confisqué, mais ce n'était pas vrai, n'est-ce pas, Sophie ?

– Maman ? fit Sophie, les yeux écarquillés, stupéfaite.

Hazel voulut lui prendre la main, mais Sophie la retira rapidement. Hazel parut plus affectée par cela que par tout le reste.

– Tu as trouvé ces pilules et tu les as utilisées contre Madeleine pour moi ?

Clara tenta de faire abstraction de l'inflexion, de la pointe de satisfaction dans la voix de Sophie.

– Il le fallait. Elle était en train de s'emparer de toi. Elle s'emparait de tout.

– Vous avez d'abord essayé de la tuer à la séance du vendredi soir, reprit Gamache, mais vous ne lui en aviez pas donné assez.

– Hazel n'était même pas là, dit Gabri.

– En effet, mais le plat qu'elle avait cuisiné, oui, dit Gamache en se tournant vers M. Béliveau. Vous avez dit que vous n'aviez pas pu dormir cette nuit-là, et vous avez mis cela au compte de la séance. Mais cette séance n'était pas si effrayante. C'est l'éphédra qui vous a gardé éveillé.

– C'est vrai ? demanda M. Béliveau à Hazel, renversé. Tu as mis ce médicament dans le plat et tu nous l'as donné ? Tu aurais pu me tuer.

– Non, non.

Elle tendit le bras vers lui, mais il se pencha rapidement dans l'autre direction. Un à un, tout le monde s'écartait de Hazel. En la laissant dans la situation qu'elle craignait le plus : seule.

– Je n'aurais jamais pris ce risque. Grâce à des reportages, je savais que l'éphédra tue uniquement si on a un problème cardiaque, et je savais que tu n'en avais pas.

– Mais vous saviez que Madeleine en avait un, dit Gamache.

– Madeleine avait un problème cardiaque ? demanda Myrna.

– Causé par la chimiothérapie, confirma Gamache. Elle vous en a parlé, n'est-ce pas, Hazel ?

– Elle ne voulait le dire à personne d'autre, pour qu'on ne la traite pas comme une malade. Comment le saviez-vous ?

– Le rapport de la médecin légiste indiquait qu'elle avait un problème au cœur et son médecin personnel l'a confirmé.

– Non, je veux dire : comment avez-vous su que j'étais au courant ? Je n'en ai parlé à personne, pas même à Sophie.

– Grâce à l'aspirine.

Hazel soupira.

– Je croyais avoir été habile en cachant les pilules de Mado parmi toutes les autres.

– L'inspecteur Beauvoir les a remarquées quand vous vous êtes mise à chercher quelque chose à donner à Sophie pour sa cheville. Vous avez une armoire remplie de vieux comprimés. Ce qui l'a frappé, c'est que vous n'avez pas donné l'aspirine à Sophie. Vous avez plutôt continué de chercher un autre flacon.

– L'éphédra était caché dans la bouteille d'aspirine ? demanda Clara, perdue.

– C'est ce qu'on croyait. On a fait analyser le contenu. C'était bien de l'aspirine.

– Alors quel était le problème ? demanda Gabri.

– Sa puissance. La dose était faible. Bien au-dessous de la normale. Souvent, les gens qui ont un problème cardiaque prennent une aspirine à faible dose, une fois par jour.

Il y eut des hochements de tête dans le cercle. Gamache fit une pause, les yeux fixés sur Hazel.

– Madeleine cachait quelque chose. Même à vous. Peut-être surtout à vous.

– Elle me disait tout, dit Hazel, comme si elle défendait sa meilleure amie.

– Non. Elle vous a caché un dernier secret, un grand secret. À vous et à tout le monde. Madeleine était mourante. Son cancer s'était propagé.

– Mais non, dit M. Béliveau.

– C'est impossible, rétorqua Hazel. Elle m'en aurait parlé.

– C'est étrange qu'elle ne l'ait pas fait. D'après moi, c'est parce qu'elle a perçu quelque chose en vous qui se nourrissait de la faiblesse et en créait. Si elle vous l'avait dit, cependant, vous ne l'auriez pas tuée. Mais le plan était déjà enclenché. Voici de quelle façon ça a commencé.

Il brandit la liste qu'il était allé chercher à l'école cet après-midi-là.

– Madeleine figurait parmi les anciens de votre école secondaire. Tout comme vous.

Gamache se tourna vers Jeanne, qui confirma d'un signe de tête.

– Hazel a pris l'un des dépliants de Gabri, a tapé « Là où convergent les lignes de Lay – Promotion de Pâques » en haut et l'a fait parvenir à Jeanne.

– Elle a volé un de mes dépliants ! dit Gabri à Myrna.

– Relativise, Gabri.

En faisant un effort, il dut reconnaître qu'il avait de moins bonnes raisons de se sentir lésé que Madeleine. Ou Hazel.

– La pauvre Hazel, dit Gabri, et tous hochèrent la tête.

La pauvre Hazel.

44

Au cours de la semaine suivante, Gamache se sentit comme s'il avait subi une sorte de choc post-traumatique. Sa nourriture ne goûtait rien, le journal ne l'intéressait plus. Il lisait et relisait la même phrase dans *Le Devoir*. Reine-Marie essaya de l'amener à discuter d'un séjour possible au Manoir Bellechasse pour fêter leur trente-cinquième anniversaire de mariage. Il lui répondait, montrait de l'intérêt, mais les couleurs vives et étincelantes de sa vie avaient pâli. On aurait dit que son cœur était subitement devenu trop lourd pour ses jambes. Il se traînait, en s'efforçant de ne pas penser à ce qui s'était passé. Un soir cependant, quand il était allé se promener avec Reine-Marie et Henri, le berger allemand s'était soudainement échappé et avait couru à travers le parc, vers un homme connu qui arrivait de l'autre côté. Gamache rappela Henri, qui s'arrêta. Mais l'homme avait déjà aperçu le chien. De même que son propriétaire.

Une fois de plus, et pour la dernière fois, Michel Brébeuf et Armand Gamache se regardèrent dans les yeux. Toute une vie défila. Des enfants jouaient, des chiens couraient et se roulaient par terre, de jeunes parents s'émerveillaient devant leur progéniture. Entre ces deux hommes, l'air était rempli du parfum des lilas et du chèvrefeuille, de bourdonnement d'abeilles, d'aboiements de chiots, de rires d'enfants. Tout un monde existait entre Armand Gamache et son meilleur ami.

Gamache eut très envie d'aller jusqu'à lui et de l'étreindre. De sentir la main familière sur son bras. L'odeur de Michel dans ses narines : savon et tabac à pipe. Il se languissait de sa compagnie, de sa voix, de ses yeux si bienveillants et remplis d'humour.

Son meilleur ami lui manquait.

Dire que depuis des années Michel le détestait… Pourquoi ? Parce qu'il était heureux.

« Qu'il est amer de ne voir le bonheur que par les yeux d'autrui ! »

Aujourd'hui, cependant, il n'y avait pas de bonheur dans ces yeux, seulement du chagrin et du regret.

Sous le regard de Gamache, Michel Brébeuf leva une main, puis l'abaissa et s'éloigna. Au moment où Gamache levait la sienne, son ami s'était déjà détourné. Reine-Marie lui prit le bras, il saisit la laisse d'Henri et tous trois reprirent leur promenade.

Robert Lemieux avait été accusé de voies de fait et de tentative de meurtre. Il faisait face à une longue peine d'emprisonnement. Mais Armand Gamache ne pouvait se résoudre à déposer une plainte contre Michel Brébeuf. Il savait qu'il devrait le faire, et qu'il se montrait lâche, à hésiter ainsi, mais, chaque fois qu'il s'approchait du bureau de Paget pour porter plainte, il se rappelait la main du jeune Michel Brébeuf sur son bras. Qui lui disait, de sa voix de petit garçon, que tout irait bien, qu'il n'était pas seul.

Il ne pouvait s'y résoudre. Son ami l'avait déjà sauvé. C'était son tour.

Mais Michel Brébeuf avait démissionné de la Sûreté ; c'était un homme brisé. Sa maison était à vendre, Catherine et lui allaient quitter Montréal, cette ville qu'ils aimaient tant, et tout ce qu'ils connaissaient et chérissaient. Michel Brébeuf avait dépassé les bornes.

Un samedi après-midi, Armand Gamache fut invité à prendre le thé avec l'agente Nichol et sa famille. Il se gara devant la maison, minuscule et impeccable, et aperçut les visages à la fenêtre panoramique donnant sur la rue, qui disparurent cependant lorsqu'il remonta l'allée. On lui ouvrit avant même qu'il frappe à la porte.

Il rencontra Yvette Nichol pour la première fois – la personne, pas l'agente. Elle était habillée d'un pantalon ordinaire et d'un pull, et c'était aussi la première fois qu'il la voyait sans taches sur ses vêtements. Ari Nikulas, petit, mince et inquiet, essuya ses paumes sur son pantalon avant de tendre la main à Gamache.

– Bienvenue chez nous, dit-il avec un fort accent.

– C'est un honneur pour moi, répondit Gamache en tchèque.

Chacun avait dû passer la matinée à s'exercer à parler la langue de l'autre.

L'heure suivante fut occupée par la cacophonie de membres de la famille qui semblaient continuellement crier, dans des langues que Gamache ne pouvait aucunement reconnaître. Une vieille tante, il en était sûr, en inventait une au fur et à mesure.

De la nourriture ne cessait d'apparaître, de même que des boissons. Puis vinrent des chansons. C'était un événement joyeux, très animé. Pourtant, chaque fois qu'il cherchait Nichol, il la trouvait debout à l'extérieur de la salle de séjour. Il finit par l'approcher.

– Pourquoi ne venez-vous pas ?

– Je suis très bien ici, monsieur.

Il l'observa un moment.

– Qu'y a-t-il ? Entrez-vous parfois dans cette pièce ? lui demanda-t-il, étonné, debout à côté d'elle sur le seuil.

Elle secoua la tête.

– On ne m'a jamais invitée.

– Mais vous êtes chez vous.

– Ils ont pris toutes les places. Il n'en reste plus.

– Quel âge avez-vous ?

– Vingt-six ans, répondit-elle d'une voix maussade.

– Il est temps que vous preniez votre place. Insistez. Ce n'est pas leur faute si vous restez debout ici, Yvette.

Elle hésitait encore. En vérité, elle trouvait cette place confortable. Froide, parfois solitaire, mais confortable. Et puis, que savait-il, lui ? Tout lui était facile. Il n'était pas une fille, il n'était pas un immigrant, sa mère n'était pas morte jeune, sa famille ne se moquait pas de lui. Il n'était pas un simple policier. Jamais il ne pourrait comprendre combien c'était difficile pour elle.

Avant de partir, la panse remplie de gâteaux et de thé bien fort, Gamache demanda à Yvette Nichol de le raccompagner jusqu'à sa voiture.

– Je veux vous remercier pour ce que vous avez fait. Je sais à quel point il est pénible de rester délibérément à l'extérieur du groupe.

– Je suis toujours à l'extérieur.

– Il est temps d'y entrer, je pense. Tenez, je crois que ceci est à vous.

Il fouilla dans sa poche, puis pressa quelque chose dans la main d'Yvette. En l'ouvrant, elle y trouva une pierre chaude.

– Merci, dit-il.

Nichol hocha la tête.

– Vous savez, dans la religion juive, quand quelqu'un meurt, ses proches déposent des pierres sur sa tombe. L'an dernier, lorsque nous avons parlé pour la première fois de l'affaire Arnot, je vous ai donné un conseil. Vous en souvenez-vous ?

Nichol s'en souvenait bien, même si elle fit semblant de réfléchir.

– Vous m'avez dit d'enterrer mes morts.

Gamache ouvrit la porte de sa voiture.

– Pensez-y.

Il fit un signe de tête en direction de la pierre qu'elle avait dans la main.

– Mais assurez-vous qu'ils soient vraiment morts avant de les enterrer, sinon vous ne réussirez jamais à vous en débarrasser.

En s'éloignant, il se dit qu'il devrait peut-être suivre son propre conseil.

Armand Gamache monta jusqu'au dernier étage du quartier général de la Sûreté et parcourut le corridor jusqu'à l'impressionnante porte en bois. Il frappa, espérant qu'il n'y aurait personne.

– Entrez.

Gamache ouvrit la porte et s'avança vers Sylvain Francœur. Le directeur ne bougea pas. Il fixait Gamache avec un mépris non dissimulé. Gamache plongea la main dans la poche de son pantalon, cherchant instinctivement le porte-bonheur qu'il avait gardé sur lui pendant la majeure partie de sa vie. Mais sa poche était vide. Une semaine plus tôt, il avait mis le crucifix bosselé et abîmé de son père dans une simple enveloppe blanche, avec une petite note, et l'avait donné à son fils.

– Qu'est-ce que tu veux ?

– Je veux m'excuser. J'ai eu tort de t'accuser de répandre des ragots sur ma famille. Ce n'était pas toi. Je suis désolé.

Francœur plissa les yeux. Il s'attendait à un « mais ». Aucun ne vint.

– Je suis prêt à écrire une lettre d'excuse et à l'envoyer à tous les membres du conseil présents à la réunion.

– J'aimerais que tu démissionnes.

Ils se regardèrent un long moment. Puis Gamache eut un sourire las.

– Est-ce que ce sera ainsi pour le reste de notre vie ? Tu menaces, je réplique ? J'accuse, tu exiges ? Avons-nous vraiment besoin de ça ?

– Je n'ai rien vu qui me pousserait à changer d'opinion sur toi, inspecteur-chef. Y compris dans ta façon de traiter cette affaire. Le directeur Brébeuf était un bien meilleur policier que tu ne le seras jamais. Maintenant, par ta faute, il est parti, lui aussi. Je te connais, Gamache.

Francœur se leva et se pencha au-dessus de son bureau.

– Tu es arrogant et stupide. Faible. Tu te fies à ton instinct, mais tu ne t'es jamais rendu compte que ton meilleur ami complotait contre toi. Il était où, ton instinct ? Le brillant Gamache, le héros de l'affaire Arnot, aveugle. Tu es aveuglé par tes émotions, par ton besoin d'aider les gens, de les sauver. Depuis l'instant où tu as occupé un poste de direction, tu n'as fait que déshonorer la Sûreté. Maintenant, tu viens faire du léchage de bottes. Ce n'est pas fini, Gamache. Ce ne sera jamais fini.

Les paroles éclaboussèrent le visage de Gamache, qui ne souriait plus. Il regarda fixement Francœur, qui tremblait de rage. Gamache fit un signe de tête, puis se retourna et sortit. Certaines choses, il le savait, refusent de mourir.

Quelques jours plus tard, les Gamache, y compris Henri, furent invités à une fête à Three Pines. C'était une journée de printemps ensoleillée, les jeunes feuilles fraîchement apparues revêtaient les arbres de toutes les nuances de vert tendre. Tandis qu'ils cahotaient sur la route de terre, sous la voûte vert lime qui brillait comme le vitrail de l'église Saint-Thomas, ils remarquèrent de l'activité inhabituelle d'un côté. Même s'ils ne la voyaient pas encore, Gamache savait que c'était à la vieille maison des Hadley et se demanda si les villageois avaient enfin entrepris de la démolir. Un homme s'avança au centre de la route et leur fit signe de se ranger. C'était M. Béliveau, souriant, en salopette et casquette de peintre.

– Enfin. On espérait tous que vous viendriez.

Penché sur la fenêtre ouverte, l'épicier tapota affectueusement Henri qui avait grimpé par-dessus Gamache pour voir qui était là, donnant ainsi l'impression que la voiture était conduite par un chien. Gamache ouvrit la portière et Henri sortit d'un bond, accueilli par les cris des villageois qui ne l'avaient pas vu depuis qu'il était chiot.

Quelques minutes plus tard, Reine-Marie, en haut d'une échelle, grattait la peinture écaillée de la maison, tandis que Gamache raclait les moulures des fenêtres du rez-de-chaussée. Il n'aimait pas les hauteurs et Reine-Marie n'aimait pas les moulures.

À mesure qu'il s'affairait, il avait l'impression d'entendre la maison gémir, comme Henri lorsqu'il lui frottait les oreilles. De plaisir. On lui enlevait des années de décrépitude, de négligence, de chagrin. On la ramenait à sa nature véritable, en lui enlevant des couches d'artifice. Était-ce pour cela qu'elle gémissait, tout ce temps ? Pour qu'on lui procure du plaisir, quand elle avait enfin de la visite ? Et on croyait qu'elle était sinistre !

Loin de démolir la vieille maison des Hadley, les habitants de Three Pines avaient décidé de lui donner une autre chance. Ils la restauraient pour lui redonner vie.

Elle paraissait déjà tirée à quatre épingles. Le soleil faisait briller la peinture fraîche. Des équipes installaient de nouvelles fenêtres et d'autres nettoyaient l'intérieur.

– Le grand ménage du printemps, dit Sarah la boulangère, ses longs cheveux auburn tombant de son chignon.

On alluma un barbecue et les villageois firent une pause pour boire une bière ou de la limonade, et manger des hamburgers et des saucisses. Gamache prit sa bière et se tourna vers Three Pines, en bas de la colline. Le village était tranquille. Tout le monde – vieux et jeunes – était là-haut. On avait même aidé les malades à monter et on leur avait donné des chaises de parterre et des pinceaux pour que toutes les âmes du village atteignent la maison des Hadley et rompent la malédiction. Celle de l'angoisse et du chagrin.

Mais, surtout, de la solitude.

Les seuls absents étaient Peter et Clara Morrow.

– Je suis prête, chantonna Clara dans son atelier.

Le visage tacheté de peinture, elle se frottait les mains sur un chiffon huileux, trop sale pour être encore utile.

À la porte de l'atelier, Peter essayait de se calmer. Il respirait profondément en faisant une prière. Une prière de supplication, pour que le tableau soit vraiment, incontestablement, irrémédiablement horrible.

Il avait cessé de se battre contre la chose qu'il avait fuie, enfant, dont il s'était caché, pourchassé jour et nuit par les paroles. Son père déçu exigeait de lui qu'il soit le meilleur, et Peter savait qu'il n'y arriverait jamais. Il y avait toujours quelqu'un de meilleur.

– Ferme les yeux.

Clara vint à la porte. Il fit comme elle lui avait dit et sentit sa petite main se poser sur son bras pour le guider.

– On a enterré Lys dans le parc du village, dit Ruth en s'approchant de Gamache.

– Je suis désolé.

Elle s'appuya lourdement sur sa canne. Derrière elle se trouvait Rose, qui était en train de devenir un beau et vigoureux canard.

– Pauvre petite, dit Ruth.

– Elle en a eu, de la chance, de connaître un tel amour.

– C'est l'amour qui l'a tuée.

– C'est l'amour qui l'a nourrie.

– Merci, dit la vieille poète avant de se tourner vers la maison. Pauvre Hazel. Elle aimait vraiment Madeleine, vous savez. Même moi, je le voyais.

– À mon avis, la jalousie est l'émotion la plus cruelle, dit Gamache en hochant la tête. Elle nous transforme, nous rend monstrueux. Hazel était consumée par une jalousie qui a dévoré son bonheur, son contentement. Son équilibre mental. À la fin, elle était tellement aveuglée par l'amertume qu'elle ne voyait pas qu'elle avait déjà tout ce qu'elle voulait : de l'amour et de la compagnie.

– Elle a trop aimé, mais n'a pas su aimer sagement. Quelqu'un devrait écrire une pièce là-dessus, dit Ruth en souriant avec un air de regret.

– Ça ne fonctionnerait jamais, répondit Gamache.

Après un moment de silence, il ajouta, presque pour lui-même :

– Le proche ennemi. Ce n'est pas une personne, n'est-ce pas ? C'est nous-mêmes.

Tous deux regardèrent la vieille maison des Hadley et les villageois qui la restauraient.

– Tout dépend de la personne, dit Ruth.

Puis, son visage prit un air de surprise. Du doigt, elle indiqua les bois derrière la maison.

– Mon Dieu, j'avais tort. Il y a vraiment des fées à l'autre bout du jardin.

Gamache se retourna. Là-bas, tout au fond, les buissons remuèrent. Puis Olivier et Gabri en émergèrent en traînant des fougères coupées.

– Ha ! s'exclama Ruth, en riant d'un air triomphant, puis son rire s'éteignit et il ne resta qu'un petit sourire sur son visage dur. « Voici, je vous dis un mystère, dit-elle en secouant la tête en direction des villageois qui rénovaient la vieille maison. Les morts ressusciteront incorruptibles, et nous, nous serons changés. »

– « En un instant, en un clin d'œil », ajouta Gamache.

– Prêt ? demanda Clara d'une petite voix aiguë, tellement elle était excitée.

Elle avait travaillé sans relâche, dans un sprint, pour terminer le tableau avant l'arrivée de Fortin. Mais ensuite, c'était devenu autre chose : une course pour coucher sur la toile ce qu'elle voyait, ce qu'elle sentait.

Finalement, elle l'avait.

– O.K., tu peux regarder.

Les yeux de Peter s'ouvrirent d'un coup. Il lui fallut un moment pour saisir ce qu'il voyait. C'était un immense portrait de Ruth. Mais une Ruth qu'il n'avait jamais vue. Pas vraiment. Puis, en regardant bien, il se rendit compte que, oui, il l'avait déjà vue, mais seulement en passant, sous des angles bizarres, à des moments où elle ne s'y attendait pas.

Elle était enveloppée d'un bleu lumineux, sous lequel on devinait une tunique rouge. Son vieux cou et ses clavicules saillantes montraient une peau ridée et veinée. Elle était vieille, fatiguée et laide. D'une main frêle, elle tenait le châle bleu fermé, comme si elle craignait de se dénuder. Son visage révélait une telle amertume et une telle angoisse. La solitude et le sentiment de perte. Mais il y avait autre chose. C'était dans les yeux, quelque chose dans les yeux.

Peter ne savait pas s'il pourrait respirer de nouveau, ni s'il avait besoin de le faire. Le portrait semblait le faire à sa place. Il s'était insinué dans son corps et était devenu lui : la peur, le vide, la honte.

Mais, dans ces yeux, il y avait autre chose.

C'était Ruth représentée sous les traits de Marie, mère de Dieu. Marie en vieille femme oubliée. Mais il y avait quelque chose que ces vieux yeux commençaient tout juste à voir. Peter resta immobile et fit comme Clara le lui avait toujours conseillé en vain : il laissa la peinture venir à lui.

Puis, il vit.

Clara avait capté le moment où le désespoir se transforme en espoir. Cet instant où le monde change à jamais. C'est ce que Ruth voyait : l'espoir. Le premier indice d'un espoir naissant. C'était un chef-d'œuvre, Peter le savait. Comme le plafond de la chapelle Sixtine par Michel-Ange. Mais, tandis que ce dernier avait peint l'instant précédant celui où Dieu donne vie à l'Homme, Clara avait peint le moment où les doigts se touchaient.

– C'est brillant, murmura-t-il. C'est la plus merveilleuse peinture que j'aie jamais vue.

Devant le portrait, toutes les descriptions prétentieuses disparurent. Toutes ses peurs et ses angoisses s'évanouirent. Il avait retrouvé son amour pour Clara.

Il la prit dans ses bras et, ensemble, ils rirent et pleurèrent de joie.

– L'idée m'est venue ce soir-là au souper, quand je regardais Ruth parler de Lys. Si tu n'avais pas proposé le souper, ce tableau n'existerait pas. Merci, Peter.

Elle le serra très fort dans ses bras et lui donna un baiser.

Pendant l'heure suivante, il l'écouta parler de l'œuvre avec un enthousiasme débridé et contagieux, jusqu'à ce qu'ils soient tous deux épuisés et euphoriques.

– Allons-y, maintenant, dit-elle en lui donnant une petite poussée. Allons rejoindre les autres à la vieille maison des Hadley. Prends quelques bières dans la chambre froide ; ils en auront probablement besoin.

En partant, il jeta un coup d'œil dans l'atelier de Clara et fut soulagé de ne ressentir qu'un soupçon, à peine un écho, de la jalousie paralysante qu'il avait éprouvée. Elle était en train de disparaître, il le savait. Bientôt, elle aurait complètement disparu et, pour la première fois de sa vie, il serait capable d'être sincèrement heureux pour quelqu'un d'autre.

Peter et Clara se mirent donc en route pour la vieille maison des Hadley, Peter portant une caisse de bière et un minuscule éclat de jalousie, qui commençait à suppurer.

« Heureux ? » dit Reine-Marie en glissant sa main dans celle de Gamache. Il l'embrassa, puis hocha la tête en pointant sa bière en direction de la pelouse. Henri jouait à rapporter une balle avec Myrna, exaspérée, qui tentait de convaincre quelqu'un d'autre de la lancer à l'infatigable chien. En commettant l'erreur de lui donner un hot-dog souillé, elle était devenue sa nouvelle meilleure amie.

– Mesdames et messieurs, retentit la voix de M. Béliveau au-dessus du rassemblement.

Tout le monde cessa de manger et se réunit devant la galerie de la vieille maison des Hadley. À côté de M. Béliveau se tenait Odile Montmagny, très nerveuse, mais sobre.

– J'ai lu *Sarah Binks*, murmura Gamache à Myrna, qui se joignit au groupe au moment même où Ruth se glissait à côté de lui. Un ouvrage délicieux, ajouta-t-il en le sortant de la poche de sa veste. C'est un soi-disant hommage à la poésie d'une femme des Prairies, sauf que sa poésie est affreuse.

– Notre Odile Montmagny a écrit une ode à la journée et à cette maison, disait M. Béliveau, tandis qu'Odile se dandinait d'une jambe sur l'autre, comme si elle avait soudainement envie de se soulager.

– Mais *Sarah Binks* était mon livre. J'allais le lui donner, dit Ruth en l'arrachant à Gamache et en l'agitant en direction d'Odile. Où l'avez-vous trouvé ?

– Il était caché dans la table de chevet de Madeleine, répondit Gamache.

– Madeleine ? Elle me l'a volé ? Je croyais l'avoir perdu.

– Elle te l'a pris quand elle a compris ce que tu allais faire avec, siffla Myrna. Quand tu as dit à Odile qu'elle te rappelait Sarah Binks, c'était pour elle un compliment, car elle te vénère. Comme Madeleine ne voulait pas que tu la blesses, elle a caché le livre.

– C'est un petit quelque chose que j'ai écrit hier soir en regardant la partie de hockey, dit Odile.

Des hochements de tête accueillirent cet aperçu du processus créatif, cette affinité naturelle entre la poésie et les éliminatoires.

Elle se racla la gorge.

Un canard maudit lui a d'un coup de bec arraché l'oreille,
Et son visage est devenu blême ;
« Ah, comment maintenant trouver une femme qui m'aime ? »
Tel était son gémissement constant et solitaire ;
Mais une femme est venue et l'a aimé
D'un amour serein et sans pareil…
Elle l'a aimé comme seule une femme peut aimer
Un homme n'ayant qu'une oreille.

Un silence accueillit le dernier mot. Odile semblait attendre fébrilement les réactions. Puis, horrifié, Gamache vit Ruth s'avancer dans la foule en serrant dans sa main le livre sur Sarah Binks, avec Rose qui cancanait derrière elle.

– Faites place à la cane et à la canne, cria Gabri.

Ruth se hissa sur la galerie et s'approcha d'Odile en lui prenant la main. Gamache et Myrna retenaient leur souffle.

– Je n'ai jamais entendu de poème aussi émouvant. Qui parle aussi clairement de la solitude et de la perte. Un vrai trait de génie, ma chère, que d'avoir fait de l'homme une allégorie de la maison.

Odile parut perplexe.

– Comme cet homme blessé, la vieille maison des Hadley sera de nouveau aimée, poursuivit Ruth. Ton poème apporte l'espoir à tous ceux d'entre nous qui sont vieux, laids et imparfaits. Bravo.

En glissant le livre dans son pull en loques, Ruth serra Odile dans ses bras, qui semblait avoir trouvé le paradis sur la galerie délabrée de la vieille maison des Hadley.

Peter et Clara arrivèrent, portant une caisse de bière bienvenue. Mais ils s'arrêtèrent juste avant d'atteindre la maison. Gamache les observait et se demanda ce qu'ils allaient faire. La vieille maison des Hadley avait hanté Peter et Clara plus que tous les autres villageois. Et maintenant, à l'écart du bourdonnement d'activité, ils la fixaient. Puis, Clara se pencha et souleva le panneau « À vendre ». Avec sa manche, elle le débarrassa en grande partie de la boue et de la poussière dont il était couvert, puis elle le tendit à Peter, qui le planta dans le sol. Le panneau se dressait, propre et fier.

– Croyez-vous que quelqu'un l'achètera ? demanda Clara, en s'essuyant les mains sur son jean.

– Quelqu'un l'achètera et l'aimera, répondit Gamache.

– « Mais une femme est venue et l'a aimé / D'un amour serein et sans pareil… / Elle l'a aimé comme seule une femme peut aimer / Un homme n'ayant qu'une oreille », cita Ruth en s'approchant d'eux. C'est un poème ridicule, bien sûr. Et pourtant…

Puis en boitillant elle alla rejoindre Odile, donnant une autre chance à la gentillesse. La petite Rose se dandinait derrière.

– Au moins, Ruth a maintenant une excuse pour cancaner, dit Clara.

Sous le soleil resplendissant, Armand Gamache regarda la vieille maison des Hadley reprendre vie, puis il posa sa bière et se joignit aux autres.